De geschiedenis van Rome

Omslag: Peter Koch
Illustraties: A. A. Tadema

Oorspronkelijke titel: The story of Rome
• Oorspronkelijke editie: Thomas Nelson and Sons Ltd, Londen
Vertaling en bewerking: Jeroen Franke, m.m.v. Dr B. Keulen en Drs P. Hijmans

Op het omslag: Twee Latijnse krijgers dragen hun gesneuvelde strijdmakker. Handgreep op het deksel van een Etruskisch bronzen kistje. Vierde eeuw v. Chr. Louvre, Parijs.

Verspreiding voor België: Unieboek België N.V., p/a Standaard Boekhandel, Antwerpen.

DE GESCHIEDENIS VAN ROME

MARY MAC GREGOR

ZESDE DRUK

FIBULA-VAN DISHOECK **HAARLEM**

GESCHIEDENIS EN CULTUUR PAPERBACKS

Dr. J.F. Borghouts, Egyptische sagen en verhalen
Dr. J. Buitkamp, De geschiedenis van Israël, 3de druk
Jaap ter Haar, De Franse revolutie, 4de druk
De geschiedenis van Noord-Amerika, 3de druk
De geschiedenis van Rusland, 4de druk
De grote sagen van de donkere middeleeuwen, 5de druk
Koning Arthur, 3de druk
Napoleon, 3de druk
Jaap ter Haar en Dr. K. Sprey, Het Romeinse Keizerrijk, 3de druk
Jan ter Haar, Keltische verhalen
Auguste Lechner, Aeneas, de vader van de Romeinen
Ilias, strijd om Troje
De zwerftochten van Odysseus
De vier Heemskinderen
De Roelandsage
Parcival de graalridder
Mary McGregor, De geschiedenis van Griekenland, 4de druk
Dr. Sophie Ramondt, Mythen en sagen van de Griekse wereld, 7de druk
M.B. Synge, Ontdekkingsreizen, 2de druk
Bob Tadema Sporry, De geschiedenis van China, 3de druk
De geschiedenis van Egypte, 4de druk

TEN GELEIDE

Een Geschiedenis van Griekenland zonder die van Rome zou een torso zijn, evenals een Geschiedenis van Rome zonder die van Griekenland. Immers de invloed, die beide cultuurvolken op elkaar en tezamen op de Westeuropese beschaving hebben uitgeoefend, is op talrijke gebieden zo groot geweest, dat zij, hoezeer ook geografisch gescheiden, in hun ontwikkelingsgang niet van elkaar te scheiden zijn. Weliswaar komt bij deze beïnvloeding het leiderschap toe aan Hellas, dat op welhaast alle terreinen van wetenschap en kunst zijn triomfen heeft gevierd en een stimulerende kracht van zich op Rome heeft doen uitgaan. Maar ook het aandeel van Rome is belangrijk geweest. Was het in Griekenland de individuele persoonlijkheid, die tot de rijkste ontplooiing kwam, bij de Romeinen was dit de nationale gemeenschap die hen in staat stelde een rijk te stichten, waarin de gemeenschappelijke beschavingselementen zich over geheel de toen bekende wereld konden verbreiden.
Zij hebben door hun zin voor orde, organisatie, tucht en door hun alles voor de gemeenschap offerende burgerzin vorm gegeven aan begrippen van Staat en Recht, die tot op de dag van heden nog voortleven als een belangrijke bijdrage tot het erfgoed van de klassieke beschaving.
Het is daarom vanzelfsprekend, dat Mary Macgregor haar Geschiedenis van Griekenland door een Geschiedenis van Rome heeft doen volgen. Haar pogen om deze beide cultuurscheppende volken voor de jeugd te doen leven mag, wat Griekenland betreft, blijkens deskundige beoordelingen als geslaagd worden beschouwd.
Ondergetekende vertrouwt, dat haar Geschiedenis van Rome, die hier in vertaling wordt aangeboden, een niet minder gunstig onthaal zal vinden.

Dr. B. Keulen
Oud Rector van het Johan van Oldenbarneveltgymnasium te Amersfoort

HOOFDSTUK I

ROMA

Lang geleden werd Troje, een grote stad in Klein Azië, door de Grieken veroverd.
De Trojanen hadden hun stad dapper verdedigd, en vooral prins Aeneas had moedig gevochten. Maar toen hij zag dat de Grieken de stad in brand hadden gestoken, vluchtte hij, en naar men zegt, droeg hij zijn vader op zijn rug, terwijl hij Julus, zijn zoontje, aan de hand meetrok.
Bovendien redde hij de beelden van Troje's beschermgoden, de Penaten, uit de vlammen van de brandende stad.
De goden, die zeer ingenomen waren met zijn daad, hielpen hem door schepen voor hem te bouwen. Toen Aeneas de zee bereikte, scheepte hij zich onmiddellijk in met zijn volgelingen en hun vrouwen en voer weg om een nieuw land te zoeken, waar hij een nieuwe stad zou kunnen bouwen.
Eén heldere ster, die dag en nacht te zien was, wees hun de richting waarin ze moesten varen.
Op verschillende kusten landden zij, in de hoop dat ze er zouden kunnen blijven. Maar telkens weer gaven de goden hun door een of ander teken te kennen dat ze verder moesten gaan.
Door al die zwerftochten kregen de vrouwen tenslotte genoeg van de zee. Toen ze op Sicilië waren geland, kwam Juno, de Koningin van de goden, haar te hulp. Zij gaf aan één van haar de gedachte in om de schepen in brand te steken. Dan zouden hun mannen niet verder kunnen varen om een nieuwe woonplaats te zoeken. Door de godin bezeten stelde deze vrouw dit aan de anderen voor en die stemden er dadelijk mee in. Op een ogenblik dat de mannen bezig waren op een afstand van de schepen wisten ze er brandende stukken hout in te gooien zodat weldra de vlammen eruit sloegen. Maar de mannen die dadelijk kwamen aangelopen slaagden er nog in, de meeste schepen te redden.
Toen begreep Aeneas dat hij maar beter de vrouwen op Sicilië kon achterlaten en ook alle anderen die geen moed meer hadden om ver-

der te gaan. Voor hen stichtte hij daar een stad. Daarop stak hij met de jongste en flinkste mannen weer in zee. Eindelijk kwamen ze waar Jupiter, de oppergod, wilde dat ze zouden blijven: aan de westkust van Italië.
Het gebied waar Aeneas landde, behoorde aan koning Latinus, die de Trojaan welkom heette en hem de grond gaf om een stad te bouwen. Aeneas trouwde met de dochter van de koning en noemde de stad naar haar Lavinium.
Kort daarop sneuvelde koning Latinus en regeerde Aeneas drie jaar lang goed en verstandig over zijn Trojanen en over de onderdanen van zijn schoonvader. Ter nagedachtenis noemde hij zijn volk nu de Latijnen.
Na drie jaar brak er oorlog uit met de Etrusken, die toen het machtigste volk van Italië waren.
Op zekere dag werden de legers door een verschrikkelijke storm overvallen. Het werd zo donker, dat de soldaten elkaar niet meer konden zien. Toen het noodweer voorbij was, kon men Aeneas nergens meer vinden. Hij was van de aarde verdwenen.
„De goden hebben hem tot zich genomen", zeiden de Latijnen. Ze bouwden een altaar voor hem en vereerden hun koning voortaan als een god.
Julus, die met zijn vader uit Troje gevlucht was, regeerde nu in Lavinium. De stad was weldra niet groot genoeg voor alle mensen en daarom bouwde hij een nieuwe stad en noemde die Alba Longa, wat „de lange witte stad" betekent.
Alba Longa stond temidden van de Albaanse heuvels, niet ver van de plaats waar Rome later gebouwd zou worden.

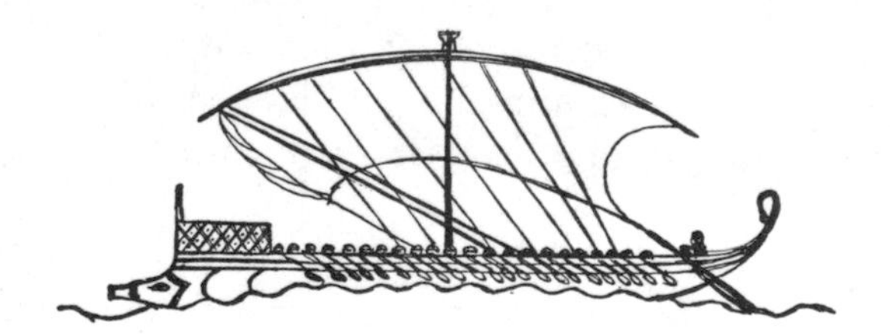

Hoofdstuk 2

DE WOLVIN

Bijna driehonderd jaar later liet Procas, koning van Alba Longa, bij zijn dood twee zoons achter. De oudste heette Numitor, de jongste Amulius.
Numitor had recht op de kroon, maar Amulius, die eerzuchtig was, wilde inplaats van zijn broer regeren. En hij zei tegen hem: „Een van ons beiden zal de kroon dragen en de ander krijgt al het goud en de schatten die onze vader Procas ons heeft nagelaten".
Het verhaal vertelt niet, of Numitor verontwaardigd was over dat voorstel en zei dat alles aan hem toekwam; we weten alleen, dat Numitor koning wilde zijn zoals zijn recht was.
Amulius nam toen het goud en de schatten, en hij kocht zijn volgelingen om teneinde Numitor van de troon te stoten en zelf te regeren. Door het goud verleid wilden ze dat graag doen en het duurde niet lang of Numitor werd tijdelijk uit de stad verbannen en Amulius begon te regeren; hij zag dus zijn wens vervuld.
Maar tot zijn verbazing bemerkte hij, dat er steeds zorgen waren. Misschien zouden de kinderen van Numitor hem nog eens onttronen, zoals hij het met hun vader had gedaan.
Om dat te voorkomen en zich tevens van die angst te bevrijden liet hij Numitors zoon doden en zijn dochter Silvia werd op zijn bevel overgebracht naar een tempel gewijd aan de godin Vesta. Ze moest als vestaalse maagd zorgen dat daar het altaarvuur altijd bleef branden en zou nooit mogen trouwen.
Maar de god Mars, verontwaardigd over de wreedheid van Amulius, kreeg medelijden met haar en schonk haar een tweeling. De twee zoontjes zouden haar het verdriet doen vergeten, dacht hij.
Toen de koning hoorde dat Silvia een tweeling gekregen had, was hij woedend en bevreesd tegelijk. Want zij zouden later, als ze groot en sterk geworden waren, het koninkrijk kunnen heroveren.
Hij liet Silvia voor de rest van haar leven opsluiten in een gevangenis en gaf opdracht om de kinderen in de Tiber te werpen.
Het had de laatste tijd hard geregend en daarom was de rivier buiten

zijn oevers getreden; maar de koning hield daar geen rekening mee en dat zou hem noodlottig worden.
De twee dienaars die de opdracht van Amulius moesten uitvoeren, legden de zuigelingen in een mandje, gingen ermee naar de rivier en wierpen het erin.
Het mandje bleef drijven en spoelde tenslotte aan wal aan de voet van de Palatijnse heuvel. Daar, in de schaduw van een vijgeboom, lagen de twee kinderen veilig en wel op droge grond, terwijl het water terugliep naar zijn eigenlijke bedding.
Het duurde niet lang of ze werden wakker en begonnen te huilen, omdat ze honger hadden. Een wolvin, die naar de oever gegaan was om te drinken, hoorde hen schreeuwen, droeg ze naar haar hol en voedde ze met haar melk, zoals ze haar eigen jongen die ze verloren had, gevoed zou hebben. Ze waste ze ook door ze met haar tong schoon te likken.

Hoofdstuk 3

DE TWEELINGEN

Men zei dat de tweelingen door de god Mars werden beschermd. Daarom was het niet vreemd dat Mars hun toen ze ouder werden, zijn heilige vogels, de spechten, stuurde om hen van voedsel te voorzien. Iedere dag vlogen de spechten de grot binnen met voedsel voor de jongens.

Noch de wolvin, noch de vogels konden op den duur de kinderen verzorgen en daarom zond Mars Faustulus naar hen toe.

Faustulus was een van de herders van koning Amulius. Hij had de wolvin dikwijls de grot zien ingaan en ook zag hij iedere dag de spechten. Toen de wolvin eens het bos was ingetrokken, waagde hij zich in de grot, waar hij tot zijn grote verbazing twee prachtige weldoorvoede kinderen vond. Hij nam ze in zijn armen en bracht ze naar huis, naar zijn vrouw. Die was er heel blij mee. Ze noemde hen Romulus en Remus en bracht ze groot alsof het haar eigen zoons waren. Met het verstrijken van de jaren werden ze steeds mooier. Bovendien waren ze sterk en dapper. Ze vielen zo op tussen de ruwe herders, dat men van de twee prinsen sprak.

De jongens toonden weldra dat ze geboren leiders waren. Wanneer wilde beesten de kudden aanvielen of als rovers trachtten hen te bestelen, waren Romulus en Remus altijd de eersten die tot de aanval overgingen.

Faustulus woonde op de Palatijnse heuvel, dicht bij de plek waar de jongens jaren geleden aangespoeld waren.

De heuvel behoorde aan de wrede koning Amulius en zonder te weten wat hij hun had aangedaan, bewaakten ze zijn kudden.

Niet ver daar vandaan was een andere heuvel en daar waren ook herders en kudden, maar die behoorden aan de onttroonde koning Numitor, die teruggetrokken leefde in de stad Alba. Nu gebeurde het, dat de herders van Amulius ruzie kregen met die van Numitor. Op een avond vierden de herders van de Palatijnse heuvel feest ter ere van Pan en ze vergaten daarbij alle vijandelijke gevoelens. Maar de herders van Numitor zeiden tegen elkaar: „Nu hebben we

de kans. We zullen in hinderlaag gaan liggen voor die overmoedige feestvierders".
Ze kregen Remus in handen en brachten hem in triomf naar Numitor.

HOOFDSTUK 4

NUMITOR HERKENT ZIJN KLEINZOONS

De jonge gevangene werd naar Alba gebracht en voor Numitor geleid. Toen de oude man de jongeling zag, kon hij een kreet van verbazing niet onderdrukken.
Hij keek hem scherp aan en mompelde: „Dat is geen herder. Die jongeman heeft de houding van een prins".
Het scheen hem zelfs toe alsof hij die gelaatstrekken kende. Het beeld van zijn dochter Silvia, die al zolang in de gevangenis zat, kwam hem voor de geest.
Voorzichtig probeerde de oude man het vertrouwen van Remus te winnen. Hij vroeg hem wie hij was en waar hij vandaan kwam.
De jongeman was verrast door die vriendelijkheid en antwoordde: „Ik wil u niets verhelen, want u geeft mij de gelegenheid mijn zaak te bepleiten vóór u straft".
Toen vertelde hij de oude man het verhaal dat Faustulus hem en Romulus zo dikwijls verteld had. Numitor luisterde naar de wonderlijke geschiedenis van de wolvin, die de zuigelingen aan de oever van de Tiber gevonden had, ze naar haar hol had gesleept en met haar melk gevoed.
Lang voor het einde van het verhaal wist Numitor dat het zijn kleinzoon was, de zoon van zijn dochter Silvia, die voor hem stond en zijn oude hart klopte sneller van vreugde. Nu was er iemand die het voor hem zou opnemen tegen de wrede koning Amulius.
Op dat ogenblik naderde Romulus met een groep herders de stadspoort, vastbesloten om zijn broer uit de handen van Numitor te redden.

Velen in de stad zuchtten onder het juk van Amulius' bewind. Toen ze vernamen dat Romulus voor de poort stond, slopen ze naar buiten en voegden zich bij hem, want ze dachten dat hij gekomen was om de koning te straffen.
Ondertussen had Romulus zijn mannen verdeeld in groepen van honderd. Aan het hoofd van elke groep had hij een aanvoerder geplaatst, die te herkennen was aan een lange stok met een bosje gras of takken eraan.
Amulius had al vernomen dat Numitor in de gevangene zijn kleinzoon had herkend, en hij was doodsbenauwd. Maar toen hij het geschreeuw buiten de poort hoorde, snelde hij erheen om de muur te verdedigen en de tweede prins uit de stad te houden.
Romulus en zijn mannen vernielden de poort, versloegen de koning en trokken in triomf de stad binnen.
Daar vond hij Remus, niet langer als een gevangene, zoals hij gevreesd had, maar als de erkende kleinzoon van Numitor.
De oude koning verwelkomde Romulus even hartelijk als zijn broeder en de twee prinsen plaatsten hem op de troon, waarvan hij zo lang geleden was verjaagd.
Daarna gingen ze naar de gevangenis, waar hun moeder Silvia al van hun geboorte af haar dagen sleet. Ze bevrijdden haar en omringden haar met goede zorgen.

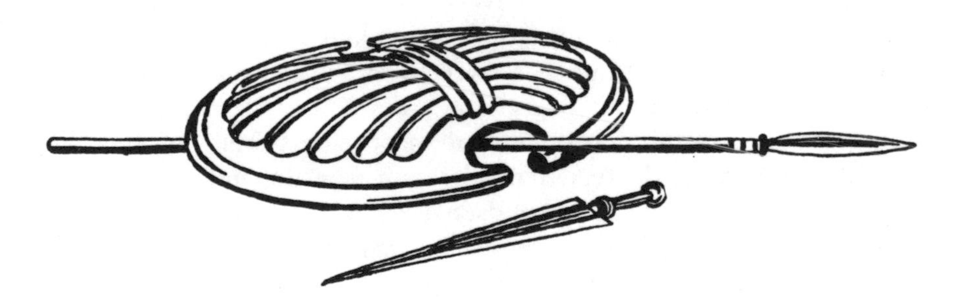

HOOFDSTUK 5

DE HEILIGE VOGELS

De kleinzoons van Numitor konden niet langer als herders wonen op de Palatijnse heuvel, in de hun zo vertrouwde omgeving. Ook konden ze niet rustig in Alba blijven, want hun leven lang waren ze het vrije buitenleven gewend geweest.
Daarom besloten ze Alba te verlaten en een nieuwe stad te bouwen op de heuvels waar ze waren opgegroeid. Maar ze konden het niet eens worden over de plek, daar Romulus de ene heuvel koos en Remus de andere.
Ze wisten niet hoe ze een oplossing moesten vinden voor dat probleem en vroegen Numitor om raad. Hij zei hun, dat ze goed op voortekenen moesten letten, wat toen de gewoonte was in zulke gevallen. Die voortekenen, gegeven door de goden, waren zeer verscheiden van aard en dikwijls speelde de vlucht der vogels er een rol bij, zoals ook nu.
De prinsen besloten de raad van hun grootvader op te volgen. Romulus ging naar de Palatijnse heuvel, Remus naar de Aventijnse en geduldig keken zij de gehele dag uit naar een voorteken.
Maar ze zagen niets. De uren gingen voorbij, de avond begon te vallen en nog zaten ze daar. Eindelijk, tegen de ochtend, zag Remus heel in de verte iets in de lucht. Zouden de goden na al dat wachten toch een teken geven? De stippen werden groter en groter en Remus zag toen dat het zes gieren waren, die naar het westen vlogen. „Ha", riep hij uit, „dat is een goed voorteken". Want gieren waren heilige vogels, omdat ze geen schade toebrachten aan graan, fruit, vee of enig levend wezen.
Remus stuurde onmiddellijk iemand naar zijn broer om hem het heuglijke nieuws mede te delen. De man was nog maar nauwelijks vertrokken of er stond een boodschapper van Romulus voor hem, die zei dat zijn broer ook gieren gezien had, en nog wel twaalf.
Wat nu te doen? De moeilijkheid scheen nu niet meer te zijn op welke heuvel de stad gebouwd zou worden, maar door wie — Remus was ervan overtuigd, dat hij door de goden was aangewezen om dat

te doen en Romulus was er evenzeer van overtuigd, dat hem die eer te beurt was gevallen, want hij had twaalf gieren gezien en zijn broer maar zes.
De prinsen wendden zich tot hun volgelingen en vroegen hun wie koning moest worden. Luid en geestdriftig klonk het antwoord: „Romulus, Romulus is onze koning".

Hoofdstuk 6

DE STICHTING VAN ROME

Romulus werd in 753 v. Chr. tot koning gekozen. Hij begon direct met de voorbereidingen voor het bouwen van een stad op de Palatijnse heuvel. Hij wilde de eerste steen leggen op 21 april, want dat was een feestdag voor de herders.
Dikwijls was hij op die dag met zijn broer en de herders meegegaan om offers te brengen aan de godin Pales en haar zegen af te smeken voor hemzelf en hun kudden. En na de gebeden en de plechtigheden vierden ze dan vrolijk feest. Er was geen betere dag om met de bouw van de stad te beginnen.
Op 21 April dus werd er een gat gegraven op de plaats waar men wilde gaan bouwen. Daarin wierp de koning de eerste vruchten der aarde, koren en fruit. Al zijn volgelingen namen toen een handvol aarde, die ze uit hun geboortestreek hadden meegenomen en wierpen die ook in het gat, dat daarna verder volgegooid werd.
Er werd ook een altaar gebouwd, waarop ze voortaan hun offers neerlegden.
En deze plek werd het centrum van de nieuwe stad.
Romulus sloeg toen zijn mantel om, spande een witte stier en een os voor de heilige ploeg, die een geelkoperen ploegschaar had en trok een voor om de grenzen van de stad aan te geven. Hij verzocht zijn vrienden erop te letten, of de omgewoelde aarde wel aan de binnenkant viel, want er mocht geen enkele kluit buiten de voor vallen. Op de plaatsen waar de poorten moesten komen, werd de ploeg voorzichtig opgetild en over de aarde gedragen.

Terwijl Romulus de ploeg stuurde, smeekte hij de goden om zijn stad sterk te maken en een van de machtigste ter wereld. Uit heldere hemel schoot de bliksem naar beneden en de donder rommelde. Men geloofde, dat dit een teken was dat Jupiter hun gebeden zou verhoren.

Na afloop van de ceremoniën verzocht Romulus zijn mannen om onmiddellijk te beginnen met de bouw van de muur die de stad moest omringen. Die muur zelf was ook heilig. Niemand mocht de stad binnenkomen anders dan door de poorten. Daarom gaf de koning de opdracht om de voor te bewaken en ervoor te zorgen, dat niemand er overheen sprong.

Remus, die nog verontwaardigd was omdat men niet hem tot koning had gekozen, stond vlak bij Romulus toen die de eerste steen legde. Later, toen hij de muur hoger zag worden, kon hij zich niet langer beheersen; hij sprong eroverheen, terwijl hij uitriep: „Moet zoiets onze stad beschermen"?

Romulus werd daarop zo woedend dat hij zijn broer neerstak en uitriep: „Zo zal iedereen gedood worden die over mijn muren springt!"

Hoofdstuk 7

DE SABIJNSE MAAGDEN

Toen Romulus zijn stad gebouwd en met een muur omringd had, begong hij de heuvel te versterken waarop hij stond. Dat was noodzakelijk, want de heuvels in de omgeving werden bewoond door vijandige stammen, die de nieuwe stad ieder ogenblik zouden kunnen aanvallen. De koning gaf opdracht om alle oneffenheden op de steile hellingen van de Palatijnse heuvel te verwijderen, en hij liet ze toen bekleden met grote vlakke stenen platen. Hij voelde zich veel veiliger toen dat grote werk voltooid was, want hij wist dat het bijna onmogelijk was voor een vijand om tegen die vlakke wanden op te komen.

Niet ver van de voet van de heuvel stroomde de Tiber, die een goede verbinding met de zee vormde. En telkens als de koning naar zijn goed versterkte stad keek en dan naar de snelstromende rivier, kwam er een gevoel van tevredenheid in hem op, omdat deze plek zo uitstekend geschikt was.

Er lagen daar zeven heuvels en de andere zes werden aan de stad toegevoegd gedurende de regering van de zes koningen die na Romulus regeerden.

Rome, zoals de stad naar Romulus genoemd werd, was nu gebouwd en versterkt, maar er waren niet genoeg mensen om de stad te bevolken. Romulus moet reeds toen een nabijgelegen heuvel veroverd hebben, want hij besloot om daar een stad voor vluchtelingen te bouwen en die dan langzamerhand naar Rome over te brengen. De nieuwe stad werd Asylum genoemd (het Griekse woord voor wijkplaats) en stond open voor iedereen, die wegens misdaad of tegenslag uit zijn land moest vluchten. Rovers, bannelingen, ontvluchte slaven en ook moordenaars kwamen zich daar vestigen en al spoedig was Asylum overbevolkt. Telkens werd een aantal van de inwoners naar Rome gezonden, totdat Romulus genoeg burgers had.

Maar onder degenen die bescherming zochten in Asylum, waren geen vrouwen, en dus moest de koning voor zijn nieuwe onderdanen vrouwen zoeken. Hij verzocht de naburige stammen, onder andere de Sabijnen, om toe te staan dat hun dochters trouwden met zijn

nieuwe onderdanen. Het verzoek van de koning werd afgewezen. Hun dochters ten huwelijk geven aan moordenaars, aan mensen die buiten de wet stonden! Dat was gewoon belachelijk!
Romulus liet zich echter niet uit het veld slaan. Hij was vastbesloten zijn onderdanen op de een of andere manier aan vrouwen te helpen. En daar zijn buren niet erg hoffelijk waren geweest, besloot hij om hun dochters door een list te veroveren. Hij nodigde de naburige stammen en ook de Sabijnen uit om het feest en de spelen bij te wonen, die gegeven werden ter ere van de god Consus.
Ze wilden graag de spelen zien en kwamen op de vastgestelde dag in drommen naar Rome, met hun vrouwen en dochters. Ze werden met grote gastvrijheid door de koning ontvangen.
Het feest begon met plechtige ceremoniën, er werden offers gebracht aan de goden en in de eerste plaats aan Consus. Toen de plechtigheden afgelopen waren, mengden de gasten zich onder de Romeinen en verheugden zich op de komende spelen en wedstrijden. De koning, die nu het juiste ogenblik gekomen achtte, gaf het teken waarop gewacht werd. Een groep gewapende mannen snelde op de gasten af en voerde de Sabijnse maagden weg, ondanks alle tegenstand. De beroofde ouders verlieten woedend de stad, waar de wetten der gastvrijheid zo met voeten werden getreden.
Ze riepen de vloek van de goden over Romulus en zijn burgers uit.

HOOFDSTUK 8

DE ROTS VAN TARPEIA

De stammen die het feest ter ere van Consus hadden bijgewoond, waren zo verontwaardigd, dat ze tegen Romulus ten strijde trokken zonder eerst een groot leger op de been te brengen.
Zo kon de koning hen gemakkelijk verslaan.
Eigenhandig doodde hij een van de vijandelijke koningen, trok hem zijn wapenrusting uit, bond die aan een paal en marcheerde daarmee Rome binnen. Hij offerde de buitgemaakte wapenrusting aan Jupiter en zo werd de eerste triomf gevierd. In latere dagen waren de triomfen van de Romeinse generaals beroemd. Er werden dan uitbundige feesten gevierd. De generaal reed aan het hoofd van zijn leger de stad binnen in een wagen, die door prachtige paarden werd getrokken. In de volgende wagens lag de oorlogsbuit opgestapeld en daarachter kwamen de voornaamste gevangenen, dikwijls in ketenen. Het was dan een grote dag voor de burgers van Rome.
Van de stammen die door Romulus waren beroofd, was geen enkele zo erg er aan toe als de Sabijnen. Die waren echter verstandiger dan de andere en probeerden niet wraak te nemen voor ze een groot en machtig leger hadden. Het duurde twee jaar voor Tatius, de koning der Sabijnen, met zijn leger tegen de Romeinen optrok. Romulus had het fort toevertrouwd aan de zorgen van Tarpeius. Deze Tarpeius had een dochter, die Tarpeia heette en erg veel hield van gouden en zilveren sieraden en van juwelen.
Toen de Sabijnen zich gereed maakten om een aanval op het fort te doen, stond Tarpeia nieuwsgierig daarnaar te kijken, en ze zag dat de vijanden prachtige gouden armbanden aan de linkerarm droegen. Hoe langer ze keek, hoe meer ze er naar verlangde om die prachtige sieraden te bezitten. Ze zou er alles voor over hebben om die te kunnen dragen. Ja, ze wilde zelfs de vijand wel binnenhalen, als ze daardoor die armbanden kon bemachtigen.
Ze sloop heimelijk het fort uit, sprak met de Sabijnen en bood aan hun te tonen hoe ze de citadel konden veroveren, indien ze haar als beloning wilden geven wat ze aan hun linkerarm droegen.

De Sabijnen gingen op haar voorstel in, maar in hun hart minachtten ze het meisje. En Tarpeia haastte zich terug naar het fort, terwijl ze aan de sieraden dacht die straks van haar zouden zijn.
Toen het donker werd, opende ze ongezien de poort, waarbuiten de vijand gereed stond.
Terwijl de Sabijnen binnenmarcheerden, riep Tarpeia uit, dat ze hun belofte moesten houden en haar moesten belonen.
Tatius verzocht zijn mannen om haar niets te weigeren van wat ze aan hun linkerarm droegen, en zelf deed hij zijn armband af en gooide die naar haar toe, met zijn schild dat hij ook aan de linkerarm droeg. De soldaten deden als hun koning, zodat Tarpeia al spoedig bezweek onder het gewicht van de vele schilden die op haar neervielen.
De verraadster werd begraven op de heuvel die zij aan de vijand had overgeleverd. Van die dag af werden verraders gestraft door ze van de steilste rots af te gooien van diezelfde heuvel. Naar haar werd die de rots van Tarpeia genoemd.

HOOFDSTUK 9

DE GEHEIMZINNIGE POORT

Het fort was nu in handen van de Sabijnen, maar ze moesten de Romeinen die op de Palatijnse heuvel woonden, nog verslaan. Romulus trok met zijn soldaten naar het dal dat tussen de burcht en de Palatijn lag. Er werd lang en hevig gevochten en de Sabijnen ontsnapten ternauwernood aan een groot gevaar.

Want in het dal lag een moeras en het gehele vijandelijke leger zou door dat moeras verzwolgen zijn als Curtius, een van hun dapperste soldaten, hen niet gewaarschuwd had. Hij was met zijn paard in de modder weggezakt. Ondanks al zijn pogingen slaagde hij er niet in het dier te bevrijden. Het zonk hoe langer hoe dieper weg en tenslotte moest hij het aan zijn lot overlaten om zijn eigen leven te redden.

Na uren van vechten werden Romulus en de zijnen teruggedreven. Ze snelden hun stad binnen door een van de poorten en gooiden die achter zich dicht om de vijand buiten te sluiten.

Maar volgens de legende wilde de poort niet gesloten blijven en ging vanzelf, naar het scheen, weer open.

Nog tweemaal probeerden de verschrikte Romeinen om hem dicht te doen en tweemaal ging hij op geheimzinnige wijze weer open. De Sabijnen bereikten de poort juist toen die voor de tweede maal openging.

Het overwinnende leger wilde de stad binnentrekken, maar plotseling kwam er een vloedgolf uit de tempel van de god Janus, die vlak bij de poort stond.

De Sabijnen werden door de kracht van het water niet alleen de poort uitgedreven, maar zelfs een heel eind het land in, en dat was het behoud van Rome. Hoewel ze gedwongen waren te vluchten, hadden de Romeinen hen niet verslagen. Telkens weer deden ze aanvallen op de stad, want ze konden Romulus niet vergeven dat hij hun dochters had geroofd.

In een van die ontmoetingen werd Romulus door een steen gewond en hij viel. De soldaten, die zagen dat hun koning gewond was, verloren de moed en trokken terug.

De koning stond echter spoedig weer op en riep zijn mannen toe stand te houden en door te vechten. Het scheen alsof ze niet meer durfden.
Toen strekte Romulus de handen ten hemel en smeekte Jupiter om hem te helpen. Hij beloofde een tempel voor hem te zullen bouwen als hij de vluchtende soldaten maar nieuwe moed schonk. Zijn bede werd verhoord.
Maar toen de slag met nieuwe hevigheid zou beginnen, renden de Sabijnse vrouwen luid schreeuwend tussen de twee legers in en smeekten nu eens hun vaders en broers, dan weer hun echtgenoten om een einde aan de wrede strijd te maken.
Ze wilden nog liever zelf gedood worden, want, zeiden ze, het is beter dat wij sterven dan als weduwen en wezen blijven leven. In hun armen droegen zij hun zoontjes en die strekten hun armpjes uit naar hun grootvaders, alsof ook zij om vrede smeekten. Het geweeklaag van hun dochters en het zien van hun kleinkinderen deed de Sabijnen aarzelen en al spoedig lieten de soldaten aan beide zijden hun wapenen vallen. Vaders en schoonzoons drukten elkaar de hand, dochters werden omhelsd en de kinderen werden op de schilden gezet en naar huis gedragen.
Er werd vrede gesloten en de Romeinen en Sabijnen verenigden zich en spraken af, dat Romulus en Tatius samen zouden regeren.
Vijf jaar later werd Tatius bij een twist gedood en toen regeerde Romulus weer alleen.

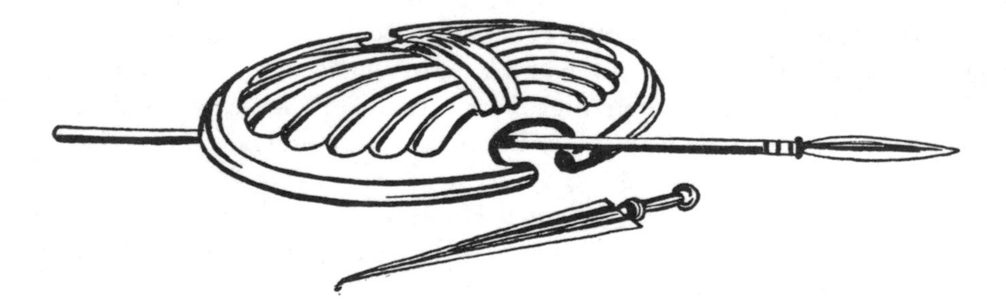

Hoofdstuk 10

DE KONING VERDWIJNT

Naarmate de jaren verstreken, werd de stad Rome groter en machtiger. De koning werd hooghartiger en bekommerde zich minder om het welzijn van zijn onderdanen. Eerst was Romulus een geliefd vorst geweest, maar nu veranderde hij zo opvallend, dat ze hem langzamerhand gingen haten.

In een purperrode mantel lag hij dikwijls de gehele dag op een rustbank en hij liet zich door een aantal jonge mannen op zijn wenken bedienen. Wanneer hij een wandelingetje door de stad maakte, werd hij voorafgegaan door zijn bedienden, die met lange stokken gewapend waren. Daarmee duwden ze iedereen opzij, die de koning zou kunnen hinderen.

De inwoners vonden dat een aantasting van hun vrijheid, evenals de leren riemen, die gebruikt werden om iedereen die het de koning lastig maakte, te boeien.

Nadat Romulus veertig jaar geregeerd had, gebeurde er iets vreemds. Hij had de burgers verzocht zich te verzamelen op het Marsveld, dat zich uitstrekte van de stad tot aan de Tiber, omdat er een groot feest gehouden zou worden. Maar toen de koning en zijn onderdanen daar bijeen gekomen waren, stak er een verschrikkelijke storm op. Het werd vreselijk donker en harde windvlagen kwamen uit alle richtingen. Felle bliksemschichten schoten door de lucht en daarna rolde angstaanjagend de donder.

Doodsbenauwd vluchtte de menigte in een stromende regen naar huis. Toen het onweer bedaard was, kon men de koning nergens vinden. Hij was verdwenen en keerde nooit terug.

„Zijn vijanden hebben hem gedood", zeiden sommigen. Maar anderen dachten, dat de god Mars de koning in zijn wagen naar de hemel had gevoerd.

Proculus, een vriend van Romulus, vertelde de mensen een verhaal, dat hen deed geloven dat de koning zelf een god was geworden. Hij vertelde namelijk, dat op zekere dag, toen hij van Alba naar Rome wandelde, Romulus plotseling voor hem stond in een schitterende

wapenrusting. Hij was bevreesd toen hij de koning zag en riep uit: „O, koning, waarom hebt ge ons verlaten en de gehele stad in rouw gedompeld?” Proculus scheen niet te weten, dat Romulus de liefde van zijn volk allang verspeeld had.
De gedaante in de schitterende wapenrusting antwoordde: „Het behaagde de goden, Proculus, dat wij die van hen afstammen, op aarde onder de mensen zouden blijven om de stad te bouwen, die de machtigste ter wereld zal worden, en daarna naar de hemel terug te keren.
Vaarwel, en zeg de Romeinen, dat zij door geestkracht en matigheid zeer machtig zullen worden. En voortaan zijn wij voor u de god Quirinus.”
De Romeinen luisterden gespannen naar Proculus en besloten naderhand een tempel te bouwen voor hun nieuwe god.
En elk jaar op de zeventiende februari, de dag waarop Romulus verdwenen was, vierden zij feest ter ere van Quirinus.

HOOFDSTUK II

DE VREDELIEVENDE KONING

Na het verdwijnen van Romulus wilden de Romeinen en de Sabijnen een nieuwe koning kiezen. Romulus was een Romein geweest en daarom zeiden de Sabijnen, dat er nu een Sabijnse koning moest regeren. De onenigheid daarover duurde een heel jaar en tenslotte werd er besloten, dat de nieuwe vorst een Sabijn zou zijn, maar door de Romeinen zou worden gekozen.
Nu was er onder de Sabijnen een man, die Numa Pompilius heette. Hij stond in aanzien zowel bij de Romeinen als bij zijn eigen volk, want hij was goed en verstandig. Van zijn jeugd af stond hij al bekend om zijn wijsheid. En wanneer vroeger iemand die wijsheid in twijfel trok, wezen zijn vrienden op zijn grijze haren als afdoend argument. Want het haar van Numa Pompilius was al grijs van de dag van zijn geboorte af en dat moest wel een teken van de goden zijn om te laten zien, dat hij buitengewoon verstandig was en zou blijven. Dikwijls kon men hem alleen door de velden en de heilige wouden zien lopen. Ook bracht hij soms weken door op een eenzame plaats.
Naar deze rustige verstandige man zonden de Romeinen hun afgezanten om hem te vragen koning te worden. Numa Pompilius voelde zich niet geroepen om te regeren. Bovendien dacht hij, dat de burgers liever een strijdvaardiger koning zouden hebben. Hij gaf de afgezanten de volgende boodschap mee terug: „Ik zou mij slechts belachelijk maken, want ik zou aandringen op verering van de goden, ik zou rechtvaardigheid en vredelievendheid prediken, terwijl er eerder een legeraanvoerder dan een koning nodig is."
Ondanks deze woorden verzochten de gezanten hem toch mee te gaan naar Rome. „Uw aanwezigheid", zeiden ze, „zal een einde maken aan onenigheid en oorlog." Toen vroeg hij de goden om raad en die gaven door het zenden van een vlucht heilige vogels te kennen, dat hij in Rome moest regeren.
Numa Pompilius ging dus met de gezanten mee en in de stad riep hij de burgers bijeen om hun te vragen, of ze hem gehoorzaam wilden

zijn. Hij werd begroet als de heilige koning, de gunsteling der goden, en ze beloofden hem in alles te gehoorzamen. Hij werd dus koning, haast tegen zijn zin. Maar hij was er de man niet naar om nu hij eenmaal gekozen was, zijn plichten te veronachtzamen.
Zijn eerste daad was het ontslag van de driehonderd jongemannen die de lijfwacht van Romulus hadden gevormd, want hij vertrouwde zijn onderdanen en geloofde dat ze hem voor gevaren behoeden zouden. Om de Romeinen op te voeden in waarheidsliefde, bouwde hij op het Capitool een tempel voor de godin Fides, de godin van de trouw, en hij verzocht hun om deze godin boven alle andere te eren. Tevens zei hij, dat ze er altijd aan moesten denken bij hun dagelijks werk, dat een belofte even heilig was als een eed.
In die tempel werden geen schapen, ossen of vogels geofferd, want de goede koning wilde niet onnodig bloed vergieten. Fruit, gebak en graan waren de offers, die naar de tempel van Fides werden gebracht. Numa zelf had altijd graag op het land gewerkt en nu moedigde hij de Romeinen aan om dat ook te doen, en hij verdeelde onder hen een groot gedeelte van het land dat Romulus had veroverd.
Op deze en andere manieren deed de koning wat hij kon om de strijdlust van zijn onderdanen te beteugelen. En vele burgers waren hem daar dankbaar voor, hoewel andere de spot dreven met zijn vredelievende daden.
Ook de feesten die de koning gaf, waren eenvoudiger dan sommige Romeinen wel wilden, en die ontevredenen mopperden over de karige maaltijden die hun werden voorgezet.
Op zekere dag, zo luidt een legende, liet Numa zoals gewoonlijk een eenvoudig maal bereiden en hij nodigde vele vrienden uit. Ze kwamen, want de koning had het gevraagd, en zoals ze verwacht hadden was het eten heel gewoon, de borden waren van aardewerk en het water werd uit stenen kruiken geschonken.
Maar niet zodra hadden de gasten aan tafel plaatsgenomen, of als bij toverslag veranderde het eenvoudige eten in de meest uitgelezen spijzen, het water werd heerlijke wijn, en in plaats van de aardewerken borden en schalen stonden er gouden en zilveren.
De gasten waren onthutst, maar toch verheugd, omdat de goden hun koning zulke gunsten verleenden.

Voortaan werd er minder gemopperd en werden de bevelen van Numa prompt uitgevoerd. Drieënveertig jaar regeerde hij en al die tijd zorgde hij goed voor het welzijn van zijn volk. Zelfs de vijanden van Rome waagden het niet de vrede te verstoren. De poorten van de tempel van Janus, die alleen in oorlogstijd werden geopend, bleven gedurende de regering van Numa Pompilius gesloten. Het scheen inderdaad dat de goden hem zeer goed gezind waren, want zo lang hij op de troon zat, werd het land niet geteisterd door ziekte of hongersnood en alles wat de Romeinen ondernamen, wierp vruchten af.
Toen Numa Pompilius tachtig jaar oud was, stierf hij even vredig als hij geleefd had. De Romeinen treurden om zijn dood, want hij was voor hen zowel een vader als een koning geweest.

Hoofdstuk 12

HORATIUS DOODT ZIJN ZUSTER

Tullus Hostilius, de koning die Numa Pompilius opvolgde in 672 v. Chr., was even strijdlustig als zijn voorganger vredelievend was geweest. Hij was bevreesd dat de Romeinen alle roem hadden verloren, die zij ten tijde van Romulus op het slagveld hadden verworven. Daarom besloot hij zo spoedig mogelijk een voorwendsel te vinden om oorlog te voeren en zo zijn soldaten in staat te stellen te tonen dat ze nog konden vechten.

Het duurde niet lang of de poorten van de tempel van Janus moesten wijd geopend worden, want kort na de troonsbestijging van de nieuwe koning ontstond er onenigheid tussen een Romein en een inwoner van Alba, die elkaar beschuldigden van beroving.

Tullus trok onmiddellijk partij voor de Romein en liet de koning van Alba vragen de gestolen goederen direct aan de eigenaar terug te geven. De koning van Alba had tegelijkertijd gezanten naar Tullus gestuurd om recht te eisen voor zijn onderdaan.

De koning van Rome ontving hen zo vriendelijk en was zo hoffelijk, dat ze helemaal vergaten waarvoor ze gekomen waren, tot ze werden opgeschrikt door de terugkerende Romeinse gezanten. Die hadden van de koning van Alba geen genoegdoening gekregen en verklaard, dat de Romeinen zich zouden wreken voor het hun aangedane onrecht.

Tullus was zeer verheugd dat het zo gelopen was. Hij zond nu de gezanten van Alba terug met de boodschap, dat hun koning de oorlog uitgelokt had.

Beide koningen verzamelden hun legers en marcheerden naar het slagveld. Toen stierf plotseling de koning van Alba. In zijn plaats werd Mettius tot dictator benoemd.

Om mensenlevens te sparen verzocht Mettius aan Tullus om de strijd door een gevecht tussen vrijwilligers te laten beslissen en Tullus stemde daarin toe. Nu wilde het toeval dat in beide legers een drieling aanwezig was: de gebroeders Horatius bij de Romeinen, de gebroeders Curiatius bij de Albanen. Die waren dadelijk bereid de taak van de legers over te nemen.

Het werd doodstil op het slagveld toen de krijgers, tot de tanden gewapend, tegenover elkaar stonden, en de strijd die het lot van Rome en Alba zou bepalen, een aanvang nam. Na een hevig gevecht waren twee van de Romeinen gedood en de gebroeders Curiatius alle drie gewond.

Toen keerde de laatste Horatius zich om en vluchtte, achtervolgd door de anderen. Het gehele Romeinse leger vreesde dat hij de moed verloren had. Maar al spoedig bleek, dat die vlucht slechts een schijnbeweging was om zijn vijanden te scheiden. Want toen de snelste van de drie hem bijna ingehaald had, keerde hij zich om en velde hem met één slag. Onmiddellijk daarna viel hij de tweede aan, die hem nu ook bereikt had en sloeg hem eveneens neer. De derde broeder, die door zijn verwondingen niet zo vlug meer was, werd tenslotte ook nog gedood.

Rome was gered. Een luid gejuich steeg op en Horatius werd in triomf naar Rome geleid. Toen de juichende menigte de poort naderde, kwam zijn zuster hem tegemoet. Zij zou met een van de broeders Curiatius gaan trouwen. Maar toen ze haar broer zag, die om zijn schouders de mantel van haar verloofde had geslagen, barstte ze in tranen uit en vervloekte hem, omdat hij zo wreed was geweest. Horatius werd woedend, trok zijn zwaard en stak het haar in de borst, terwijl hij uitriep: „Zo sterve de Romeinse vrouw, die tranen stort over de vijand van haar land".

Hoewel hij die dag een grote dienst aan Rome had bewezen, kon men zijn daad niet ongestraft laten. Hij werd gevangen genomen en door twee rechters ter dood veroordeeld. Horatius weigerde echter zich bij dat vonnis neer te leggen en deed een beroep op de burgers van Rome.

Terwille van zijn vader, die reeds twee zoons verloren had, en omdat hij zijn leven had gewaagd voor zijn land, gaven ze gehoor aan zijn smeekbede en lieten hem vrij.

Hij moest echter bij wijze van boete „onder het juk door", een symbolische vernedering, en bovendien offers brengen aan de geest van zijn gestorven zuster. Het juk waar hij onderdoor moest, werd gevormd door twee balken, die rechtop in de grond waren gezet en waaroverheen een derde balk lag. Soms vormde men ook een juk met drie speren.

Ter nagedachtenis aan zijn moed werden de wapenen die Horatius op de gebroeders Curiatius had veroverd, op het marktplein aan een pilaar gehangen. In later dagen sprak men van de pilaar van Horatius.

HOOFDSTUK 13

DE TROTS VAN TULLUS HOSTILIUS

Door de overwinning van Horatius kwamen de burgers van Alba onder Romeins bestuur en ze moesten dus ook soldaten leveren voor de vele oorlogen. Mettius, de dictator, bleef hopen dat hij nog eens het Romeinse juk zou kunnen afschudden.

Toen Tullus hem opdroeg een leger te vormen voor de strijd tegen de Etrusken, deed hij dat ook. Maar toen de gevechten aan de gang waren, gaf hij in het geheim bevel de Romeinen zo min mogelijk te helpen.

Ondanks het verraad van Mettius behaalde Tullus een overwinning. De dictator, die hoopte dat de koning niets gemerkt had, feliciteerde hem en prees zijn moed. Maar Tullus wist, dat Mettius niets gedaan had om de slag te helpen winnen en hij was daarover zo verbolgen, dat hij hem liet vierendelen. Daarna gaf hij orders om de soldaten van Alba te ontwapenen, hun stad in brand te steken en de bevolking naar Rome over te brengen.

De Romeinse edelen, of patriciërs zoals ze genoemd werden, verwelkomden de edelen uit Alba en de gewone burgers of plebejers sloten vriendschap met hun standgenoten uit de verwoeste stad. Zoals tijdens de regering van Romulus de Romeinen en de Sabijnen één volk werden, gebeurde dat nu met de burgers van Rome en van Alba.

Door zijn overwinningen aangemoedigd zette Tullus de strijd tegen de Etrusken voort. Hij werd echter zo trots, dat hij weinig meer gaf om goden en offers. Bovendien verwaarloosde hij de verstandige en rechtvaardige wetten die door koning Numa waren gemaakt.

Als teken van hun misnoegen zonden de goden toen de pest en ook de koning werd door die vreselijke ziekte aangetast. In zijn ellende wendde hij zich tot de goden. Maar Jupiter was verontwaardigd en doodde Tullus met een bliksemschicht, die tevens zijn gehele huis verwoestte. Tullus Hostilius regeerde tweeëndertig jaar en hij werd in 640 v. Chr. opgevolgd door Ancus Marcius, een kleinzoon van Numa.

HOOFDSTUK 14

DE KONING DIE BAD EN VOCHT

Evenals zijn grootvader, Numa Pompilius, hield Ancus Marcius van vrede. Zijn eerste daad was het wederom instellen van de erediensten, die onder de vorige koning zo dikwijls verwaarloosd waren. Hij liet de wetten van Numa op houten tafels schrijven, zodat de bevolking er kennis van kon nemen.
De Latijnen, die wisten dat koning Ancus de tijd doorbracht met bidden en offers brengen, begonnen nu de streek rondom Rome te plunderen, omdat ze dachten dat ongestraft te kunnen doen. Maar ze bemerkten spoedig dat de koning ook goed kon vechten.
Niet zodra vernam Ancus dat de Latijnen zijn gebied onveilig maakten, of hij gaf de priesters opdracht verder voor de tempels te zorgen en plaatste zich aan het hoofd van een leger.
Er werd een hevige strijd gevoerd, maar tenslotte werden de Latijnen verslagen en hun steden verwoest. De gevangenen werden naar Rome gevoerd en kregen de Aventijnse heuvel als woonplaats toegewezen.
Ancus besloot ook om de Janiculus-heuvel, aan de overzijde van de Tiber, bij Rome te voegen, om zo deze waterweg beter te kunnen beschermen. Er werd een brug over de rivier gebouwd, die de Houten-Palenbrug heette, omdat hij geheel van hout was. De balken werden los naast elkaar gelegd, zodat de brug in geval van nood onmiddellijk afgebroken kon worden.
Nog kon Ancus de wapenen niet neerleggen, want hij zag dat het noodzakelijk was het land tussen Rome en de zee te veroveren. Hij voerde zijn leger aan, veroverde dat gebied en bouwde de stad Ostia aan de mond van de Tiber. Deze stad groeide al spoedig uit tot een drukke havenplaats.

Ancus Marcius regeerde vierentwintig jaar en toen overleed hij, kalm en tevreden, evenals zijn grootvader. Zijn naam werd in ere gehouden, want in vredestijd was hij rechtvaardig geweest, en in tijd van oorlog wist hij te overwinnen.

De kinderen van de koning waren nog jong toen hun vader stierf en daarom werden ze aan de zorgen van Lucius Tarquinius toevertrouwd.

Hoofdstuk 15

DE TROUWELOZE VRIEND

Lucius Tarquinius was een Grieks edelman, die zeer rijk was. Eigenlijk heette hij Lucumo, maar toen hij door een tiran uit zijn geboortestad werd verdreven, vluchtte hij naar Tarquinii in Etrurië en daarom liet hij zich in Rome Lucius Tarquinius noemen.
Omdat hij en zijn vrouw Tanaquil niet hun gehele leven door wilden brengen in het doodse stadje waarheen ze gevlucht waren, hadden ze besloten naar Rome te gaan, waar vreemdelingen altijd welkom waren, naar men zei.
Ze gingen dus op weg en toen ze bij de Janiculus-heuvel gekomen waren, dook er plotseling een arend op hen neer en greep de muts van Lucumo in zijn snavel. Luid schreeuwend vloog de vogel omhoog, maar even later keerde hij terug en liet de muts weer op het hoofd van de verbaasde eigenaar vallen.
Tanaquil was zeer verheugd over het vreemde gedrag van de arend en verzekerde haar man, dat dit een teken van de goden was dat hij een voorname rol zou gaan spelen in de stad waar zij heen trokken.
Koning Ancus hoorde van de rijkdom en de wijsheid van de vreemdeling en zond hem al spoedig een uitnodiging. Tarquinius maakte een zeer goede indruk op de koning en zij werden vrienden.

Toen Ancus Marcius stierf, was hij niet bevreesd voor de toekomst van zijn kinderen. Zij zouden veilig zijn bij Tarquinius. Maar diens eerzucht deed hem onwaardig handelen. Onder het voorwendsel dat hij de zoons van Ancus hun verdriet wilde doen vergeten, zond hij hen de stad uit om te gaan jagen.
Tijdens hun afwezigheid deed hij een beroep op het volk om hem tot koning te kiezen, en dat gebeurde. Hoewel hij door verraad aan de macht kwam, werd hij om zijn moed in de oorlog door zijn onderdanen bewonderd.
Hij vocht tegen de Latijnen en onderwierp vele van hun steden. En toen de Sabijnen in opstand kwamen en al opgerukt waren tot voor de poorten van Rome, legde Tarquinius de gelofte af dat hij een tempel

zou bouwen ter ere van Jupiter, als die hem te hulp kwam. Toen viel hij aan en verdreef de vijand.
Nog vol van die overwinning verklaarde hij de oorlog aan de Etrusken en dwong hen hem als hun koning te erkennen. Als teken van hun onderwerping zonden ze hem een gouden kroon, een scepter, een ivoren zetel, een geborduurde mantel, een purperen toga en twaalf bijlen.
Deze gaven zond de koning vooruit naar Rome als bewijs van zijn zege op de Etrusken. Toen de vrede eindelijk gesloten was, herinnerde Tarquinius zich de gelofte die hij had afgelegd, en hij begon met de bouw van een tempel voor Jupiter op de Capitolijnse heuvel.
Terwijl de werklieden aan het graven waren voor de fundering, vonden ze een schedel van een mens. Dat was een teken, zei men, dat de plek waar die gevonden was, de heiligste van Rome was, en het Capitool, zoals men de nieuwe tempel noemde, werd dan ook beschouwd als de voornaamste tempel van de gehele stad.
Hoewel Tarquinius een tiran was, deed hij al het mogelijke om het koninkrijk waarover hij regeerde, tot bloei te brengen. Hij verbeterde de afwatering van de moerasachtige valleien tussen de heuvels van Rome en ook liet hij een groot circus bouwen en een renbaan aanleggen om de spelen aan te moedigen. Daarna begon hij in het dal tussen het Capitool en de Palatijnse heuvel het Forum of marktplein aan te leggen. Rondom het Forum werden stalletjes geplaatst, waar de kooplieden zaken konden doen.
Ondertussen was de bevolking van de stad zo toegenomen, dat de koning het aantal van drie stammen, waarin Romulus het volk had verdeeld, wilde uitbreiden. Maar Attius, een beroemd waarzegger, verbood Tarquinius om veranderingen aan te brengen in wat Romulus met plechtige ceremoniën had ingesteld.
De koning kon slecht verdragen dat iemand anders zich met zijn zaken bemoeide. Om Attius en zijn wijsheid aan de kaak te stellen zei hij: „Vertel mij eens, Attius, kan hetgeen waaraan ik op het ogenblik denk, inderdaad gebeuren?” De waarzegger raadpleegde de heilige vogels. De voortekenen waren goed en hij antwoordde dus bevestigend.
Tarquinius wees toen op een wetsteen die voor hem lag en zei: „Kan

deze wetsteen met een scheermes doormidden worden gesneden?" Onvervaard nam Attius een scheermes en sloeg de steen met één slag doormidden. De koning durfde nu niet tegen de waarzegger ingaan en het aantal stammen bleef dus hetzelfde, al bracht hij enkele kleine wijzigingen aan.

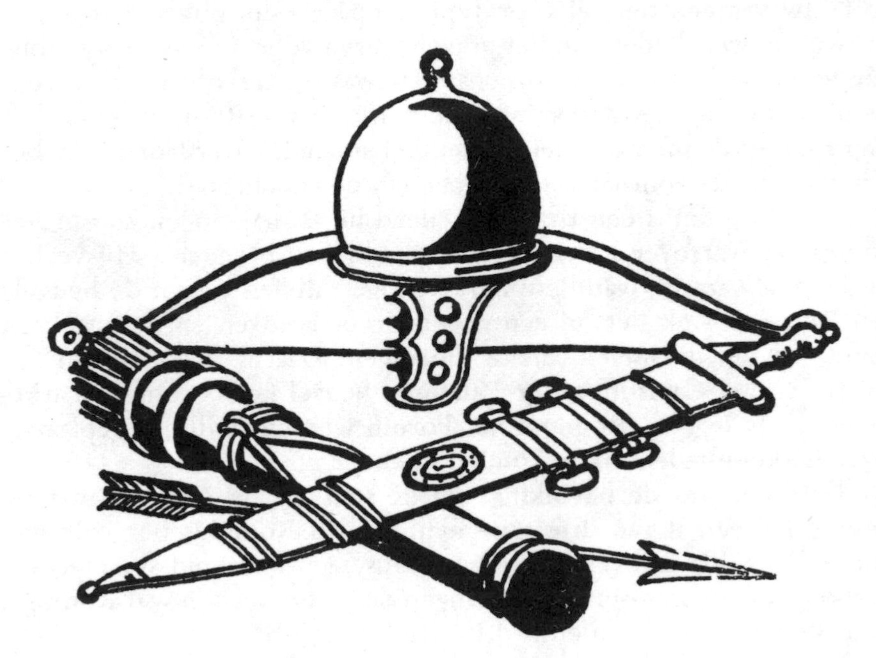

Hoofdstuk 16

EEN SLAAF WORDT KONING

Onder de slaven van de koning bevond zich een knaap, die Servius Tullius heette. Het gebeurde op een dag, dat de jongen voor de deur van het paleis in slaap viel.
Tanaquil, de koningin, zag dat toevallig toen ze naar buiten kwam om in de tuinen van het paleis te gaan wandelen. Ze wilde hem wakker maken, maar zag tot haar grote verbazing, dat er een vlam om zijn hoofd heen speelde zonder hem te deren.
De hofdames zagen het ook en snelden heen om water te halen en de vlam te doven. Tanaquil riep hen terug en zei: „Raak de knaap niet aan! Die vlam is een goddelijk teken". Ze ging haastig het paleis weer binnen en vertelde de koning wat ze gezien had. En ze voegde eraan toe: „De goden zullen Servius een man van aanzien maken".
Van die dag af werd de jongen niet langer als slaaf behandeld, maar als een koningszoon en later trouwde hij met de dochter van Tarquinius. Langzamerhand werd hij ingewijd in allerlei staatszaken en ook de senaat of raad der ouden behandelde hem als een prins.
De zonen van Ancus, aan wie Tarquinius de troon ontnomen had, waren verontwaardigd toen ze bemerkten, dat de vroegere slaaf met meer voorkomendheid werd behandeld dan zij, en zij vreesden dat Tarquinius hem tot zijn opvolger zou benoemen. Om dat te voorkomen besloten zij de koning te doden. Ze huurden twee mannen en stelden een grote beloning in het vooruitzicht als ze erin zouden slagen Tarquinius onschadelijk te maken. De twee huurlingen vermomden zich als herders en gingen naar het paleis. Ze verzochten om tot de koning te worden toegelaten, daar ze hun geschil aan hem wilden voorleggen.
Toen ze voor de koning stonden, begon één van de herders zijn verhaal te vertellen. Terwijl Tarquinius luisterde, hief de andere plotseling zijn bijl op en doodde de koning met één slag. Onmiddellijk daarna vluchtten ze de zaal uit.
Maar de zonen van Ancus hadden geen rekening gehouden met Tanaquil. Zij liet ogenblikkelijk de deuren van het paleis sluiten. Toen het

volk het gerucht hoorde dat de koning gedood was en naar het paleis stroomde, deed Tanaquil een raam open en deelde mee, dat Tarquinius slechts gewond was. Het was de wens van de koning, zei ze, dat ze Servius zouden gehoorzamen, tot hij weer in staat was de regering over te nemen.

De burgers eerbiedigden die wens en Servius kwam voorlopig aan het bewind. De zonen van Ancus beseften, dat ze Tarquinius vergeefs hadden laten doden.

Enkele dagen later werd er bekend gemaakt, dat de koning gestorven was. En hoewel noch de senaat, noch de burgers Servius tot zijn opvolger hadden benoemd, bleef hij over Rome regeren. Bovendien was hij zo verstandig om te proberen de gunst van de bevolking te winnen door land uit te delen. Hij vervulde zijn koninklijke plichten zó goed, dat hij, toen hij later een volksvergadering bijeenriep, dadelijk tot koning werd gekozen.

Hoofdstuk 17

DE WREDE DAAD VAN TULLIA

Servius Tullius werd koning in 578 v. Chr. Evenals Numa en Ancus Marcius hield hij van vrede en hij vocht dan ook alleen tegen de Etrusken. Met de Latijnen sloot hij een verdrag, waarna de twee volken een tempel bouwden voor Diana, waar ieder jaar offers gebracht werden voor Rome en voor Latium.
De stad die Romulus op de Palatijnse heuvel had gebouwd, was reeds veel te klein geworden. Langzamerhand waren er steden ontstaan op de naburige heuvels en nu kon Servius een grote muur bouwen, die alle zeven heuvels en de steden daarop omsloot. Deze muur werd de Servische muur genoemd en bestond nog in de dagen van Augustus en men toont er tegenwoordig nog de resten van. Achter de muur werd een diepe gracht gegraven, die wel dertig meter breed was.
Nadat Servius de stad zo versterkt had, verdeelde hij die in vier wijken en werden de burgers in stammen ingedeeld. Verder maakte hij een wet, waarbij het de patriciërs verboden was de plebejers te onderdrukken en waarin bepaald werd, dat iedere burger, van hoe geringe afkomst ook, belangrijke functies mocht vervullen als hij een welgesteld man werd. Dat moedigde de armen aan om zich omhoog te werken. De patriciërs waren met die wet natuurlijk niet zeer ingenomen, want ze verlangden er helemaal niet naar om plebejers de plaatsen te zien bezetten, die altijd voor hen en hun zoons bestemd waren geweest. Ook dreigden er moeilijkheden van de kant van de twee dochters van Servius, die allebei Tullia heetten, zoals de gewoonte was in Rome. De oudste was eerzuchtig en boosaardig, de jongste goed en zachtaardig. Servius besloot zijn dochters uit te huwelijken aan de zoons van Tarquinius. Ook die waren geheel verschillend van aard. Lucius was trots en opvliegend, terwijl Aruns bescheiden en vriendelijk was. De koning dacht dat Lucius, wanneer hij met de jongste dochter trouwde, een beter mens zou worden en dat zijn eerzuchtige dochter in het huwelijk met Aruns wat nederigheid zou leren. Het viel echter geheel anders uit.

Lucius kreeg zulk een hekel aan zijn vrouw, dat hij haar vermoordde. Daarna ruimde hij Aruns uit de weg om met diens vrouw te kunnen trouwen. Zodra dat gebeurd was, schaarde hij zich aan de zijde van de ontevreden patriciërs. Door Tullia aangemoedigd, werd hij steeds onbeschaamder tegenover Servius. Tenslotte ging hij zelfs in koninklijk gewaad naar de Senaat, waar hij plaats nam op de koningszetel, en de patriciërs lieten dat toe.
Servius was toen niet jong meer, maar zodra hij hoorde wat Lucius had durven doen, ging hij naar de Senaat en gelastte de prins van de troon af te komen en de koningsmantel af te leggen.
Lucius trok zich niets aan van dat bevel en toen de koning zijn woorden herhaalde, smeet hij hem van de stenen trappen af. Half verdoofd door die val kwam Servius moeizaam overeind en hij strompelde naar het paleis. Lucius durfde de koning niet in leven te laten, nu hij hem zo behandeld had. Hij zond zijn bedienden achter hem aan met het bevel hem te doden. Ze voerden de opdracht uit en lieten het lijk midden op straat liggen.
Toen Tullia vernam wat haar man gedaan had, treurde ze niet om de dood van haar vader. Ze liet haar wagen voorkomen en reed naar het Forum om Lucius als koning te begroeten. Deze wilde echter niet, dat het volk zou zien hoe verheugd Tullia was en gebood haar onmiddellijk naar huis te gaan. Ze gehoorzaamde, maar trok zich niets aan van zijn ontstemming, want zij had getriomfeerd, Lucius was koning en zij koningin.
Haar wagen reed nu door de straat waar het lichaam van haar vader lag. De koetsier hield in toen hij de vermoorde koning zag, maar Tullia gebood hem door te rijden. De koetsier reed door en het bloed van haar vader bespatte haar kleed.
Lucius schaamde zich ook niet over zijn daad en weigerde hooghartig om de begrafenis te laten plaatsvinden met de gewone ceremoniën. Om zijn hoogmoed werd de nieuwe koning Tarquiniys Superbus of Tarquinius de Trotse genoemd.

Hoofdstuk 18

HET LOT VAN DE STAD GABII

Tarquinius Superbus begon zijn regering met het ter dood veroordelen van de voornaamste senatoren die de oude koning gesteund hadden. Hij liet ook de tafels vernietigen, waarop Servius zoveel goede wetten had vastgelegd. De senaat werd niet meer bijeengeroepen, want hij wilde geheel alleen en onafhankelijk regeren.
Hij was zo wreed, dat arm en rijk hem haatten. Na enkele maanden al moest hij zich voortdurend door een lijfwacht laten beschermen, omdat hij anders stellig vermoord zou worden door een van degenen die hij al geruïneerd had. Want om veel rijkdommen te vergaren, legde hij aan de rijke patriciërs zware boeten op, of hij verbande hen om hun bezittingen verbeurd te kunnen verklaren. Als ze het waagden te protesteren, werden ze terechtgesteld.
Hij dwong de arme burgers zo hard te werken, dat ze niet veel meer dan slaven waren. In hun wanhoop pleegden ze dikwijls zelfmoord om aan zijn wreedheid te ontsnappen.
Nadat hij alle tegenstand gebroken had, verklaarde hij de oorlog aan de Latijnen, veroverde hun steden en lijfde de krijgsgevangenen in bij de Romeinse legioenen. Maar één oude Latijnse stad, Gabii, besloot tot het uiterste weerstand te bieden en opende zelfs zijn poorten voor de patriciërs die uit Rome verbannen waren.
Tevergeefs zond Tarquinius het ene legioen na het andere naar die stad. Alle aanvallen werden afgeslagen, want de bewoners wisten dat hun lot nooit erger kon zijn dan wanneer de stad in handen van de wrede Tarquinius viel.
Daar de koning met geweld niets bereiken kon, besloot hij het met list te proberen en daarbij schakelde hij zijn zoon Sextus in. Deze wendde voor dat hij door zijn vaders wreedheid gedwongen was de stad te verlaten en naar Gabii te vluchten. Hij vertelde de burgers een roerend verhaal, liet hun zijn rug zien die door zweepslagen was opengereten, en vroeg asyl in de stad.
De burgers vonden het zeer geloofwaardig dat de tiran zijn zoon mishandeld had en openden hun poorten voor hem. Bovendien

stelden ze weldra zoveel vertrouwen in hem, dat ze hem het bevel gaven over een afdeling soldaten.
Op een dag werd er een Romeins leger gesignaleerd dat naar de stad optrok. Sextus rukte met zijn soldaten uit en de Romeinen sloegen op de vlucht, zoals Tarquinius hun opgedragen had.
Nu waren de inwoners er nog meer van overtuigd dat ze Sextus korden vertrouwen, en ze gaven hem het opperbevel over het gehele leger. Sextus zond toen een boodschap naar zijn vader om te vragen wat hij nu moest doen.
Tarquinius wandelde in zijn tuin toen de koerier kwam, en hij luisterde zwijgend naar wat die te vertellen had. Hij bleef op en neer lopen en sloeg met zijn stok de bloemen van de grootste papavers af. En toen stuurde hij de koerier terug zonder verder iets te zeggen.
Sextus begreep direct wat hem te doen stond. De voornaamste edelen moesten net als de papavers onthoofd worden. De burgers wisten niets van wat er plaatsgevonden had en waren pijnlijk verrast, toen Sextus allerlei vooraanstaande edelen van verraad of misdaad beschuldigde en hen ter dood liet brengen. Vervolgens leverde Sextus de gehele stad aan de Romeinen uit.
Tarquinius Superbus behaalde ook nog een overwinning op een stam, die ten zuiden van de Latijnen woonde. Met de rijkdommen die hij door de plundering van hun steden vergaarde, besloot hij de grote tempel op het Capitool, waaraan zijn vader Lucius Tarquinius begonnen was, af te bouwen. Ook liet hij de riolering afmaken en voltooide hij het Forum.

Hoofdstuk 19

DE BOEKEN VAN DE SIBYLLE

In de tijd dat Tarquinius op het toppunt van zijn macht stond, kwam er op een dag een vrouw naar Rome, die de koning wilde spreken. Ze was een vreemdelinge en ze had negen boeken bij zich.
Toen ze voor de koning was geleid, vroeg ze hem of hij de boeken wilde kopen, die volgens haar de heilige profetieën bevatten van de

Sibylle de waarzegster van Cumae. Cumae lag in de buurt van Napels en was de oudste Griekse stad in Italië. De profetieën waren op losse bladen geschreven en de koning zou daarin kunnen vinden wat het lot van Rome zou zijn en hoe hij dat kon beïnvloeden.
Maar de vreemdelinge vroeg er zulk een enorme som geld voor, dat de koning lachend weigerde. Onbewogen verbrandde ze toen in zijn bijzijn drie van de negen boeken en bood hem daarna de overige zes aan voor de prijs, die ze eerst voor alle negen had gevraagd.
Tarquinius lachte schamper en weigerde weer. Nogmaals verbrandde de vrouw drie boeken en bood daarna de resterende drie aan tegen dezelfde prijs. Toen lachte de koning niet meer. Hij begon zich af te vragen, of de goden misschien die boeken gezonden hadden. Hij raadpleegde de waarzeggers en op hun aanraden kocht hij de drie boeken.
De vreemde vrouw verdween en niemand zag haar ooit weer. De boeken werden in een kist gelegd en in de grote tempel op het Capitool, dat nu klaar was, bewaard. Er werden twee Grieken aangesteld, die over de boeken moesten waken, want ze waren in het Grieks geschreven. En telkens wanneer oorlogen of epidemieën de stad bedreigden, werden de boeken van de Sibylle door de waarzeggers geraadpleegd.
In het jaar 84 v. Chr. werd het Capitool door brand verwoest en bij die gelegenheid gingen de boeken verloren. Voor de Romeinen was het verlies daarvan erger dan de vernietiging van het Capitool.
De senaat zond gezanten naar Griekenland en Klein-Azië om de Sibyllen daar te vragen, of ze nog andere geschreven orakels hadden. En ze hadden succes, want ze brachten nieuwe rollen mee terug, die later in het herbouwde Capitool werden bewaard.
Gedurende de regering van Augustus werden ze overgebracht naar de tempel van Apollo op de Palatijnse heuvel. En veel later, in het jaar 400 na Christus, werden ze in het openbaar verbrand als nutteloze overblijfselen van een heidense tijd.

HOOFDSTUK 20

LUCRETIA

In later jaren werd Tarquinius geplaagd door verschrikkelijke dromen. Hij herinnerde zich zijn kwade daden en die achtervolgden hem dag en nacht. Zelfs in de tempels kon hij geen rust vinden. Op een dag dat er offers werden gebracht, zag de koning een slang langs een pilaar naar beneden kronkelen naar het altaar, waar het dier het offer verslond. Hij dacht dat het een slecht voorteken was en besloot in zijn angst het orakel van Delphi te raadplegen, want ook buiten Griekenland was dit orakel beroemd.

Hij zond zijn twee zoons Titus en Aruns naar Delphi, vergezeld door hun neef Junius, die Brutus, de Onnozele genoemd werd, omdat men geloofde dat hij dom was. Brutus wendde echter alleen domheid voor om door zijn oom met rust te worden gelaten, die zijn vader al had gedood.

Toen de prinsen in Delphi kwamen, boden ze de priesteres waardevolle geschenken aan, terwijl Brutus slechts een eenvoudige staf gaf. Zijn neven dreven de spot met dat waardeloze geschenk, maar Brutus was verstandiger dan zij dachten, want de staf was hol en met goud gevuld.

Zoals de koning verzocht had, vroegen de prinsen het orakel naar de betekenis van de slang die het offer verslonden had. Het was inderdaad een slecht voorteken. „De val van Tarquinius is spoedig te verwachten", was het antwoord dat ze kregen. „Wie van ons zal hem opvolgen?" vroegen ze toen onmiddellijk. „Degeen die het eerst zijn moeder kust", zei het orakel. De twee prinsen gingen erom loten wie het eerst bij hun terugkeer zijn moeder zou begroeten.

Maar Brutus dacht, dat de woorden van het orakel een diepere betekenis hadden. Toen hij de tempel verliet, deed hij alsof hij struikelde en kuste heimelijk de aarde, want zij was de moeder van alle mensen.

De koning had ondertussen het beleg geslagen voor Ardea, een Latijnse stad. Het scheen alsof hij al zijn vrees vergeten was. De inwoners van de stad verdedigden zich dapper en de Romeinen maakten

geen vorderingen. In het kamp, waar niet veel te doen was, waren prins Sextus en Collatinus op een keer aan het praten over wat hun vrouwen op dat moment zouden doen. Beiden beweerden, dat hun vrouw de vlijtigste en de bescheidenste was.
Ten slotte stelde een van de vrienden voor, dat Sextus en Collatinus naar huis zouden rijden om met eigen ogen te gaan zien wat hun vrouwen deden. Dat voorstel vond bijval en vergezeld van hun vrienden gingen ze op weg. In Rome aangekomen vonden ze de vrouw van Sextus aan een banket, waar ze uitgelaten aan het dansen was. Van daar reden ze naar Collatia, waar ze laat op de avond aankwamen. Lucretia, de vrouw van Collatinus, zat echter nog achter het spinnewiel.
Het gezelschap was het er over eens, dat Lucretia de vlijtigste was. Schertsend en lachend reden ze naar het kamp terug.

Hoofdstuk 21

DE DOOD VAN LUCRETIA

De weddenschap van Sextus en Collatinus, eigenlijk niet meer dan een grap, had rampzalige gevolgen. Want Sextus, die nu gezien had hoe schoon en verstandig Lucretia was, wilde haar zelf tot vrouw hebben. En op een dag verliet hij het kamp en reed naar Collatia, ditmaal alleen.
Lucretia ontving hem, de vriend van haar echtgenoot, met gepaste gastvrijheid, toen hij verhit en vermoeid aankwam. Maar toen zij bemerkte dat hij geen waar vriend van Collatinus was, veranderde haar houding. De prins werd kwaad, overweldigde haar en behandelde haar zo wreed, dat ze nooit meer gelukkig zou kunnen zijn.
De volgende dag kleedde zij zich in het zwart, zond berichten naar haar vader en haar echtgenoot en verzocht hun zo spoedig mogelijk naar Collatia te komen. Ze vertelde hun wat Sextus gedaan had, liet hen zweren dat zij het haar aangedane onrecht zouden wreken, en stak zich een dolk in het hart.
Brutus, de neef van de koning, was met Collatinus meegekomen en

ook hij zwoer Lucretia te zullen wreken en ervoor te zorgen, dat geen enkele afstammeling van Tarquinius op de troon zou komen. Dezelfde eed werd afgelegd door de man en de vader van Lucretia en twee andere dappere Romeinen, Publius Valerius en Spurius Lucretius.
Het lichaam van Lucretia werd naar het marktplein gebracht en toen men het volk verteld had wat er gebeurd was, ging er een storm van verontwaardiging op.
Brutus ging onmiddellijk naar Rome om het verschrikkelijke nieuws over te brengen. Op het Forum sprak hij de verzamelde menigte onbevreesd toe, herinnerde de mensen aan de misdaden van Tarquinius en Sextus en riep uit: „Romeinen, wilt gij nog langer door deze tiran of een van zijn nakomelingen geregeerd worden?" Als één man antwoordden de burgers: „Neen."
En ze meenden het. Er werd een leger gevormd, dat onder aanvoering van Brutus naar Ardea trok. Tullia, de koningin, opgeschrikt door het tumult op het Forum, vluchtte het paleis uit. Terwijl haar wagen door de straten reed, werd zij door de voorbijgangers uitgescholden.
In het kamp deden geruchten de ronde over de opstand in Rome en Tarquinius marcheerde met een deel van zijn leger naar de stad om de rebellen te straffen.
Brutus zorgde ervoor die troepen uit de weg te blijven, want hij wilde proberen de rest van het leger, dat bij Ardea was achtergebleven, aan zijn zijde te krijgen. Daar aangekomen kostte het hem weinig moeite om zijn plan te verwezenlijken. De soldaten zwoeren dat zij noch Tarquinius noch zijn zoon ooit meer als koning zouden erkennen en maakten zich gereed om naar Rome te trekken.
Ondertussen was de koning daar aangekomen, maar hij vond de poorten gesloten en de burgers gewapend op de muren. Wat hij ook beloofde, waarmee hij ook dreigde, de poorten bleven dicht. Tarquinius wist dat het leger van Brutus weldra terug zou keren en daarom vluchtte hij naar Etrurië.
De Romeinen, die hun koning afgezet hadden, stelden de dag van zijn vlucht als een feestdag vast, en ieder jaar op 24 februari werd het feest van de onttroning gevierd.

Hoofdstuk 22

DE ZONEN VAN BRUTUS

Toen Tarquinius uit Rome verdreven was, zeiden de Romeinen dat ze nooit weer door koningen geregeerd wilden worden. Ze besloten de wijze wetten van Servius te volgen, die hun aangeraden had om elk jaar twee regeerders te benoemen met gelijke macht, die het recht hadden wetten te maken.
Die twee regeerders, gekozen door de senaat en het volk, werden consuls genoemd. Als teken van zijn waardigheid had iedere consul een lijfgarde van twaalf mannen, lictoren genaamd, bij zich. Wanneer een consul het Forum betrad of door de stad liep, gingen de lictoren voor hem uit om de weg vrij te maken.
De eerste consuls die gekozen werden, waren Brutus en Collatinus, en daarmee was Rome een republiek geworden.
Tarquinius stelde ondertussen pogingen in het werk om de verloren macht te herwinnen. Hij zond boden naar Rome, die kwamen vragen of hij zijn persoonlijke eigendommen mocht hebben. Maar Tarquinius had zijn boodschappers nog een andere opdracht meegegeven. Hij wist dat er onder de jonge patriciërs velen waren die hem graag weer op de troon zagen, en de gezanten hielden geheime besprekingen met die edelen. Ze wilden zelfs reeds de datum voor de terugkeer vaststellen.
Een slaaf hoorde echter wat er besproken werd en ging onmiddellijk naar de consuls om te vertellen welk gevaar de stad bedreigde. De samenzweerders werden gevangen genomen en de slaaf kreeg zijn vrijheid.
Onder de gevangenen bevonden zich Titus en Tiberius, de zonen van Brutus. Het was een zware slag voor de consul toen hij vernam dat zijn zoons zich aan hoogverraad hadden schuldig gemaakt. Hoe zou hij het vonnis over hen kunnen uitspreken? Spoedig echter schudde hij die zwakheid van zich af. Een waar Romein behoorde nog meer van zijn land te houden dan van zijn kinderen.
Toen de samenzweerders voor hem geleid werden, aarzelde hij niet. Uiterlijk onbewogen veroordeelde hij Titus en Tiberius ter dood

evenals de andere verraders, en hij dacht er geen ogenblik aan om voor zijn zoons genade voor recht te laten gelden.
De senaat en de burgers waren zo verontwaardigd over de samenzwering van Tarquinius, dat ze nu weigerden hem zijn particuliere eigendommen te zenden. En dat niet alleen; zij verdeelden zijn bezittingen onder de bevolking, en het veld tussen de stad en de Tiber waar Tarquinius koren gezaaid had, werd verwoest. De akker werd aan de god Mars gewijd en voortaan het Marsveld genoemd. Het koren wierpen zij in de Tiber en daar vormde zich door aanslibbing een eiland dat er nog heden ten dage ligt.
Daarna maakte de senaat een nieuwe wet, waarbij allen die de gehate naam Tarquinius droegen, voorgoed uit Rome werden verbannen. En dus moest Collatinus, die ook een Tarquinius was, het ambt van consul neerleggen en de stad verlaten. Dat deed hij dan ook, hoewel hij de vriend van Brutus was en de vijand van de verbannen koning. In zijn plaats werd Valerius tot consul gekozen.
Tarquinius, gebelgd over de mislukking van zijn plan, wendde zich tot de Etrusken en wist hen over te halen om Rome de oorlog te verklaren. Er vond een veldslag plaats en Aruns, een van de zonen van Tarquinius, zag Brutus aan het hoofd van het Romeinse leger, gekleed in het koninklijke gewaad dat eens zijn vader gedragen had. In een opwelling van woede gaf hij zijn paard de sporen, hield zijn speer gereed en rende op zijn vijand toe.
Brutus zag Aruns aankomen, gaf eveneens zijn paard de sporen en galoppeerde hem tegemoet. De ontmoeting was kort en hevig. Elk werd door de speer van de ander doorboord en dodelijk gewond. De veldslag duurde nog de gehele dag en toen de avond viel, was er nog geen beslissing gevallen. Maar gedurende de nacht, terwijl beide legers op het slagveld hun kamp hadden opgeslagen, werd er een luide stem gehoord, die uit de richting van het bos kwam. Dat was de stem van Silvanus, de god van het woud. „De overwinning komt aan de Romeinen toe", riep de god, „want zij hebben één vijand meer verslagen."
De Etrusken legden zich neer bij wat Silvanus zei en trokken de volgende ochtend terug, en de Romeinen marcheerden weer naar Rome.

Ondanks hun overwinning waren ze bedroefd, want zij voerden het lijk van hun aanvoerder met zich mee. De gehele bevolking rouwde om Brutus, maar vooral de vrouwen, omdat hij zo dapper gestreden had om de dood van Lucretia te wreken.

HOOFDSTUK 23

HORATIUS DE EENOGIGE

Na de dood van Brutus regeerde Valerius alleen. De burgers waren echter niet tevreden over hem, want ze vonden dat hij zich teveel als een koning gedroeg. De consul had bijvoorbeeld een prachtig huis laten bouwen vlak bij het Forum. Wanneer hij van zijn huis naar het Forum liep, werd hij door twaalf lictoren voorafgegaan, maar dat was door de burgers zelf zo vastgesteld. Toch mopperden ze en waren wantrouwend en tenslotte hoorde de consul wat er over hem gezegd werd. Hij was er niet verontwaardigd over, maar besloot toch hun een lesje te geven.

Op een avond toen het donker was, liet hij werklieden komen en droeg hun op het gehele huis te slopen. Toen de ochtend aanbrak, zagen de burgers die naar het Forum gingen, tot hun verwondering dat het huis van de consul verdwenen was.

Het duurde enige tijd voor ze er achter kwamen, dat hun achterdocht de consul tot deze daad gedreven had. Maar toen schaamden ze zich dan ook en betoonden hem meer eerbied dan ooit tevoren.

Valerius maakte nog een wet die door de Romeinen goed ontvangen werd. Hij bepaalde namelijk, dat een Romein het recht had om, als hij ter dood was veroordeeld, een beroep te doen op het volk.

Ondertussen had Tarquinius zich verzekerd van de hulp van een machtig koning, Lars Porsenna. Deze zond een gezant naar Rome, die eiste dat de poort voor Tarquinius geopend zou worden. Toen de burgers weigerden, trok hij met een groot leger naar de stad.

De Romeinen verdubbelden de wachtposten en versterkten de forten op de Janiculusheuvel. Want ten koste van alles moest worden voorkomen, dat de vijand de Tiber overstak over de houten brug, die de heuvel met de stad verbond.

Slaven, vee en levensmiddelen werden uit het omliggende land naar de stad gebracht. Ondanks alle maatregelen slaagde Lars Porsenna erin de Janiculusheuvel te veroveren en de Romeinse soldaten vluchtten over de brug de stad binnen. Om Rome te behouden moest de brug aan de overzijde zo lang verdedigd worden, tot de soldaten aan

de andere kant de balken hadden doorgehakt die de verbinding met de oever vormden. Er werden vrijwilligers gevraagd en de eerste die zich aanmeldde, was Horatius de Eenogige. Spurius Lartius, een van Rome's sterkste mannen, en Herminius voegden zich bij hem. Met hun drieën verdedigden zij de toegang tot de brug tegen de aanstormende vijand.
De koning, die slechts drie soldaten zag, lachte minachtend, maar het duurde niet lang of het lachen maakte plaats voor verbazing. Want Horatius en zijn makkers hielden stand, ondanks alle aanvallen, terwijl aan hun voeten de lijken van verslagen vijanden zich opstapelden.
Achter hen weerklonken de bijlslagen. De brug begon te wankelen en de Romeinen schreeuwden hun kameraden toe, dat ze terug moesten komen voor het te laat was. Lartius en Herminius keerden zich om en zochten een goed heenkomen over de wankelende brug. Maar Horatius bleef.
Pas toen de brug in de rivier stortte, achtte hij zijn taak volbracht. Hij sprong in het kolkende water en trachtte zwemmend de overkant te bereiken. De speren van de vijand troffen gelukkig geen doel en hoewel hij af en toe door het gewicht van zijn wapenrusting onder water getrokken werd, kwam hij veilig aan wal.
De senaat beloonde Horatius voor zijn moedige daad en gaf hem zoveel land als hij in één dag kon omploegen. Later werd er een standbeeld voor hem opgericht.

HOOFDSTUK 24

GAIUS MUCIUS VERBRANDT ZIJN RECHTERHAND

De aanval van Lars Porsenna was afgeslagen, maar daar was Rome nog niet mee gered, want de stad werd nu belegerd en al spoedig heerste er hongersnood.
Een jongeling, Gaius Mucius, besloot een poging te doen om Lars Porsenna te doden. De senaat keurde het plan goed en Gaius, verkleed als boer, wist in het vijandelijke kamp door te dringen. Onder zijn eenvoudig gewaad had hij een dolk verborgen. Het was gemakkelijk geweest het kamp binnen te komen, maar nu bevond Gaius zich in een moeilijke positie, want hij kende de koning niet en durfde aan niemand vragen hem aan te wijzen.
Toen hij een hoveling zag in een purperen gewaad, die geld uitdeelde aan de soldaten, dacht hij de koning gevonden te hebben. Hij sloop naderbij, trok zijn dolk en doorstak niet Lars Porsenna, maar zijn schatbewaarder. Voor hij kon ontsnappen, werd hij gegrepen en naar de koning geleid. Deze dreigde de jongeman met marteling, zelfs met de dood, als hij niet vertelde hoe sterk het Romeinse leger was en in welke toestand. Maar Mucius stak zijn rechterhand in de vlam die op het altaar naast hem brandde, en hield hem daar tot hij geheel verbrand was. Dat deed hij zonder een spier te vertrekken, zodat Lars Porsenna kon zien dat hij geen martelingen vreesde. De koning, die de moed van de jongeman bewonderde, vergat zijn woede en stond hem toe zonder verdere straf naar Rome terug te gaan. Zijn medeburgers gaven hem later eershalve de bijnaam Scaevola, de linkshandige.
Getroffen door de vriendelijkheid van Lars Porsenna vertelde Gaius toen, dat driehonderd Romeinse jongemannen gezworen hadden hem te doden en dat zij niet zouden rusten eer een van hen daarin geslaagd was.
Lars Porsenna was een verstandig man. Hij luisterde naar de waarschuwing die Mucius hem gaf en bood aan om op bepaalde voorwaarden vrede te sluiten. Die voorwaarden waren echter hard, want de koning eiste alle bezittingen van Tarquinius op en het grondgebied

op de rechteroever van de Tiber. Verder mocht er alleen voor de landbouw ijzer gebruikt worden en moesten er tien jongelieden uit de voornaamste families als gijzelaars worden gezonden.
Door de hongersnood gedreven, moesten de Romeinen die voorwaarden accepteren. Onder de gijzelaars bevond zich de jonkvrouw Cloelia. In het Etruskische kamp smachtte zij naar de vrijheid, naar haar eigen huis, vrienden en vriendinnen. Ze besloot tenslotte te ontsnappen.
Op een avond toen het donker begon te worden, sloop ze ongemerkt het kamp uit en ging naar de oever van de rivier. Zonder aarzelen sprong ze het water in en zwom naar de overkant, naar de vrijheid. Maar er wachtte haar een hevige teleurstelling. De Romeinen wilden haar niet laten blijven, hoewel zij haar moed bewonderden, want ze wilden zich houden aan het verdrag dat zij hadden gesloten. Ze werd dus naar de koning teruggestuurd, maar omdat de Romeinen zo eerlijk waren geweest, hergaf hij Cloelia de vrijheid en met haar nog vele anderen.
Spoedig daarna verbrak Lars Porsenna de samenwerking met Tarquinius, brak zijn kamp op en ging terug naar zijn land. Zijn tenten, waarin graan en andere levensmiddelen lagen opgeslagen, gaf hij aan de hongerende bevolking van Rome. De burgers waren hem daar zo dankbaar voor, dat ze hem geschenken aanboden — een zetel, een scepter van ivoor, een gouden kroon en een purperen gewaad.

Hoofdstuk 25

DE GODDELIJKE TWEELINGEN

Tarquinius was nu een oude man, maar hij kon nog steeds niet geloven dat hij nooit meer in Rome op de troon zou zitten. Opnieuw bracht hij een leger op de been en hij wist zich te verzekeren van de hulp van de Latijnen, die van oudsher strijdlustig waren.
De Romeinen wisten dat zij een dapper man nodig hadden om het leger aan te voeren en dus benoemden zij Aulus Postumius tot dictator. Voor zes maanden zou Aulus de macht van een koning hebben.

Tarquinius, zijn zoon Sextus en een troep uitgeweken Romeinen trokken mee op met het Latijnse leger. In de buurt van het meer Regillus kwam het tot een treffen. Valerius, de Romeinse consul, werd woedend toen hij Sextus onder de vijanden zag. Hij drong naar voren om hem te doden, maar de prins week terug. Valerius achtervolgde hem, maar werd door een speer getroffen en gedood.
De Romeinen vochten dapper, maar konden geen overwinning behalen. Toen legde Aulus de gelofte af dat hij een tempel zou bouwen voor de tweelingbroeders Castor en Pollux, als zij hem zouden helpen de vijand te verslaan.
Nauwelijks had de dictator die woorden gesproken, of er verschenen twee jongelingen, groter dan gewone mensen, met prachtige wapenrustingen en op witte paarden gezeten. Ze begaven zich naar voren en voerden het leger aan in een hernieuwde aanval op de Latijnen. De vijanden, van hun stuk gebracht door de plotselinge verschijning van de twee reusachtige vreemdelingen en de verwoede aanval, vluchtten in paniek. De Romeinen achtervolgden hen tot aan het Latijnse kamp, waarin de twee vreemde ruiters het eerst binnenreden. De Romeinen behaalden een grote overwinning.
Aulus wilde de vreemdelingen aan wie de overwinning te danken was, belonen, maar ze waren nergens te vinden. In Rome, waar de vrouwen en de oude mannen in spanning op nieuws zaten te wachten, verschenen tegen de avond twee ruiters op het Forum. Ze zaten op prachtige witte paarden en ze waren groter dan de andere mensen. Het was duidelijk te zien dat ze aan de gevechten hadden deelgenomen. Toen zij bij de bron kwamen die bij de tempel van Vesta ontspringt, stegen ze af en wasten het schuim van hun paarden en verwijderden de vlekken van hun kleren. Iedereen verdrong zich om de vreemdelingen, toen die het verhaal van de roemrijke overwinning vertelden. Ze bestegen toen weer hun paarden en reden weg.
Toen de dictator in Rome was teruggekeerd, vertelde hij dat de goddelijke tweelingen Castor en Pollux hem in de strijd geholpen hadden. Hij hoorde wat er in Rome gebeurd was en was er vrijwel zeker van, dat zij het waren die zo bovenaards snel naar Rome waren gereden om het nieuws bekend te maken.
Aulus begon met een dankbaar hart de tempel te bouwen die hij hun

had beloofd, en voortaan hielden de Romeinen ieder jaar een feest te hunner ere. Tijdens dat feest werden er in de tempel offers gebracht, terwijl een plechtige stoet patriciërs, in purper gekleed, van de tempel van Mars, die buiten de stadsmuren lag, naar de tempel reed die door de dictator aan de goddelijke tweelingen was gewijd.
Na hun nederlaag wilden de Latijnen niet langer voor Tarquinius vechten en ze sloten vrede met hun vijanden. Eenzaam en kinderloos, want Sextus was op het slagveld gevallen, vertrok Tarquinius, de laatste der Romeinse koningen, naar Cumae, waar hij enige tijd later overleed.
De Romeinen heroverden hun bezittingen op de rechteroever van de Tiber.

Hoofdstuk 26

DE TRIBUNEN

De bevolking van Rome was in twee klassen verdeeld, de patriciërs of edelen en de plebejers, de gewone mensen.
Na de dood van Tarquinius begonnen de patriciërs de plebejers nog meer te onderdrukken dan in de tijd van de koningen. Wanneer de plebejers geld moesten lenen, vroegen de patriciërs een zo hoge rente, dat de schulden dikwijls niet konden worden afbetaald. Dan werden de schuldenaars tot slaven gemaakt.
Wanneer de Romeinen oorlog voerden, moesten de plebejers voor hen vechten, maar dan werden de akkers niet bebouwd, tenzij er plaatsvervangers werden gehuurd. De plebejers trokken dus altijd aan het kortste eind. Als ze arbeiders huurden, moesten ze geld lenen van de patriciërs om de werkkrachten te kunnen betalen. Als ze hun akkers niet bebouwden, moesten ze geld lenen om voedsel te kunnen kopen.
In hun wanhoop kwamen de plebejers ten slotte in opstand tegen hun onderdrukkers, en toen een vijandelijk leger Rome naderde, verlieten zij de stad en sloegen hun kamp op bij de rivier de Anio, op de zogenaamde Heilige Berg, ongeveer drie mijl buiten de stad. Ze besloten om zonodig daar zelf een stad te bouwen.
De patriciërs wisten wel dat ze zonder de hulp van de plebejers Rome niet konden verdedigen. En daarom zond de senaat een bode naar hen toe, die beloofde dat zij beter behandeld zouden worden, als ze naar de stad terugkeerden en mee wilden vechten. De plebejers stemden toe en inderdaad werden ze, voorlopig tenminste, beter behandeld. In 493 v. Chr. kregen ze het recht twee vertegenwoordigers te kiezen, die tribunen genoemd werden. Zoals de patriciërs een beroep konden doen op de consuls, konden de plebejers dat doen op de tribunen. Die werden voor een jaar gekozen en moesten dan in Rome wonen en dag en nacht hun deur open hebben, zodat de plebejers ten allen tijde om hulp en bescherming konden vragen.

HOOFDSTUK 27

CORIOLANUS EN ZIJN MOEDER VETURIA

Er bestaan veel legenden over de oorlogen, die de Romeinen voerden met de Volsci. De bekendste daarvan is wellicht het verhaal over Gaeus Marcius, die Coriolanus genoemd werd.
Als jongen van zeventien jaar had Marcius al meegevochten in de grote slag aan het meer Regillus. Daar hij met grote moed het leven van een kameraad had gered, werd hij met een krans van eikebladeren gekroond, zoals de Romeinse gewoonte was.
Toen de Romeinen tegen de Volsci optrokken, bevond Marcius zich bij de soldaten die Corioli, de vijandelijke hoofdstad, belegerden. Op zekere dag zagen de belegerden dat een gedeelte van het Romeinse leger zich had teruggetrokken, en ze besloten een uitval te wagen om de achtergebleven soldaten te overrompelen. Hun aanval was zo hevig dat de Romeinen achteruitgedreven werden.
Marcius zag uit de verte wat er gebeurde, snelde met enkele volgelingen zijn kameraden te hulp en moedigde hen aan vol te houden. De Romeinse soldaten wisten de vijanden tot omkeren te dwingen en zij achtervolgden hen tot aan de poorten van de stad. Ze durfden echter niet binnen te dringen, omdat de vijand veel talrijker was. Op de muren stonden de verdedigers en een regen van pijlen daalde op hen neer.
Marcius riep echter uit dat de poorten openstonden, niet om de verslagenen binnen te laten, maar om de overwinnaars te ontvangen, en hij drong met een kleine troep soldaten de stad binnen. Hij slaagde erin de poorten van Corioli open te houden tot de hoofdmacht van het leger arriveerde en toen kon de stad zonder veel moeite worden ingenomen.
De soldaten zeiden, dat eigenlijk Gaeus Marcius de stad veroverd had en dat was ook zo. Toen de oorlog met de Volsci afgelopen was, wilde de consul Marcius belonen voor zijn betoonde dapperheid. Hij gaf opdracht om aan de jonge patriciër een tiende deel van alle oorlogsbuit te geven en bood hem zelf een prachtig paard aan.
Marcius weigerde om meer dan zijn rechtmatig aandeel te accepteren.

Hij verzocht slechts om een gunst n.l. een van de krijgsgevangenen, die hem eens gastvrijheid had verleend, vrij te laten. Dat verzoek werd door de soldaten met luid gejuich ontvangen. Toen alles weer rustig was, zei de consul: „Het heeft geen zin onze geschenken op te dringen aan iemand, die ze niet wil aanvaarden. Laten we hem daarom iets geven, dat hij niet kan weigeren. We zullen hem voortaan, ter nagedachtenis aan de verovering van Corioli, Coriolanus noemen." En zo gebeurde het.
In Rome heerste, zoals na iedere oorlog, veel ellende. De akkers waren niet geploegd, er was niet gezaaid, en dus leden de burgers honger. Er werd voedsel uit Etrurië aangevoerd, maar lang niet voldoende. En terwijl er nog hongersnood heerste, brak de tijd aan waarop de consuls voor het volgend jaar gekozen moesten worden. Coriolanus was een van de candidaten. Hij kwam dikwijls naar het Forum, gekleed in zijn witte toga, en liet de mensen de littekens zien van de wonden die hij in de oorlogen had opgelopen. Eerst maakte hij een goede kans om gekozen te worden, maar de burgers herinnerden zich dat hij zich meer dan eens met grote minachting had uitgelaten over de tribunen. Als hij consul werd, zou hij misschien het tribunaat afschaffen en dan was er voor de plebejers geen mogelijkheid meer om recht te zoeken. Coriolanus werd dan ook niet gekozen. Hij was de plebejers daar niet bepaald dankbaar voor en hij onderdrukte zijn gevoelens niet.

Vlak na de verkiezingen kwamen enkele schepen met graan in Ostia aan. Daar een deel van het graan een geschenk was, wilden de senatoren het gratis aan de bevolking geven. Coriolanus was daar verontwaardigd over en zei in de raadsvergadering, dat men de plebejers niet moest verwennen. Ze waren al brutaal genoeg geworden door de vele gunsten. „Laat hen eerst de tribunen opgeven, voor ge hun voedsel geeft", zei hij.
Toen de plebejers vernamen wat Coriolanus gezegd had, kende hun woede geen grenzen. Ze zouden hem in stukken gescheurd hebben als de tribunen hem niet hadden beschermd en de menigte niet hadden gekalmeerd.
„Doodt hem niet," zeiden de tribunen, „want dat zal uw zaak slechts

schaden. Wij zullen hem beschuldigen van handelen tegen de heilige wetten en ge zult zelf het vonnis uitspreken".
Coriolanus gaf geen gehoor aan de dagvaarding van de tribunen, want hij vond het belachelijk dat een patriciër voor plebejers zou moeten verschijnen. Hij werd echter uit de stad verbannen.
Coriolanus wendde zich direct tot Attius Tullius, de aanvoerder van de Volsci. Deze was bereid om de jonge patriciër te helpen Rome te straffen en spoedig was er een leger onderweg. De ene stad na de andere viel in handen van het oprukkende leger, dat ten slotte op vijf mijl afstand van Rome zijn kamp opsloeg.
De senaat, gealarmeerd door het succes van de Volsci, liet om vrede vragen, maar Coriolanus zond de Romeinse gezanten terug met de boodschap, dat er alleen van vrede sprake kon zijn, indien alle steden die in de laatste oorlog op de Volsci waren veroverd, terug werden gegeven.
Daar ging de senaat niet op in en er werden andere gezanten gezonden, die echter niet eens ontvangen werden. Daarop trokken de priesters in een processie naar het vijandelijke kamp om te proberen de hooghartige patriciër tot andere gedachten te brengen, maar ook zij hadden geen succes.
De vrouwen van Rome wendden zich nu tot Veturia, de moeder en Volumnia, de vrouw van Coriolanus en smeekten haar of zij naar Coriolanus wilden gaan om hem te vragen zijn wrok te vergeten en Rome niet aan te vallen.
Veturia, diepbedroefd omdat haar zoon zijn land verraden had, wilde het proberen. Met Volumnia en haar kinderen, in het zwart gekleed en gevolgd door een groepje Romeinse moeders, trokken zij naar het vijandelijke kamp.
Zodra Coriolanus zijn moeder zag, sprong hij op, snelde op haar toe en wilde haar omhelzen. Maar zij duwde hem van zich af en verzocht hem eerst haar vraag te beantwoorden.
„Ben ik de moeder van Gnaeus Marcius", vroeg zij verwijtend, „of een gevangene in handen van de aanvoerder der Volsci? Helaas, als ik geen moeder was geweest, zou mijn land nog vrij zijn."
Terwijl zijn moeder die woorden sprak, knielden zijn vrouw en zijn kinderen voor hem neer en klemden zich aan hem vast. De woorden

van zijn moeder maakten een zeer diepe indruk op hem. Met tranen in de ogen riep hij uit: „O moeder, ge hebt Rome gered, maar uw zoon verloren"!
Hij marcheerde met zijn leger terug en gaf de veroverde steden weer aan de Romeinen. In sommige legenden wordt verteld, dat de Volsci zo woedend waren op Coriolanus dat zij hem doodden, maar in andere wordt gezegd, dat hij nog lang als banneling onder hen leefde.

Hoofdstuk 28

HET ROMEINSE LEGER IN DE VAL

Terwijl de Romeinen oorlog voerden tegen de Volsci, plunderde en verwoestte een andere stam, de Aequi, hun velden. In 459 v. Chr. werd er vrede gesloten met die woeste bergbewoners, en Rome hoopte dat de grenzen nu geëerbiedigd zouden worden. Maar de Aequi waren een rusteloos volk. Zij schonden spoedig het verdrag en aangevoerd door Cloelius sloegen ze op een van de uitlopers van de Albaanse heuvels hun kamp op en begonnen van daaruit wederom te plunderen en te roven.
De Romeinen waren daar zeer verontwaardigd over en zonden gezanten om opheldering te vragen. Maar Cloelius dreef de spot met hen en zei lachend, dat ze hun klachten maar moesten deponeren bij de eikeboom waaronder hij zijn tent had opgeslagen.
De gezanten vertelden in Rome hoe onhoffelijk ze waren behandeld. Een leger onder aanvoering van consul Minucius werd uitgezonden om Cloelius te straffen. Cloelius was een bekwaam bevelhebber en toen het Romeinse leger naderde, trok hij langzaam terug naar een nauw dal. De Romeinen achtervolgden hem, wat ook zijn bedoeling was.
Toen de Romeinen midden in het dal waren, liet Cloelius de ingang bezetten en toen zat Minucius in de val. Vijf Romeinse soldaten wisten echter te ontsnappen. Zij reden zo hard ze konden naar Rome om daar te vertellen wat er gebeurd was. De Romeinen vreesden dat de vijanden weldra voor de poorten zouden staan en de tweede consul was ver weg. De senaat besloot daarom een dictator te benoemen, die absolute macht zou hebben zo lang het land in gevaar was. De keuze viel op Cincinnatus. Toen de boodschappers uit Rome vroeg in de ochtend bij zijn huis aankwamen, was hij reeds op de akkers aan het werk. Want zoals vele patriciërs in die tijd, bebouwde hij zijn eigen grond. Een bediende kwam hem vertellen, dat er boodschappers uit Rome voor hem waren. Hij deed zijn toga aan en haastte zich naar huis. Niet zodra had hij vernomen dat het land in gevaar was en dat hij tot dictator was benoemd, of hij begaf zich op weg naar de stad, waar hij met gejuich ontvangen werd.

Cincinnatus begon onmiddellijk een leger op de been te brengen. Hij ging naar het Forum en gaf bevel, dat alle winkels gesloten moesten worden tot Rome buiten gevaar was. Iedereen die wapenen kon dragen, moest zich naar het Marsveld begeven met twaalf flinke stokken en voedsel voor vijf dagen.
Nog diezelfde avond begaf Cincinnatus zich met zijn leger op weg en tegen middernacht was hij dicht bij de vallei waar Minucius zat opgesloten. De dictator liet halt houden en gaf toen bevel om rondom het vijandelijke kamp zo geluidloos mogelijk loopgraven te maken en de stokken rechtop in de grond te zetten. Toen dat gebeurd was, liet hij zijn soldaten zo luid mogelijk schreeuwen. De vijanden werden daardoor gealarmeerd, sprongen op en grepen hun wapens. Maar de soldaten van Minucius hadden hun eigen oorlogskreet herkend en gingen tot de aanval over.
Cloelius bemerkte, dat hij op zijn beurt was ingesloten en niet kon ontsnappen en gaf zich over aan de dictator. Cincinnatus spaarde het leven van de vijandelijke soldaten, maar verplichtte hen onder het juk door te gaan, waarbij zij hun wapenen en mantels moesten afgeven. Cloelius en enkele andere bevelhebbers werden gevangen genomen, de overigen mochten naar hun land terugkeren.
In triomf marcheerde de dictator naar Rome terug. Na zestien dagen deed hij afstand van het dictatorschap en hervatte zijn werk op het land.

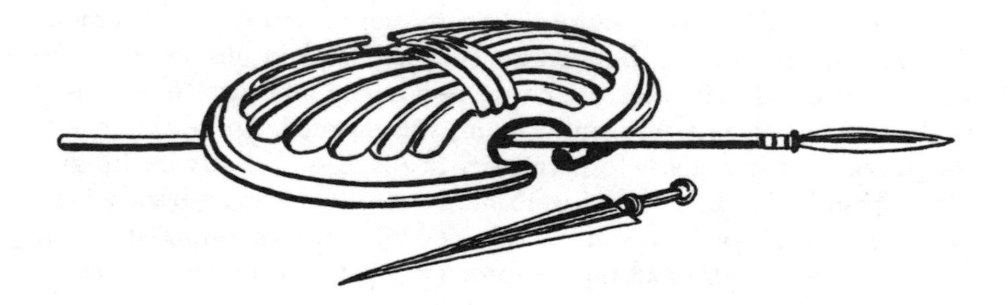

HOOFDSTUK 29

DE GEHATE DECEMVIRI

De taak van de tribunen was om het volk te beschermen tegen de onderdrukking van de patriciërs. Daar zij echter zelf plebejers waren, kenden zij de wetten niet zo goed als de patriciërs, die ze vanouds hadden toegepast. Wanneer de tribunen dus probeerden recht te verkrijgen voor degenen die een beroep op hen deden, werden ze dikwijls schaakmat gezet door de patriciërs. En dus werd het volk nog steeds onderdrukt, ondanks alles wat de tribunen konden doen. De plebejers werden zo ontevreden en opstandig, dat de senaat in 451 v. Chr. drie patriciërs naar Griekenland zond om daar te bestuderen hoe het volk geregeerd werd. Ze keerden met nieuwe ideeën naar Rome terug. Het zou goed zijn, zeiden ze, als er voorlopig geen consuls en geen tribunen werden benoemd. In plaats daarvan moesten er tien mannen, decemviri, worden gekozen uit patriciërs en plebejers, om het land te regeren en de wetten te hervormen. De nieuwe wetten moesten op koperen platen gegraveerd worden en in het openbaar worden opgehangen, zodat iedereen ze kon lezen. Ze werden de wetten van de Twaalf Tafelen genoemd. In de tijd van Cicero moesten de leerlingen die al in de lagere leerjaren uit het hoofd leren. Evenals de consuls werden de decemviri slechts voor één jaar gekozen. Ze werkten hard aan de hervorming van de wetten en aan het einde van het jaar waren tien van de twaalf tafelen herzien. Men besloot hun benoeming met een jaar te verlengen om hen in staat te stellen hun werk af te maken.
Maar Appius Claudius, de leider van de decemviri, was het daar niet mee eens en zorgde ervoor, dat er ditmaal meer plebejers werden gekozen. Hij hoopte zodoende het volk ervan te overtuigen dat hij hun vriend was, maar het bleek al spoedig dat hij noch van de plebejers, noch van de patriciërs een waar vriend was.
De nieuwe decemviri begonnen onder leiding van Appius Claudius heel anders op te treden. Zij gebruikten hun macht om degenen die zich tegen hen verzetten, ter dood te veroordelen en hun bezittingen verbeurd te verklaren. Toen hun zittingsjaar voorbij was, hadden ze

de wetten niet afgemaakt. Het werd spoedig duidelijk waarom ze daar geen haast mee hadden gemaakt, want ze weigerden hun ambt neer te leggen.
Zowel de patriciërs als de plebejers waren verontwaardigd en de meeste leden van de senaat hadden bij wijze van protest de stad verlaten. De verwarring werd nog vergroot doordat er oorlog uitbrak met de Sabijnen en de Aequi.
Een van de Romeinse legers zou worden aangevoerd door een volkstribuun, die zeer geliefd was omdat hij in honderdtwintig veldslagen voor zijn land had gevochten. Op weg naar zijn leger werd hij vermoord, naar men zegt op bevel van Appius Claudius. De soldaten waren woedend over het verlies van hun aanvoerder en de haat tegen Appius Claudius nam met de dag toe.

Hoofdstuk 30

DE DOOD VAN VERGINIA

Toen Verginius, een dapper plebejer, Rome moest verlaten om voor zijn land te vechten, bleef zijn dochter Verginia alleen achter met haar verzorgster. Appius Claudius, die in de stad was gebleven en zijn schrikbewind voortzette, zag het jonge meisje op een dag lopen en omdat ze zo mooi was, besloot hij haar bij zich te nemen.
Hoewel hij zijn uiterste best deed het meisje over te halen met hem mee te gaan, bleef zij weigeren. Appius Claudius zon toen op andere middelen om zijn plan te verwezenlijken. Hij liet een zekere Marcus Claudius verklaren, dat Verginia niet een vrij Romeins meisje was, maar een van zijn slavinnen. Marcus probeerde haar enkele dagen later te ontvoeren, maar de verzorgster schreeuwde luid om hulp en de mensen kwamen van alle kanten toelopen. Toen de burgers hoorden wat er gebeurd was, beloofden zij dat zij Verginia zouden beschermen tot haar vader en haar verloofde Icilius teruggekeerd waren.
Marcus zei vervolgens, zoals hij met Appius Claudius had afgesproken, dat hij het meisje geen kwaad wilde doen en zelfs bereid was de zaak aan het gerecht voor te leggen. Gevolgd door de menigte leidde hij Verginia voor de rechter, die niemand anders was dan Appius Claudius. Marcus deelde mee, dat hij Verginius kon bewijzen dat het meisje niet zijn kind was, maar dat van een van zijn slaven. Hij eiste dat Verginia aan hem zou worden toegewezen. De burgers geloofden niet wat Marcus zei en wilden hem het meisje niet toevertrouwen. „Laat Verginius terugroepen", riepen ze, zonder zich iets aan te trekken van de onheilspellende blikken van de rechter, „Verginia is een vrije Romeinse en zal bij haar vrienden blijven tot er bewezen is, dat zij een slavin is."
Het kostte Appius Claudius moeite om zijn ware gevoelens te verbergen, maar hij slaagde erin op waardige toon te zeggen: „Het meisje behoort òf aan Verginius of aan Marcus. Daar Verginius afwezig is, moet Marcus haar onder zijn hoede nemen. Wanneer Verginius terugkeert, zal deze zaak opnieuw worden berecht"!

De burgers weigerden met deze uitspraak genoegen te nemen. Als Claudius er tenslotte niet in had toegestemd dat Verginia bij haar vrienden mocht blijven, zou de woedende menigte hem de stad uit hebben gejaagd. Het uitstel gold echter slechts voor één dag. Als Verginius dan niet verschenen was, zou Marcus zijn rechten kunnen doen gelden.
Icilius was ondertussen naar de stad teruggekeerd en hij stuurde onmiddellijk iemand naar het kamp met de boodschap, dat Verginius ten koste van alles onverwijld naar Rome moest komen. Claudius zond ook een koerier, met het bevel dat Verginius onder geen omstandigheden het kamp mocht verlaten. Gelukkig bereikte de boodschapper van Icilius het kamp eerst, zodat Verginius al op weg was naar Rome, toen het bevel van Claudius bekend werd.
De volgende ochtend ging Claudius naar het Forum, zeker dat hij zou winnen. Hij werd echter onaangenaam verrast, toen hij Verginius daar naast zijn dochter zag staan, te midden van een grote menigte. Verginius sprak de mensen toe: „Wat mijn dochter nu overkomt, kan de uwe ook overkomen. Wie zal voortaan nog zijn kinderen in Rome achter durven laten?”
Claudius was nu veel te opgewonden om sluw te zijn. Hij gebood Verginius te zwijgen en sprak direct het vonnis uit, dat het meisje aan Marcus gegeven zou worden, tot haar vader zou hebben bewezen dat zij een vrij-geborene was. Toen Marcus echter naderbij kwam om Verginia weg te voeren, wilde de menigte hem niet doorlaten. Woedend gaf Claudius bevel de burgers, die ongewapend waren, uiteen te jagen.
Verginius wendde zich nu rustig tot Claudius en verzocht hem toestemming om enkele woorden tot zijn dochter te zeggen. Dat werd toegestaan. Hij omhelsde Verginia, en terwijl hij haar toefluisterde: „Mijn kind, er is geen andere manier om je te bevrijden”, stak hij haar zijn mes in het hart.
Daarna wendde hij zich wederom tot Claudius, vervloekte hem, besteeg zijn paard en reed in een dolle galop naar zijn kamp terug.
Icilius nam het lichaam van Verginia in zijn armen en toonde de omstanders wat Claudius op zijn geweten had. De opgewonden menigte dreef Claudius en een groep gewapende patriciërs van het Forum.

Zodra Verginius het kamp had bereikt, vertelde hij de soldaten zijn droevig verhaal. Het gehele leger schaarde zich aan zijn kant en trok op naar Rome, waar een ander leger onder aanvoering van Icilius zich bij hen voegde. De decemviri werden afgezet en elk leger koos tien tribunen. Daarna trokken ze de stad weer uit en sloegen op de Heilige Berg hun kamp op, zoals al eens eerder gebeurd was.
De senaat begreep dat de tijd van handelen gekomen was, want het was duidelijk dat de decemviri nog steeds hoopten hun macht te kunnen behouden. Ze werden gevangen gezet en daarna zond de senaat een bode naar de Heilige Berg om de plebejers te vragen welk vonnis zij over de decemviri wilden uitspreken.
Icilius eiste de doodstraf, maar de anderen namen genoegen met hun verbanning uit Rome. Appius Claudius bleef echter in de gevangenis. Sommigen zeggen dat hij daar zelfmoord pleegde, maar anderen beweren dat hij werd vermoord.
Nadat de senaat had beloofd dat de plebejers weer door tribunen vertegenwoordigd zouden worden en dat de heilige wetten in acht zouden worden genomen, waren deze bereid naar de stad terug te keren.
In 445 v. Chr., ongeveer vier jaar later, wisten zij nieuwe rechten te verkrijgen. Er werd een wet aangenomen, waarbij het hun werd toegestaan met patriciërs te trouwen. Bovendien zouden er naast de consuls drie tot zes krijgstribunen kunnen worden benoemd, een ambt dat ook door plebejers kon worden bekleed. Deze tribunen hadden minder macht dan de consuls en bovendien kregen zij twee censoren naast zich, en dat waren altijd patriciërs.

HOOFDSTUK 31

DE VRIEND VAN HET VOLK

Tien jaren nadat de decemviri waren verbannen, heerste er hongersnood in Rome. De ellende was vreselijk: mannen, vrouwen en kinderen stierven bij honderden door gebrek aan voedsel. De senaat benoemde Minucius tot hoofd van de voedselvoorziening en deze

deed zijn uiterste best de burgers te helpen door in andere landen grote hoeveelheden graan te kopen en dat tegen een lage prijs beschikbaar te stellen. Niemand mocht meer graan in huis hebben dan hij voor een maand nodig had en de slaven kregen minimum-rantsoenen.
Maar ondanks alle maatregelen van Minucius verminderde de ellende niet. Door honger gekweld sprongen sommigen in de Tiber om in de dood verlossing te zoeken.
Toen de nood het hoogst was, liet Maelius, een rijke plebejer die de toestand niet langer kon aanzien, grote hoeveelheden graan uit Etrurië komen en verdeelde het onder de bevolking. Soms deed hij dat gratis, soms liet hij er een kleinigheid voor betalen.
De patriciërs, die natuurlijk geen honger leden, waren niet erg ingenomen met de edelmoedigheid van Maelius. Inplaats van verheugd te zijn dat er geholpen werd, mompelden zij dat Maelius deed wat Minucius toch ook al deed, dat hij probeerde de gunst van het volk te winnen en dat hij daar natuurlijk een bedoeling mee had. Hoe zouden ze hem kunnen dwarsbomen?
Minucius, die nog achterdochtiger was dan de anderen, liet de senaat weten dat Maelius geheime samenkomsten hield in zijn huis en dat hij daar veel wapenen verborgen hield. Bovendien verklaarde hij, dat Maelius de tribunen had omgekocht en dat hij de republiek omver wilde werpen om zelf als koning te kunnen regeren.
De senaat kwam zeer onder de indruk van al die aantijgingen en besloot, zonder te onderzoeken of ze gegrond waren, een dictator te benoemen. Wederom deed men een beroep op de nu 80-jarige Cincinnatus, die onmiddellijk bereid bleek naar Rome te komen om zijn land te redden. Hij benoemde Ahala tot zijn ritmeester en gaf hem opdracht Maelius naar het Forum te brengen.
Deze wist wat er allemaal over hem verteld werd en daar hij niet van verraad beschuldigd wilde worden, weigerde hij met Ahala mee te gaan en deed een beroep op het volk. Ahala, verontwaardigd over het feit dat een plebejer het durfde wagen een dagvaarding te negeren, nam zijn dolk en stak Maelius dood.
De plebejers begaven zich toen in massa naar het Forum en eisten, dat Ahala gestraft zou worden. Cincinnatus wilde die eis niet inwil-

ligen en zei dat Maelius, zelfs als hij niet schuldig was geweest, toch de dood verdiende, omdat hij de dictator niet had gehoorzaamd. Te verzwakt door de honger, konden de plebejers hun dreigementen niet in daden omzetten, en toen Minucius beloofde dat het graan dat zich nog in de opslagplaatsen van Maelius bevond, spoedig uitgedeeld zou worden, gingen ze naar huis. Er wordt echter ook verteld, dat ze niet tevreden waren voor Ahala de stad was uitgejaagd.

Hoofdstuk 32

CAMILLUS VEROVERT DE STAD VEJI

Tot nu toe had Rome geen staand leger gehad. De burgers die voor hun land vochten, werden er niet voor betaald, want ze deden slechts hun plicht. Een langdurige oorlog veroorzaakte dus steeds veel ellende, omdat de akkers dan niet werden bebouwd en vele winkels gesloten bleven.

De Romeinen beseften dat ze, als ze grotere overwinningen wilden behalen, altijd over een leger zouden moeten beschikken en dat de soldaten dus door de staat zouden moeten worden betaald. Vooral door het streven van Camillus, die al spoedig tot dictator werd benoemd, kwam er een staand leger, dat steeds machtiger werd en ten slotte zelfs het gehele land regeerde.

In 406 v. Chr. begonnen de Romeinen de verdere uitbreiding van hun gebied met het beleg van Veji, een welvarende stad in Etrurië, ongeveer tien mijl ten noorden van Rome gelegen. Jarenlang hadden de inwoners van die stad het grensgebied onveilig gemaakt.

De enige manier om een einde te maken aan hun voortdurende strooptochten was hun stad te verwoesten. Veji was echter gebouwd op de top van een steile rots, die aan drie zijden onbeklimbaar was, terwijl de vierde zijde goed was versterkt. De bevolking was groter en rijker dan die van Rome en de gebouwen waren imposanter.

Camillus werd tot dictator benoemd voor de tijd van het beleg, dat tien jaar duurde. Er bestaan vele legenden over de verovering van de stad, en hier volgt één er van.

Het was herfst en de meeste meren en riviertjes lagen droog, want er was die zomer weinig regen gevallen. Maar in het Alba-meer begon het water op geheimzinnige wijze te stijgen. Eerst tot aan de voet van de bergen die het meer omringden, maar toen al hoger en hoger, zodat tenslotte, onder de druk van de enorme watermassa, een rotswand bezweek en er een grote overstroming plaatsvond. De Romeinen fluisterden onder elkaar dat het een teken van de goden was, maar niemand wist wat het te betekenen had.
Op een dag sprak een Romein met een vijandelijk soldaat van wie gezegd werd, dat hij kon waarzeggen. De Romein probeerde van hem te weten te komen wat de overstroming te betekenen had, maar de soldaat liet niet veel los. Daarom lokte de Romeinse soldaat de ander steeds verder bij de poorten van Veji vandaan, door hem verhalen te vertellen over zijn land. Dicht bij het Romeinse kamp gekomen greep hij hem vast en bracht hem naar zijn kapitein. Toen vertelde de gevangene wat hij wist: „De stad Veji zal nooit ingenomen worden voor het Alba-meer geheel droog ligt".
De waarzegger werd naar de senaat van Rome gezonden om daar zijn voorspelling te herhalen. Men wist niet goed wat te doen en daarom werd het orakel van Delphi geraadpleegd. Het orakel zei: „Breng het meer terug tot zijn vroegere grootte en laat het water niet naar zee stromen". De Romeinen begonnen onmiddellijk kanalen te graven om het water af te voeren naar de omringende vlakte.
Ondertussen liet Camillus, die bemerkte dat hij de stad nooit stormenderhand zou kunnen veroveren, tunnels graven van het kamp naar het midden van de stad. Dat gebeurde zo onopvallend, dat de vijand niet in de gaten kreeg wat er onder de straten en tempels plaatsvond.
Eindelijk was het werk gereed en toen leidde Camillus een uitgezochte troep soldaten door de tunnel, tot ze onder de tempel van Juno stonden. Tegelijkertijd werd een aanval gedaan op de muren van de stad. De inwoners haastten zich naar de wallen om die te verdedigen, maar de koning ging naar de tempel van Juno om offers te brengen en de godin de overwinning af te smeken. „De overwinning zal worden behaald door degeen die het offer op het altaar legt", riep de priester die naast de koning stond.

Camillus, die zich precies onder het altaar bevond, hoorde die woorden. Hij brak door de vloer van de tempel en zijn soldaten joegen de verschrikte edelen op de vlucht, terwijl Camillus het offer greep en op het altaar legde. Een groep Romeinse soldaten haastten zich naar de poorten en gooiden die open, zodat het leger de stad binnen kon trekken. En zo viel de stad Veji.

Hoofdstuk 33

HET STANDBEELD VAN DE GODIN

Nadat Veji gevallen was, stond Camillus niet alleen aan de soldaten, maar ook aan de burgers van Rome toe de stad te plunderen, want hij had met de senaat afgesproken, dat iedereen in de buit zou delen.
Terwijl hij op een hoge toren stond en zag hoe de stad die Rome tien jaar lang had weerstaan, geplunderd werd, liepen hem de tranen over de wangen. Hij bedekte zijn gelaat met zijn toga en bad dat Jupiter, als hij door deze overwinning te trots mocht zijn geworden, niet Rome of het leger daarvoor zou straffen, maar hemzelf, en dat de straf dan zo licht mogelijk zou zijn. Toen hij zich naar rechts wendde, zoals de gewoonte was na een gebed, struikelde hij en viel. Dat was de lichte straf van Jupiter, dacht hij.
Vele schatten uit de veroverde stad werden naar Rome overgebracht en het standbeeld van Juno was daarvan wel de belangrijkste. Camillus droeg aan enige jonge mannen op zich in het wit te kleden en het beeld te vervoeren.
Het was een plechtig ogenblik toen de jongelingen voor het standbeeld stonden en er nauwelijks naar durfden kijken, uit angst dat ze gestraft zouden worden voor hun brutaliteit. Een van hen zei: „O Juno, wilt Gij wel naar Rome gaan?" Helder klonk de stem van de godin: „Ja".
Eerbiedig tilden de jongemannen toen het beeld op, maar tot hun verbazing was het zo licht, dat het leek alsof zij niets te torsen hadden en de godin naast hen meeliep. Het beeld kwam veilig in Rome aan en Camillus liet er een tempel voor bouwen.

In triomf keerde de dictator naar Rome terug. Hij reed de stad binnen op een wagen getrokken door vier witte paarden. Dat viel bij de burgers echter niet in goede aarde, want alleen koningen mochten dat doen.
Het duurde niet lang of hij werd door de bevolking gehaat, want hij koos de zijde van de senaat tegen de tribunen, die de plebejers trouw waren gebleven. Bovendien had hij de gelofte afgelegd een tiende deel van de buit van Veji aan de god Apollo af te staan. Toen de stad geplunderd werd, scheen hij die gelofte vergeten te zijn, maar toen hij er later aan dacht, hadden de mensen de buit al verkocht of opgemaakt, en hij dwong hen toen een tiende van hun bezittingen af te staan.
Maar hoewel ze hem haatten, konden ze het niet zonder hem stellen. Want er brak weer oorlog uit, ditmaal tegen de Falisci. Camillus werd tot krijgstribuun benoemd en sloeg het beleg voor de stad Falerii. In zijn hart hoopte hij dat de Romeinen hem, als hij erin slagen zou de stad te veroveren, wat milder zouden beoordelen.

Hoofdstuk 34

SCHOOLMEESTER EN VERRADER

De Falisci maakten zich niet ongerust toen het Romeinse leger zijn kamp opsloeg voor de stad, hoewel ze wisten dat Camillus een zeer bekwaam bevelhebber was. Hun stad was goed versterkt en ze waren er zeker van, dat ze haar gemakkelijk konden verdedigen.
Maar er was een verrader binnen de muren van Falerii en door zijn toedoen zou de stad bijna met de grond gelijk gemaakt zijn. De verrader was een schoolmeester. Hij dacht dat het gemakkelijk zou zijn de stad de Romeinen in handen te spelen door middel van zijn leerlingen.
Voor het beleg begon, maakte hij dagelijks met de kinderen een wandeling buiten de muren. Hij bleef dat doen nadat het beleg voor de stad was geslagen, maar eerst waagde hij zich niet ver buiten de poorten om de kinderen niet bevreesd te maken. Langzamerhand

bracht hij hen dichter bij het Romeinse kamp. En op zekere dag nam hij de leerlingen, voor ze er erg in hadden, mee tot vlak bij de vijandelijke linies en verzocht de wacht hem naar Camillus te brengen.
Toen hij voor de aanvoerder stond, wees hij op zijn leerlingen en zei: „Ik heb U de kinderen van Falerii gebracht. Nu gij die in Uw macht hebt, zal het U weinig moeite kosten de overgave van de stad af te dwingen."
Camillus was echter een geheel ander man dan de verrader had gedacht. Hij keek de schoolmeester minachtend aan en zei: „Oorlog gaat nu eenmaal gepaard met geweld en onrecht. Maar er zijn bepaalde wetten, die zelfs in oorlogstijd in acht genomen worden. Wij gaan terwille van een overwinning nog niet over tot lage, gemene daden. Een groot bevelhebber vertrouwt op zijn eigen dapperheid en niet op de ondeugden van anderen."
Hij liet de schoolmeester uitkleden en de handen op de rug vastbinden. De kinderen kregen stokken en mochten daarmee de man naar de stad terugjagen. Ondertussen hadden de Falisci hun kinderen gemist. Vaders en moeders holden naar de muren, maar nergens was enig spoor van hen te ontdekken.
Plotseling hoorde men stemmen. En daar waren de kinderen, die uit de richting van het vijandelijke kamp kwamen aanrennen. En toen zagen ze ook de stokken en de naakte schoolmeester.
Enkele tellen later renden de kinderen door de poort en vertelden ademloos wat er gebeurd was. Niet alleen de ouders, maar alle burgers van Falerii waren zo verheugd over de wijze waarop Camillus gehandeld had, dat ze gezanten naar hem toestuurden en hem alles aanboden wat hij zou willen hebben.
Wederom toonde Camillus dat hij een edelmoedig vijand kon zijn, want hij sloot vrede met de Falisci en eiste slechts een som geld. Daarna marcheerde hij terug naar Rome.
De soldaten, die gehoopt hadden bij de plundering van de stad veel buit te bemachtigen, waren kwaad en mopperden, dat Camillus niet aan hen had gedacht. Ze beschuldigden hem ervan, dat hij meer van de buit van Veji had achtergehouden dan hem toekwam. Hij had, zeiden zij, nog enkele zeer waardevolle koperen hekken in zijn bezit, waar hij geen recht op had. Camillus had gelukkig ook vele vrienden

en hij verzocht hun te bewijzen dat de beschuldigingen vals waren. Ze konden hem echter alleen beloven, dat ze hem zouden helpen een eventuele boete te betalen.

Daar was de bevelhebber, die wist dat hij onschuldig was, niet mee tevreden. Hij besloot de stad waarvoor hij zoveel had gedaan, te verlaten zonder op een vonnis te wachten. Toen hij de poort uitliep, keerde hij zich om, strekte zijn handen uit naar het Capitool en riep tot de goden: „Indien ik tot deze verbanning gedwongen word niet voor het kwaad dat ik heb gedaan, maar door de haat van mijn vijanden, laat de Romeinen dan berouw krijgen en de hulp van Camillus inroepen wanneer er moeilijkheden komen."

Zijn gebed werd verhoord. Want toen in 390 v. Chr. de Galliërs Rome bedreigden, eisten de burgers en het leger, dat de senaat onmiddellijk een boodschap naar Camillus zou zenden om hem terug te roepen.

Hoofdstuk 35

DE SLAG BIJ DE ALLIA

De inwoners van Gallië — een gebied dat ongeveer het huidige Frankrijk en Noord-Italië omvat — waren grote, blonde, blauwogige krijgers. Lang geleden al waren ze de Alpen overgestoken en hadden zij Noord-Italië veroverd.

Maar nu, in 391 v. Chr., trokken zij naar het zuiden, over de Apennijnen en door de dalen van Etrurië, tot zij Clusium bereikten, dat slechts enkele dagmarsen van Rome af lag. Er heerste toen vrede tussen Etrurië en Rome en daarom verzochten de inwoners van Clusium de Romeinen om hulp.

De senaat zond onmiddellijk drie patriciërs als afgezanten naar de Galliërs, die hen waarschuwden de bondgenoten van Rome niet aan te vallen. Maar de hooghartige barbaren trokken zich niets van die waarschuwing aan en eisten van de Etruriërs land, zodat ze zich daar zouden kunnen vestigen. Toen dat werd geweigerd, begon de strijd. Nu hadden de Romeinse gezanten niet het recht deel te nemen aan de gevechten. Zij mochten niet aangevallen worden, maar evenmin zelf aanvallen. Ze vergaten echter, dat ze gezanten waren en hielpen mee de stad Clusium verdedigen. Daarbij doodden zij één van de Gallische aanvoerders en beroofden hem van zijn wapenrusting.

Brennus, de koning der Galliërs, was daar zo verontwaardigd over, dat hij Clusium liet liggen en met zijn gehele leger door het dal van de Tiber naar Rome marcheerde, vastbesloten de stad te straffen voor wat de gezanten hadden gedaan.

De Romeinen trokken de vijand tegemoet en bij de Allia, ongeveer tien mijl van Rome, vond in juli van het jaar 390 v. Chr. een grote veldslag plaats. Hoewel het Romeinse leger slechts veertigduizend man telde en dat van de barbaren zeventigduizend, waren de Romeinen niet bevreesd. Zulke onbeschaafde vijanden zouden zij gemakkelijk kunnen overwinnen.

Maar de dag van de veldslag, de achttiende juli, zou door de Romeinse legioenen niet licht worden vergeten. De Galliërs renden onder het schreeuwen van wilde oorlogskreten op hun vijanden af, die verschrikt door het woeste uiterlijk en het wilde geschreeuw in paniek op de vlucht sloegen.

In hun wanhoop sprongen vele van de achtervolgden in de Tiber en verdronken door het gewicht van hun wapenrusting; vele anderen werden gegrepen en gedood. Slechts een klein gedeelte van het leger bereikte Rome, want de meeste soldaten die konden ontsnappen, weken uit naar Veji.

De Galliërs stonden zelf verbaasd over die gemakkelijke overwinning, want de faam van de Romeinse legioenen had zelfs deze barbaarse stammen bereikt. De Romeinen wilden later nooit meer een belangrijke slag beginnen op de achttiende juli, want ze waren bevreesd dat de kwade invloed van die noodlottige dag zich weer zou doen gelden. En nog vele jaren sloeg de Romeinen, die voor geen andere vijand bevreesd waren, de schrik om het hart als zij de naam Galliërs hoorden.

Hoofdstuk 36

DE HEILIGE GANZEN

De nederlaag bij de Allia bracht een paniek teweeg onder de burgers van Rome. De muren bleven onbewaakt, de poorten open, want één gedachte beheerste allen: vluchten vóór de Galliërs de stad bereikten. Ze begroeven nog enkele heilige beelden en de Vestaalse maagden namen het heilig vuur mede, dat nooit uit mocht doven, maar vele heiligdommen werden in Rome verlaten.
Alleen op het Capitool, waar hun heiligste tempel stond naast de burcht, bleef een troep soldaten achter bij de priesters en de senaat, die weigerden de stad te verlaten. In Rome zelf bleven slechts enkele oude patriciërs, die lang geleden consul waren geweest en de legers van de republiek hadden aangevoerd. Zij trokken hun mooiste gewaden aan, zeiden hun gebeden op, gingen naar het Forum en namen daar plaats, ieder op zijn eigen ivoren zetel, in afwachting van de wil der goden.
Drie dagen na de slag bij de Allia verschenen de Galliërs, die eerst feest gevierd hadden, voor de stad. De poorten stonden open, de muren waren verlaten en er heerste een doodse stilte. Was dat een list? Lagen de Romeinen in hinderlaag?
De Galliërs aarzelden eerst, maar waagden zich toen de stad in. Verwonderd zwierven ze door de verlaten straten tot ze tenslotte het Forum bereikten. Daar, onbeweeglijk als standbeelden, zagen ze een aantal eerbiedwaardige oude mannen zitten. Koning Brennus kwam zelf naar het Forum om te kijken en was zeer verbaasd, dat ze onbewogen op hun plaats bleven zitten.
Een van de Gallische soldaten, moediger dan de anderen, ging tenslotte op Papirius toe, strekte zijn hand uit en streek langs de lange witte baard van de oude patriciër. Dat was meer dan Papirius kon verdragen. Hij, een Romein, door een barbaar aangeraakt? Hij hief zijn stok op en gaf de soldaat een klap. De Galliër trok zijn zwaard en doodde Papirius. Niet langer bevreesd vielen de Galliërs nu de andere patriciërs aan en doodden hen allen. Daarna werd de stad geplunderd en tenslotte werd zij in brand gestoken.

Het Capitool hield echter stand. De heuvel waarop het stond, was steil en onbeklimbaar, behalve op één punt.
Telkens weer deden de Galliërs aanvallen op die plek, maar de dappere verdedigers dreven hen steeds terug. Toen besloten de Galliërs het Capitool te belegeren, maar dagen en weken gingen voorbij en zij bereikten niets.
Ondertussen begonnen de Romeinse soldaten die van het slagveld gevlucht waren en in Veji een wijkplaats hadden gezocht, zich te schamen. Ze behoorden toch eigenlijk hun kameraden te gaan helpen, die zo dapper het Capitool verdedigden. Als ze nu maar een aanvoerder hadden!
Toen dachten ze aan Camillus, die nog steeds in ballingschap leefde. Hem zouden zij vragen terug te komen en de leiding op zich te nemen. Maar Camillus weigerde te komen, tenzij de senaat hem terugriep en opdroeg Rome te bevrijden.
Eerst scheen het alsof er geen manier bestond waarop men de senaat, die op het Capitool zat opgesloten, zou kunnen bereiken. Maar een jong soldaat, Cominius genaamd, die de schande van zijn vlucht wilde uitwissen, bood aan een poging te doen de rots te beklimmen en zo de citadel binnen te komen.
Hij vermomde zich als een arme man, nam onder zijn kleren stukken kurk mee en bereikte tegen de avond de Tiber. Zoals hij verwacht had, werd de brug door de Galliërs bewaakt. Hij kleedde zich uit, maakte een bundeltje van zijn kleren, en zwom met behulp van de stukken kurk de rivier over. Onopgemerkt kwam hij de stad binnen. Comonius was gelukkig licht en behendig. Hij slaagde er inderdaad in de rots te beklimmen. Toen hij boven gekomen was, riep hij de wachten aan en verzocht hun hem naar de senaat te brengen. Hij kreeg van de senaat de boodschap mee terug, dat Camillus niet alleen uit zijn ballingschap werd teruggeroepen, maar dat hij ook tot dictator was benoemd.
Cominius ging terug naar Veji en het goede nieuws werd onmiddellijk aan Camillus overgebracht. Al spoedig stonden twintigduizend soldaten gereed hem te volgen.
Ondertussen was het Capitool bijna door de Galliërs veroverd. Want de ochtend nadat Cominius naar beneden geklommen was, viel het

de barbaren op, dat er op de steile helling takjes waren gebroken en dat er gruis naar beneden was gekomen. Dat kon maar een oorzaak hebben. Iemand moest naar het Capitool zijn geklommen of vandaar naar beneden. En als dat mogelijk was, waarom zouden zij het dan niet kunnen?
Toen het dus donker geworden was, begonnen de Galliërs dat gevaarlijke avontuur. Ze maakten zo min mogelijk leven. Bovenop de rots was geen muur en daar waren ook geen schildwachten. De waakhonden hoorden niets en sliepen door.
Dichtbij de top stond de tempel van Jupiter, Juno en Minerva, de drie goden die over Rome waakten. En bij die tempel hoorden de ganzen, die aan Juno gewijd waren. Hoewel de verdedigers van het Capitool honger leden, dachten ze er niet aan om die heilige vogels te doden, en dat zou hun redding worden.
De Galliërs kwamen steeds hoger en niemand hoorde iets, behalve de ganzen. Die begonnen te kwaken en met hun vleugels te slaan. Manlius, de kapitein van de wacht, die dichtbij de tempel sliep, werd verschrikt wakker door dat lawaai. Hij sprong vlug overeind, greep zijn wapens en rende naar de rand van de rots. Ondertussen schreeuwde hij zijn mannen toe dat ze hem moesten volgen. Toen Manlius de rand bereikte, zag hij juist het hoofd van een Galliër er boven uitkomen. Hij duwde hem met zijn schild naar beneden, waardoor de barbaar viel en in zijn val de anderen die achter hem kwamen, meesleurde. Zo werd het Capitool door de ganzen gered.
De verdedigers waren Manlius zeer dankbaar en hoewel ze allen honger hadden, besloten ze hem ieder een dagrantsoen af te staan, dat bestond uit een half pond graan en een paar slokken wijn.
Tenslotte kwam de dag waarop de dappere soldaten van het Capitool òf de hongerdood moesten sterven, òf zich moesten overgeven. De senatoren boden koning Brennus een grote som geld aan als hij het beleg wilde opheffen. De Galliërs hadden zelf ook niet veel voedsel meer en daarom was koning Brennus bereid een losgeld te accepteren, maar hij vroeg duizend ponden goud.
Alleen door uit de tempelschatten te lenen en de gouden sieraden van de Romeinse vrouwen te vragen, zouden ze zulk een enorme som bijeen kunnen krijgen. Op de afgesproken dag gingen de Romei-

nen bitter gestemd naar het Forum en begonnen hun schatten op de weegschaal te leggen.
Plotseling bemerkten zij dat de gewichten die de barbaren gebruikten, vals waren. Maar toen zij daar een aanmerking op maakten, wierp koning Brennus zijn zwaard in de weegschaal en riep minachtend: „Wee de overwonnenen".
Op dat moment marcheerde Camillus met zijn leger het Forum op en bespaarde de Romeinen de schande van het betalen van een losgeld. Als dictator had hij de absolute macht en hij kon dus verbieden wat de senaat had bevolen. Hij keek naar de gouden sieraden die op de weegschaal lagen, en zei de Romeinen dat ze die terug moesten nemen. „Het is de gewoonte." zei hij, „dat de Romeinen hun schulden niet in goud, maar in ijzer betalen". Daarmee bedoelde hij natuurlijk, dat de Romeinen hun wapenen zouden gebruiken. Camillus en zijn soldaten vochten zo verwoed tegen hun vijanden, dat er geen enkele in leven bleef. Ook koning Brennus werd gedood en terwijl hij viel, hoorde hij de Romeinen in triomf de woorden uitroepen, die hij zelf nog kort geleden gebruikt had: „Wee de overwonnenen!"

Hoofdstuk 37

DE STAD WORDT HERBOUWD

Nadat de dictator het Gallische leger had verslagen, keerde hij naar Rome terug. De dappere verdedigers van het Capitool gingen hun bevrijder tegemoet en de vreugdetranen stroomden over hun vermagerde gezichten. Ze konden nauwelijks geloven dat ze gered waren. Maar toen zij de Vestaalse maagden met het vuur naar hun tempel zagen terugkeren, begrepen zij dat de vijanden verdwenen waren.
Vóór alles moesten de verwoeste tempels worden herbouwd. Het was moeilijk om tussen de ruïnes de juiste plaats te vinden waar zij hadden gestaan, maar zij werden zoveel mogelijk op dezelfde plek weer opgebouwd. Daar de tempels door de barbaren ontwijd waren, moesten ze met plechtige ceremoniën en offers opnieuw worden ge-

wijd. Onder de puinhopen vond men nog onbeschadigd de herdersstaf van Romulus en de Wetten der Twaalf Tafelen. Maar de oude documenten uit de tijd van de zeven koningen werden nooit meer teruggevonden en daarom zijn feiten en legenden in de geschiedenis van het oude Rome zo dooreengeweven.

Toen de tempels gereed waren, vonden vele burgers dat zij genoeg hadden gedaan. Ze deinsden ervoor terug de gehele stad weer op te bouwen. Bovendien hadden heel wat mensen al huizen in Veji gebouwd, in de tijd dat de Galliërs Rome bezet hielden, en zij wilden daar nu blijven.

Het ging Camillus zeer aan het hart dat ze Rome, hun geboorteplaats, in de steek wilden laten en hij deed een beroep op hun heiligste gevoelens. In Rome stonden toch hun tempels? In Rome hadden ze toch meermalen de stemmen der goden gehoord? De burgers aarzelden.

Op dat moment hield een troep soldaten stil buiten het Comitium, een gedeelte van het Forum waar vergaderingen werden gehouden. De centurio zei tot de vaandeldrager: „Plaats hier uw standaard, want dit is de beste plaats om halt te houden."

Zulke woorden werden niet toevallig gesproken, dachten de burgers. Het moest een teken zijn van de goden, dat ze hier moesten blijven. Dat deden ze dan ook en ze braken hun huizen in Veji weer af, brachten de stenen naar Rome en bouwden ze daar weer op. De plebejers moesten natuurlijk geld lenen van de patriciërs om hun huizen, winkels of boerderijen te kunnen herstellen. Evenals voorheen kenden de patriciërs geen genade, wanneer de plebejers hun schulden niet konden betalen, en ze wierpen hen in de gevangenis of verkochten hen als slaven. Nu was Manlius, die het Capitool tegen de Galliërs had verdedigd, een rijk man en de moeilijkheden van de armen gingen hem ter harte.

Op een dag zag hij hoe een bekende centurio, die zij aan zij in menige veldslag met hem had gevochten, van het Forum naar de gevangenis werd gebracht, omdat hij niet alles tegelijk kon betalen wat hij de een of andere patriciër schuldig was. Manlius kon dat niet aanzien. Hij betaalde de schuld van zijn strijdmakker en gaf hem zodoende de vrijheid terug. Dit was slechts een van de vele goede daden die hij ver-

richtte en waarom het volk hem de „Vader der plebejers" noemde.
De patriciërs vernamen spoedig dat Manlius bezig was de harten van het volk te winnen en ze besloten hem te verwijderen. Onder een of ander voorwendsel werd hij gearresteerd en van verraad beschuldigd, want hij had geprobeerd zichzelf tot koning uit te roepen, beweerden zijn vijanden.
Manlius stond op het Forum en als hij omhoog keek, kon hij het Capitool zien. Hij wees naar de tempel en deed een beroep op de goden en op de dankbaarheid van het Romeinse volk. En de burgers, die zich herinnerden wat Manlius allemaal voor hen gedaan had, weigerden hem te veroordelen.
De patriciërs waren echter vastbesloten om de „Vader der plebejers" onschadelijk te maken. Ze brachten Manlius wederom voor het gerecht, maar ditmaal zorgden zij ervoor, dat de zitting plaatsvond op een plek van waaruit men het Capitool niet kon zien. Hij werd ter dood veroordeeld wegens verraad en van de Tarpeïsche rots geworpen.
De strijd tussen patriciërs en plebejers duurde nog een halve eeuw. Tussen 376 en 366 v. Chr. deed Licinius echter al het mogelijke om betere wetten voor het volk te maken. De wetten van deze tribuun werden dan ook de Licinische Wetten genoemd. Hij verbood onder andere bij de wet het vragen van woekerrente. Land van de staat, dat de machtige patriciërs zich tot nu toe altijd toegeëigend hadden, zou voortaan eerlijk worden verdeeld. En de belangrijkste wet schreef voor, dat één van de beide consuls een plebejer moest zijn. De patriciërs deden hun uiterste best om te verhinderen dat deze wet werd aangenomen, maar ze moesten tenslotte toegeven.
Om duidelijk te maken dat zij nog steeds voorrechten hadden, bepaalden zij dat er enkele nieuwe magistraten gekozen zouden worden, die praetoren werden genoemd. Voor dat nieuwe ambt kwamen eerst uitsluitend patriciërs in aanmerking.

Hoofdstuk 38

CAMILLUS STEEKT HET KAMP VAN DE VOLSCI IN BRAND

Terwijl Rome nog bezig was de schade te herstellen die de Galliërs aan de stad hadden toegebracht, sloegen de Volsci hun kamp op binnen een afstand van twintig mijl. Zij hoopten Rome te kunnen aanvallen voordat de verdedigingswerken weer waren opgebouwd. Onmiddellijk echter trok een Romeins leger naar de vijand toe. Het kamp van de Romeinen werd helaas door de Volsci omringd, zodat ze niet konden vechten en evenmin ontsnappen.
Camillus, die weer tot dictator was benoemd, riep toen alle Romeinen die wapenen konden dragen, op en marcheerde met zijn nieuwe troepen tot op korte afstand van het kamp van de Volsci. Hij liet vuren aansteken om het ingesloten leger te laten weten dat er hulp op komst was.
De Volsci zagen die vuren natuurlijk ook en begonnen onmiddellijk hun kamp te versterken. Uit boomstammen maakten zij een sterke barricade. Bovendien wisten zij, dat er versterkingen voor hen onderweg waren, zodat zij de vijand niet vreesden.
Camillus was echter niet van plan te wachten tot die versterkingen waren aangekomen. Hij besloot een poging te doen om de houten barricade van de Volsci in brand te steken.
Hij liet een gedeelte van zijn strijdmacht een aanval doen aan één zijde van het kamp, en ging met de rest van zijn leger naar de kant waar de wind vandaan kwam. Hij gaf de soldaten bevel om brandende toortsen op de barricade te werpen.
Door de wind aangewakkerd verspreidden de vlammen zich snel over de gehele barricade en sloegen zelfs over naar het kamp.
Er was geen water in de buurt om de brand te blussen en de Volsci werden uit hun tenten gedreven. De Romeinen sloegen hen zonder genade neer. Om geen buit verloren te laten gaan gaf Camillus toen bevel om de vlammen te doven. Daarna liet hij zijn zoon achter om de gevangenen te bewaken en marcheerde naar Sutrium, dat door de Etrusken belegerd werd.
Voor hij die stad bereikte, kwam hem een armzalige groep van man-

nen, vrouwen en kinderen tegemoet, die door de vijand uit hun stad verdreven waren. Hun huizen waren geplunderd, hun schatten in handen van de vijand. Zij bezaten niets anders dan de kleren die zij aan hadden en zwierven het land door op zoek naar onderdak.
Camillus had medelijden met deze mensen, en toen hij zag dat zijn soldaten ook met hen te doen hadden, was hij vaster besloten naar Sutrium te gaan en te proberen de stad te veroveren om deze aan de bewoners terug te geven.
Hij vermoedde, dat de Etrusken aan het feestvieren zouden zijn en dat de poorten niet werden bewaakt.
En zo was het. Zonder moeite veroverde hij de poorten en de muren, die hij onmiddellijk liet bezetten. Daarna viel hij de stad binnen en verraste de feestvierende soldaten. Vele Etrusken gaven zich over en andere lieten zich zonder verweer doden.
Zo werd Sutrium op één dag tweemaal veroverd.

VESTA TEMPEL

Hoofdstuk 39

DE SLAG AAN DE OEVERS VAN DE ANIO

De slag aan de oevers van de Anio vond plaats, toen Camillus al tamelijk oud en ziek was. De senaat, die zich graag van zijn hulp wilde verzekeren, benoemde hem ondanks zijn bezwaren tot opperbevelhebber, toen er weer oorlog met de Volsci uitbrak. Maar om zijn krachten te sparen gaven ze hem een jonge tribuun, Lucius Furius, als onderbevelhebber mee.

De beide tribunen sloegen hun kamp dicht bij de vijand op, maar Camillus wilde trachten de strijd uit te stellen tot hij wat sterker was. Lucius was jong en ongeduldig; hij wilde roem en eer behalen op het slagveld. De oude aanvoerder, die te edelmoedig was om Lucius zijn kansen te ontnemen, beloofde hem tenslotte dat hij tot de aanval mocht overgaan, hoewel hij vreesde dat Lucius door zijn onstuimigheid verslagen zou worden.

Daar Camillus nog te zwak was, bleef hij met een kleine troep soldaten in het kamp achter. Maar hij kon alles zien wat op het slagveld gebeurde. Zoals hij gevreesd had, was Lucius te overmoedig, en het Romeinse leger moest al spoedig de wijk nemen naar het kamp. Dat was meer dan de dappere oude strijder kon verdragen. Hij sprong op van zijn rustbank en beval de achtergebleven soldaten hem te volgen.

Toen de vluchtelingen hun oude aanvoerder, die hen zo dikwijls naar de overwinning had geleid, tegen de vijand zagen optrekken, schaamden zij zich over hun lafheid. Ze keerden om, volgden Camillus en wisten nu de Volsci op de vlucht te jagen.

De volgende dag ging Camillus nogmaals tot de aanval over en nu sloeg hij het vijandelijke leger uit elkaar. Vele vluchtelingen zochten een wijkplaats in hun kamp, maar de Romeinen achtervolgden hen ook daar, dreven hen uit de tenten en doodden hen.

Na deze drie overwinningen keerde Camillus in triomf naar Rome terug en hij bracht veel buit mee. Toch zou de oude strijder nog niet mogen rusten. In 381 v. Chr. brak een opstand uit in Tusculum, een stad die jarenlang een trouw bondgenoot van Rome was geweest.

Camillus werd er heengestuurd om de opstand te onderdrukken. Hij mocht een van zijn vijf collega's meenemen en zijn keuze viel op Lucius Furius, die de vorige maal bijna de veldslag had verloren. Misschien wilde hij hem nu een kans geven zijn fout goed te maken. Toen de inwoners van Tusculum vernamen, dat Camillus hun poorten naderde, werden zij bevreesd en legden de wapenen neer. De gewone dagelijkse werkzaamheden werden hervat en toen de tribunen in Tusculum aankwamen, werden ze door de bestuurders zeer hartelijk verwelkomd en zo gastvrij onthaald alsof zij langverwachte gasten waren.
Camillus was te verstandig om zich daardoor te laten misleiden, maar hij zag wel dat de inwoners boetvaardig waren en strafte de stad niet. Hij zei slechts, dat ze gezanten naar de senaat moesten sturen om vergeving te vragen en beloofde dat hij een goed woordje voor hen zou doen.
De senaat was genadig. De opstand werd vergeven en de inwoners van Tusculum werden Romeinse burgers.
Ongeveer vijf jaar later, in 376 v. Chr., leden de Latijnen zulk een grote nederlaag in hun strijd tegen de Romeinen, dat ze er graag in toestemden een verbond te sluiten met hun overwinnaars. De volgende tien jaar waren een tijdperk van rust en vrede. Het was in die periode, dat Licinius zijn wetten maakte.
Maar in 367 v. Chr. marcheerden de gevreesde Galliërs met een groot leger op Rome af en verwoestten het land waar ze doorheen trokken. Camillus, die nu tachtig jaar was, werd tot dictator benoemd.
Hij had bij vorige aanvallen van de Galliërs gezien, dat zij met hun zwaarden hoofdzakelijk op het hoofd en de schouders van de Romeinse soldaten sloegen. Daarom liet hij nu gladde, gepolijste ijzeren helmen maken en hoopte dat de slagen van de Galliërs daarop zouden afglijden. De Romeinse schilden waren van hout, maar Camillus liet de randen versterken met koperen banden. Nadat hij zijn leger zo uitgerust had voelde de dictator zich zeker van de overwinning.
De Galliërs hadden hun kamp opgeslagen bij de rivier de Anio. In de nabijheid daarvan was een heuvel met een golvend terrein erachter, waar de soldaten zich gemakkelijk voor de vijand konden verbergen.

Daar leidde Camillus zijn troepen heen, en hij zorgde ervoor dat het grootste gedeelte van zijn leger niet door de vijand gezien kon worden. De Galliërs liepen in de val. Camillus wilde namelijk bereiken, dat ze zorgeloos werden en dus deed hij niets, zelfs niet wanneer de vijanden zich vlak bij zijn stellingen waagden. Het duurde niet lang, of grote groepen gewapende Galliërs trokken er op uit om proviand te zoeken, terwijl de anderen in het kamp feestvierden.
Toen wist de dictator dat het ogenblik van handelen gekomen was. Hij zond een kleine troep soldaten uit om de vijand bezig te houden en trok zelf vroeg in de ochtend met het gehele leger naar de voet van de heuvel.
De barbaren waren ontsteld toen zij zulk een groot leger in slagorde zagen, en voor zij zich konden opstellen, waren de Romeinen al met de aanval begonnen. De Galliërs schreeuwden hun woeste oorlogskreten, trokken hun zwaard en vochten moedig. Maar zij sloegen hun zwaarden kapot op de gladde helmen van de Romeinen. Camillus gaf toen bevel om de werpspiesen te gebruiken. Die bleven in de schilden van de Gallische soldaten steken, zodat ze die haast niet meer konden hanteren.
Ze wilden toen de spiesen uit de schilden trekken om ze weer tegen de Romeinen te gebruiken. Camillus zag echter wat ze van plan waren en liet zijn troepen tot de stormaanval overgaan. Het werd een volkomen nederlaag voor de Galliërs, die zo zeker van de overwinning waren geweest, dat ze hun kamp onbewaakt hadden achtergelaten.
Dertien jaar geleden hadden de nederlaag bij de Allia en de plundering van Rome de Romeinen met een bijgelovige angst voor de woeste Gallische krijgers vervuld. De overwinning die zij nu hadden behaald, maakte voor altijd een einde aan hun vrees voor de barbaren.
In Rome teruggekeerd, moest Camillus onmiddellijk weer aan het werk. Er was haast burgeroorlog uitgebroken, want men had, zoals door de Licinische wetten mogelijk was gemaakt, de plebejer Sextus tot consul gekozen. De senaat en de patriciërs wilden daar niet in toestemmen. Ze wilden liever vechten dan de plebejers hun zin geven. En dus was de gehele stad in rep en roer.
Camillus had grote invloed op de senaat en wist de leden ervan te

overtuigen, dat ze aan de rechtmatige eis van het volk moesten voldoen. Sextus werd de eerste plebeïsche consul.
Het volgend jaar brak de pest uit in Italië en onder de velen die in Rome daaraan stierven, bevond zich ook de dappere oude strijder Camillus.

Hoofdstuk 40

HET MEER VAN CURTIUS

De pestepidemie waarvan Camillus een van de slachtoffers was, duurde tot 361 v. Chr. In het tweede jaar van die verschrikkelijke periode werden er allerlei vreemde verschijnselen waargenomen. De Tiber stroomde buiten zijn oevers. Dat was op zichzelf niet zo ongewoon, maar toen het water het Circus binnenstroomde, sloeg de mensen de schrik om het hart. Want daar werden juist spelen gehouden om de goden gunstig te stemmen. De overstroming maakte een eind aan de wedstrijden en men vroeg zich af, of dit het antwoord van de goden was.
Korte tijd later vond een aardbeving plaats. Waarschijnlijk heeft de legende van het meer van Curtius daar zijn ontstaan aan te danken. Want na de aardschok was er een brede en diepe kloof ontstaan op het Forum. De Romeinen geloofden, dat de goden die de pest hadden gezonden, nu ook deze kloof op het marktplein hadden gemaakt. Tevergeefs probeerde de verschrikte bevolking de kloof dicht te gooien. Wat ze er ook inwierpen, hij bleef even diep en angstaanjagend als tevoren.
Toen wendden de Romeinen zich tot de priesters en verzochten hun de goden te vragen wat zij moesten doen. Het antwoord maakte hen niet veel wijzer. „De kloof zal niet verdwijnen, voordat Rome's ware kracht erin wordt geworpen." Wat was Rome's ware kracht? Met ernstige gezichten en bange harten dachten ze erover na. Plotseling kreeg een jong patriciër, Curtius genaamd, die onder zijn kameraden als een dapper soldaat bekend stond, een ingeving.
„De ware kracht van Rome", zei Curtius, „kan slechts liggen in de

dapperheid van zijn burgers. Het zou een schande zijn, als het niet zo was." En de jonge edelman, die geloofde dat hij de wil van de goden begrepen had, trok zijn wapenrusting aan, besteeg zijn paard en reed in volle vaart de afgrond in.
Een grote menigte had zich op het Forum verzameld om te zien wat Curtius ging doen. Een ogenblik stonden ze doodstil, onder de indruk van zijn daad en vol ontzag. Toen namen zij hun gouden sieraden en wierpen die in de kloof, die zich nu langzaam sloot. En sinds die dag heet de plaats waar eens de afgrond gaapte, het meer van Curtius.
Nog voor de pest was uitgewoed, kwamen de Galliërs weer terug en roofden en plunderden in het gebied van Latium. Furius Camillus, de zoon van de grote Camillus, was consul en daar zijn collega was gestorven, droeg hij alleen de verantwoordelijkheid voor de veiligheid van het land. Evenals zijn vader was hij een dapper soldaat en zijn leger wist de Galliërs spoedig te verdrijven.
Gedurende de veldslag, toen Furius alleen vocht tegen een van de sterkste barbaren, gebeurde er iets vreemds. Een kraai cirkelde boven de hoofden van de vechtenden, dook toen plotseling naar beneden en zette zich neer op de helm van de Romein. Het gekletter van de zwaarden en het geschreeuw van de barbaren joegen de vogel geen angst aan. Hij zat daar even rustig als op een boomtak.
De kraai keek eerst aandachtig toe, maar toen vloog hij telkens tussen de strijdenden in, sloeg met zijn vleugels en pikte met zijn snavel naar de ogen van de Galliër. Deze kon daardoor niet zien wat hij deed en probeerde de vogel te ontwijken. Tenslotte, uitgeput door de ongelijke strijd, viel de barbaar en werd Furius tot overwinnaar uitgeroepen.
De kraai vloog daarna weg alsof hij tevreden was over het resultaat van de strijd.
Na de overwinning van Furius Camillus lieten de Galliërs Rome met rust tot het einde van de derde Samnitische oorlog in 290 v. Chr.

HOOFDSTUK 41

DE DROOM VAN DE TWEE CONSULS

De Samnieten waren een stam van ruwe bergbewoners, die in de Apennijnen leefden. In 343 v. Chr. besloten zij om Campanië, in het zuiden van Italië, op de Romeinen te veroveren.
De Samnitische oorlogen duurden vele jaren en toen de Romeinen tenslotte de overwinning behaalden, waren ze meester van geheel Midden-Italië. Over de eerste Samnitische oorlog is weinig bekend, behalve dat die drie jaar duurde en dat de Romeinen drie overwinningen behaalden.
Tijdens deze oorlog kwamen de Latijnen, die bondgenoten van Rome waren, in opstand. Ze wilden dezelfde rechten hebben als de burgers van Rome en eisten, dat één consul en de helft van het aantal leden van de senaat Latijnen zouden zijn. Bovendien wilden zij dat Latium en Rome één republiek zouden vormen.
De Romeinen dachten er niet aan die eisen in te willigen en besloten de Latijnen te straffen. Ze vochten net zo lang tot de opstandelingen hun laatste vesting hadden verloren en zich weer moesten onderwerpen. De Latijnen hadden dus weinig profijt van hun opstand. Wel kregen de burgers in enkele van hun steden dezelfde rechten als de Romeinen, maar zij moesten allemaal soldaten zenden voor de Romeinse legers.
Over de oorlog met de Latijnen worden twee verhalen verteld.
De legers hadden beide hun kamp opgeslagen in de vlakte van Capua, in het zuiden van Italië. Manlius Torquatus was een van de consuls en hij had strikte orders gegeven, dat de soldaten zich niet mochten laten uitdagen tot een gevecht van man tegen man. Toen de zoon van Manlius echter door een vijand werd uitgedaagd, kon hij de verleiding om te vechten niet weerstaan. Als hij zou overwinnen, welk een eer zou hem dan ten deel vallen. Verloor hij de strijd, dan wachtte hem slechts de dood. De jonge Manlius nam de uitdaging dus aan.
Groepen Romeinse en Latijnse soldaten sloegen het gevecht met belangstelling gade en toen Manlius tenslotte, na een hevige strijd,

zijn tegenstander overwon, juichten zijn kameraden hem toe. De Latijnen keken terneergeslagen en beschaamd toe, toen hun gevallen makker van zijn wapenrusting werd ontdaan.
Vol van zijn overwinning en in de verwachting dat zijn vader hem zijn ongehoorzaamheid zou vergeven, haastte de jongeman zich naar de tent van Manlius en legde de wapenen van de verslagene aan zijn vaders voeten. De consul hield de discipline echter zo hoog, dat hij zijn zoon niet begroette toen deze zijn tent binnenkwam, maar zich van hem afwendde. Hij hield veel van zijn zoon, maar kon niet anders doen dan die ongehoorzaamheid zwaar straffen.
Hij liet de soldaten voor zijn tent bijeenkomen en gaf toen koud en streng bevel de jonge Manlius te onthoofden. Niemand durfde tegen het bevel van de consul in te gaan en de soldaten keken vol afschuw toe, toen hun dappere kameraad ter dood werd gebracht.
De soldaten haatten Manlius om zijn strengheid en vergaten nooit, dat hij zijn zoon had laten onthoofden. Maar ze vreesden hem ook en zijn bevelen werden voortaan door iedereen opgevolgd.
Het tweede verhaal gaat over de verschrikkelijke veldslag, die plaatsvond in de nabijheid van de Vesuvius. In de nacht voor de slag hadden de twee consuls, Manlius en Decius Mus, beiden dezelfde droom. Aan beiden verscheen een man, groter dan enig sterveling, die hen waarschuwde dat in de komende veldslag beide partijen verliezen zouden, de ene zijn aanvoerder, de andere zijn leger.
In de ochtend ontdekten de consuls dat zij hetzelfde hadden gedroomd en ze besloten de goden te raadplegen. Ze kregen hetzelfde antwoord. „De goden eisen als slachtoffers de aanvoerder van de ene partij en het leger van de andere."
Ten koste van alles moest het Romeinse leger gespaard blijven. Dat stond voor de consuls vast. Om het leger te redden moest een van hen dus sterven. Daarom spraken ze af, dat degeen wiens troepen het eerst zouden wijken voor de vijand, zich aan de goden zou uitleveren.
De veldslag begon en na een tijd drong de rechtervleugel van de Latijnen een van de Romeinse afdelingen achteruit. Decius Mus was daar de aanvoerder. Hij wist dus wat hem te doen stond en hij aarzelde geen ogenblik. Eerst bad hij tot de goden en smeekte hen om

de Romeinen de overwinning te schenken. Toen zond hij een boodschap aan Manlius, waarin hij hem liet weten wat hij ging doen. Vervolgens wikkelde hij zijn gelaat in zijn toga, sprong te paard en reed zo op de vijanden af, die hem natuurlijk ogenblikkelijk doodden.
Aangespoord door de moed van Decius Mus en zeker van de overwinning vochten de Romeinen met hernieuwde kracht. Eerst werden de Latijnen achteruit gedreven, maar ze herstelden zich en vochten zo dapper, dat het scheen alsof het offer van de consul vergeefs was geweest.
Maar juist op het ogenblik dat de Romeinen terrein begonnen prijs te geven, snelde Manlius hun te hulp met een troep veteranen. De Latijnen, die zeer vermoeid waren, konden de nieuwe aanval niet weerstaan en werden verslagen. Bijna een vierde deel van hun leger werd gedood of gevangen genomen.
Manlius keerde nu naar Rome terug, waar hij met luide toejuichingen hoopte te worden ontvangen. Maar de burgers sloegen zijn intocht zwijgend gade, want hij was zonder zijn collega teruggekeerd.
De Romeinen waren onrechtvaardig tegenover Manlius, want als het lot het zo gewild had, zou hij even dapper zijn gestorven als Decius Mus.

Hoofdstuk 42

DE CAUDIJNSE PASSEN

Een van de voornaamste gebeurtenissen uit de tweede Samnitische oorlog vond plaats in 321 v. Chr. in de Caudijnse Passen.
Gaius Pontius, de aanvoerder van het Samnitische leger, had zijn kamp opgeslagen bij Caudium. Hij dacht dat hij de bergpassen die van de vlakte van Napels naar de hoger gelegen dalen van de Apennijnen voerden, gemakkelijk zou kunnen verdedigen.
Maar toen schoot hem een beter plan te binnen. Als hij het Romeinse leger de bergen in kon lokken, zou hij daar een val kunnen opstellen. Hij zond twee mannen naar Rome om aan de consuls te vertellen,

dat het Samnitische leger Caudium had verlaten en naar Apulië was gemarcheerd om daar de stad Luceria te belegeren.
De consuls hadden geen reden om aan dat verhaal te twijfelen en daar Luceria door bondgenoten van Rome bezet gehouden werd, besloten ze er een leger heen te sturen om te voorkomen, dat de stad in handen van de vijand zou vallen.
De kortste weg naar Apulië liep over de Caudijnse Passen en daar Postumius, de Romeinse bevelhebber, geloofde dat het Samnitische leger ver weg was, besloot hij die weg te nemen. Hij aarzelde geen ogenblik toen hij een nauwe diepe kloof moest binnentrekken. De rotsen aan beide zijden werden steiler en steiler en de Romeinen waren blij, toen ze eindelijk het einde bereikten. De uitgang was echter gebarricadeerd met rotsblokken en omgehakre bomen. Ze vreesden nu dat ze in de val zaten, en marcheerden terug. Maar de ingang werd door de Samnieten bewaakt en het was onmogelijk te ontkomen.
Enkele Romeinen slaagden erin tegen de steile rotswanden op te klimmen, maar ze werden door de Samnieten zwaar gewond of gedood. Toen het donker werd, sloeg Postumius zijn kamp op in het breedste gedeelte van de kloof en wachtte daar af wat Gaius Pontius verder zou doen. Deze maakte echter geen haast. Iedere dag uitstel betekende minder voedsel voor de Romeinen. Het zou niet lang duren of ze zouden zijn voorwaarden, hoe streng ook, aanvaarden. Na enkele dagen reeds riepen de Romeinen hun vijanden toe: „Doodt ons met uw zwaard, verkoopt ons als slaven, of houdt ons gevangen tot er een losgeld is betaald, maar bespaart ons, levend of dood, een onwaardige behandeling".
Het was duidelijk dat de Romeinen vreesden op dezelfde wijze behandeld te zullen worden als zij hun eigen gevangenen altijd behandelden. Want zij ketenden hen aan de wielen van de strijdwagens, of brachten hen zonder enige vorm van proces ter dood.
Maar Pontius bleek edelmoedig. Zijn voorwaarden waren hard, doch rechtvaardig. „Wij willen de steden terug", zei hij, „die gij op ons veroverd hebt en wij eisen terugroeping van de Romeinse kolonisten uit ons gebied. Daarna moet gij met ons een verdrag sluiten, waarin wordt verklaard dat beide landen geheel onafhankelijk van elkaar zijn.

Wanneer gij daartoe bereid zijt, zal ik uw leven sparen en u zonder losgeld laten gaan. Uw wapenen en wapenrusting zult gij achter moeten laten en gij zult langs ons leger trekken als gevangenen, die wij uit eigen vrije wil hebben vrijgelaten, hoewel wij hen hadden kunnen verkopen of doden".

De consuls en de officieren beloofden dat zij zich aan deze voorwaarden zouden houden, en zeshonderd patriciërs bleven als gijzelaars achter. Als Pontius verstandig was geweest, zou hij eerst de senaat en de burgers van Rome hebben geraadpleegd.

Alle Romeinse soldaten en ook de consuls moesten onder het juk door, ten aanschouwe van het gehele vijandelijke leger. Een dergelijke vernedering was heel gewoon in die dagen.

Pontius toonde zich ongewoon mild. Hij liet wagens komen voor de gewonden en gaf de soldaten proviand mee voor onderweg. De Romeinen waren echter ontroostbaar, want hun trots had een gevoelige knak gekregen. Zwijgend en beschaamd marcheerden zij voort en zij haastten zich niet.

Toen zij Rome naderden, slopen degenen die buiten de stad woonden, stilletjes weg, in de hoop dat niemand hen zou zien. De anderen wachtten tot het donker was voor zij de stad binnentrokken.

De consuls konden dat niet doen, maar ook zij schaamden zich zó erg, dat zij zich in hun woning opsloten. Nog dagenlang heerste in Rome een sombere stemming. De senatoren legden hun gouden ringen af en wilden hun ambtsgewaad niet dragen. De winkels waren gesloten en er werden geen zaken gedaan.

Men koos nieuwe consuls en die waren het er met de senaat over eens, dat het verdrag met de Samnieten moest worden opgezegd. Postumius bood aan om met zijn collega en zijn officieren naar de Samnieten terug te keren als boete voor het accepteren van zulk een vernederend verdrag. De senaat hechtte zijn goedkeuring aan dat plan. Met de handen op de rug vastgebonden werden zij teruggestuurd. Pontius nam echter geen genoegen met zulk een wijze van handelen. „Of gij voert het leger terug naar de kloof, of gij houdt u aan het verdrag," zei hij.

De Romeinen weigerden en de tweede Samnitische oorlog werd voortgezet.

Hoofdstuk 43

DE SCHANDE UITGEWIST

Een jaar na de vernederende overgave van het Romeinse leger in de Caudijnse passen besloten de Romeinen die schande uit te wissen. De oude geschiedschrijvers, die Rome wilden verheerlijken, schreven over de grote overwinningen en de bewonderenswaardige daden van de Romeinse legioenen, maar latere historici zeggen, dat niet al die verhalen waar zijn.
Een van de oude geschiedschrijvers vertelt, dat in 320 v. Chr. Papirius Cursor met een leger Apulië binnentrok. Hij durfde het niet aan over de Caudijnse passen te gaan, maar volgde de kust. Die weg was langer, maar veiliger. Papirius veroverde Luceria op de Samnieten en kreeg daarbij tevens alle wapenen en standaards in handen, die de Romeinen destijds bij de Caudijnse Passen achter hadden moeten laten. Ook troffen ze daar de gijzelaars aan, die natuurlijk onmiddellijk werden vrijgelaten.
En toen liet Papirius zevenduizend Samnitische soldaten onder het juk doorgaan, zodat ze zich later nooit zouden kunnen beroemen op hun overwinning op de Romeinen. Pontius zelf was bevelhebber van de stad, en hij moest nu dezelfde vernedering ondergaan als destijds de Romeinse consuls.
Het voornaamste doel van de oorlog was om geheel Campanië te veroveren. Na vele veldslagen, waarin nu eens het ene en dan weer het andere leger een overwinning behaalde, vond in 314 v. Chr. de beslissende slag plaats. De Samnieten werden totaal verslagen en geheel Campanië was nu in handen van de Romeinen.
Om de nieuwe bezittingen te beschermen zonden de Romeinen kolonisten naar Ponza, een eilandje dat daar voor de kust lag. Zo ontwaakte de belangstelling voor de zee. In 312 v. Chr. werden speciale functionarissen benoemd, die tot taak hadden erop toe te zien dat de schepen goed onderhouden werden. Het volgende jaar hadden de Romeinen een kleine vloot gereed, die langs de kust van Campanië kon varen. Ze waren nog niet zo ver dat ze slag konden leveren op zee, maar wel konden ze troepen sturen naar vijandelijke

kuststeden. In diezelfde tijd begon de censor Appius Claudius de grote weg aan te leggen tussen Rome en Capua, die nu nog de Via Appia heet.

Hoofdstuk 44

FABIUS

Een van de bekendste helden uit de tweede Samnitische oorlog was Fabius. Deze had eens, tegen het bevel van dictator Papirius in, de strijd aangebonden met de vijand. Hoewel hij een overwinning behaalde, was Papirius zo kwaad over zijn ongehoorzaamheid, dat hij bevel gaf Fabius terstond te laten onthoofden. Maar de soldaten dreigden met muiterij als dat bevel werd uitgevoerd en dat redde hem het leven.
Hij wist echter, dat de dictator de eerste de beste gelegenheid zou aangrijpen om hem te straffen en daarom vluchtte hij toen het donker werd, naar Rome. Daar aangekomen, verzocht hij de senaat onmiddellijk bijeen te komen, want hij wilde om bescherming vragen. Maar voor de senaat bijeen was, snelde Papirius het Forum op en wilde de deserteur laten arresteren.
De vader van Fabius smeekte toen de tribunen om tussenbeide te komen, maar hoewel die van mening waren dat Papirius te streng was, durfden zij niets te ondernemen, omdat een dictator absolute macht had.
De burgers die naar het Forum gekomen waren, smeekten Papirius om genadig te zijn en Fabius te vergeven. Papirius, wiens woede ondertussen bekoeld was, voelde zich gevleid door dit verzoek om genade en beloofde dat hij Fabius niet zou straffen.
In 310 v. Chr. werd Fabius tot consul gekozen, tezamen met Marcius. Ze gingen, ieder met een eigen leger, op weg naar Sutrium, een stad die al een jaar lang door de Etrusken werd belegerd. Verscheidene malen hadden Romeinse troepen geprobeerd de stad te ontzetten, maar tot nu toe zonder succes.
Marcius moest zijn mede-consul echter in de steek laten, omdat de Samnieten in Apulië aan het plunderen waren geslagen. Fabius ging

dus alleen verder, maar hij slaagde er spoedig in de Etrusken te verdrijven en hij veroverde ook hun kamp, waar hij achtendertig standaards vond.

Daarna achtervolgde de consul de vijand over de Ciminische heuvels. In die dagen was dat gebied dicht bebost en er werden vreemde verhalen verteld over de duistere diepten van de wouden daar. Er liepen geen paden door en kooplieden probeerden nooit langs deze weg Etrurië te bereiken. Maar Fabius drong er in door bij de achtervolging van de vijand.

Zodra de senaat hoorde van die roekeloze onderneming, zond zij hem boodschappers achterna om hem te vertellen dat hij voorzichtiger moest zijn. Maar lang voor zij de rand van de bossen bereikten, was Fabius daarin verdwenen. Weken lang hoorde men niets van de consul en zijn leger, zodat de senaat geloofde dat zij verloren waren. Fabius was echter zonder grote avonturen over de heuvels heengekomen en bevond zich in de rijke vlakten van midden-Etrurië. Al had hij de Etrusken niet gevangen kunnen nemen, in ieder geval kon hij nu hun land plunderen.

Ondertussen ontving men in Rome de tijding, dat Marcius door de Samnieten was verslagen en dat het niet bekend was of hij nog leefde. Daar er op dat ogenblik dus geen consul in Rome was, besloot de senaat een dictator te benoemen. De meest geschikte man daarvoor was Papirius. Maar een dictator moest worden benoemd door een van de consuls. Marcius was òf dood òf gevangen en Fabius zou Papirius waarschijnlijk niet willen benoemen, daar deze hem vroeger ter dood had willen laten brengen.

Toch besloot de senaat om Fabius te verzoeken Papirius te vergeven en hem voor het welzijn van het land tot dictator te benoemen. Fabius had vele veldslagen gewonnen, maar nooit had hij een hardere strijd moeten voeren dan toen hij luisterde naar het verzoek van de senaat. Toen hij gehoord had wat de boodschappers te zeggen hadden, stuurde hij hen weg zonder een woord te spreken. Maar te middernacht stond hij op, zoals de gewoonte was wanneer er een dictator benoemd moest worden, en overhandigde hun de benoeming. Door deze daad maakte hij zichzelf wederom tot ondergeschikte van Papirius.

De gezanten bedankten Fabius voor zijn edelmoedigheid, maar nog steeds zwijgend zond de consul hen heen. Die nacht had hij een grotere overwinning behaald dan ooit op het slagveld, een overwinning op zichzelf.
Zodra Papirius was benoemd, trok hij op tegen de Samnieten en versloeg hen. Marcius, die nog in leven was, kon nu naar Rome terugkeren. De Samnieten werden naar hun bergen teruggejaagd en in 304 v. Chr. sloten zij een eervolle vrede met Rome. Dat was het einde van de tweede Samnitische oorlog.
Fabius behaalde ondertussen verschillende overwinningen op de Etrusken en ook zij sloten vrede in 304 v. Chr. Rome was nu oppermachtig in Italië, en voortaan durfde geen enkele stam de Romeinen meer aan te vallen, zonder eerst de hulp in te roepen van andere mogendheden.

Hoofdstuk 45

DE SLAG BIJ SENTINUM

De vrede met de Samnieten duurde zes jaar en daarma begon de derde Samnitische oorlog. Een van de consuls was toen Cornelius Scipio, de overgrootvader van de beroemde Scipio die Hannibal versloeg. Ditmaal hadden de Samnieten de hulp ingeroepen van de Galliërs, die onverwachts een van Scipio's legioenen aanvielen en hen versloegen. Niet één soldaat bleef in leven om de consul, die zich op enige afstand bij de hoofdmacht van het leger bevond, te vertellen wat er gebeurd was. De Galliërs galoppeerden in hun overwinningsroes naar het kamp van de vijand en toonden de Romeinen luid schreeuwend de hoofden van de verslagenen, die zij op de punten van hun speren hadden gestoken.
In 295 v. Chr. begonnen de Romeinen ongerust te worden over de kracht van de vijand, want behalve de Galliërs hadden de Samnieten ook de Etrusken en andere stammen aan hun zijde gekregen. Fabius werd voor de vijfde maal tot consul benoemd en met zijn collega Decius trok hij ten strijde.

De aanvoerder van de Samnieten, Egnatius, bevond zich in Sentinum, dat in Umbrië ligt. Hij wilde graag zo spoedig mogelijk strijden, omdat hij wist hoe snel de Galliërs soms hun bondgenoten in de steek lieten. Toen hij dus zag dat de Romeinse legers hun kamp bij Sentinum hadden opgeslagen, verheugde hij zich daarover. De eerste twee dagen werd er echter niet gevochten.
Plotseling rende een hert tussen de twee legers door, achtervolgd door een wolf. De Galliërs doodden het hert met hun speren en de Romeinen lieten de wolf ongedeerd, want het dier was heilig en zijn tegenwoordigheid was voor hen een gunstig teken.
„De Galliërs hebben het hert gedood, dat aan Diana is gewijd", riepen de Romeinse soldaten. „Zij zal zich zeker op hen wreken. En wij zullen overwinnen, want de wolf is door ons kamp gegaan."
De consuls konden de soldaten niet langer in bedwang houden en de veldslag begon. Fabius voerde het bevel over de rechtervleugel, waartegenover de Samnieten zich hadden opgesteld; Decius bevond zich tegenover de Galliërs. Dezen spoorden hun paarden aan en renden met luide strijdkreten op de vijand af. Verschrikt door het lawaai en door de vreemde verschijningen, maakten de Romeinse ruiters rechtsomkeert en sloegen op de vlucht. Daarbij dwongen ze het voetvolk ook tot omkeren. Decius probeerde tevergeefs zijn soldaten stand te laten houden. In zijn wanhoop wilde hij hetzelfde doen als zijn vader had gedaan en vrijwillig de dood kiezen om het leger te redden. Hij gaf zijn paard de sporen, reed recht op de Gallische ruiters af en werd ogenblikkelijk gedood.
Toen de soldaten zagen dat de consul zich terwille van hen had opgeofferd, vatten zij moed en hielden stand. Fabius had ondertussen de Samnieten verslagen, die nu langs de Galliërs renden en probeerden hun kamp te bereiken. Hij legde de gelofte af een tempel voor Jupiter te bouwen en alle buit aan hem te offeren, als hij een volledige overwinning zou behalen. Toen achtervolgde hij de Samnieten, waarvan er vele sneuvelden. Ook Egnatius, hun dappere aanvoerder, viel. Dat betekende het einde van alle tegenstand en de slag bij Sentinum werd een Romeinse overwinning.

Hoofdstuk 46

DE ZOON VAN FABIUS VERLIEST EEN VELDSLAG

Het jaar 295 v. Chr., waarin de overwinning bij Sentinum behaald werd, bleef nog lang in de herinnering leven, al werden de Romeinse legers drie jaar later weer door de Samnieten verslagen.
Fabius, de zoon van de Fabius die in Etrurië gevochten had, was nu consul en voerde het leger aan. De jonge consul geloofde dat de Samnieten in de afgelopen jaren zovele nederlagen hadden geleden, dat hij nu niet voorzichtig behoefde te zijn. Na een lange mars stuitte hij op een kleine vijandelijke afdeling. Zijn soldaten waren vermoeid, maar hij besloot toch aan te vallen en hij slaagde erin de vijand langzaam achteruit te drijven.
De consul rukte verder op, maar bemerkte toen plotseling dat hij zich tegenover het gehele Samnitische leger bevond, dat in slagorde was opgesteld. Er vond een hevige strijd plaats en de Romeinen, uitgeput en onvoldoende voorbereid, verloren vele soldaten. Als de duisternis niet gevallen was, zou het gehele leger volkomen vernietigd zijn.
Toen men in Rome hoorde wat er gebeurd was, kende de verontwaardiging geen grenzen. In de senaat werd zelfs voorgesteld om Fabius als consul af te zetten, iets wat nog niet eerder voorgekomen was. Maar zijn vader hield een pleidooi voor hem en bood zelf aan naar het toneel van de strijd te trekken en dienst te nemen onder zijn zoon. Zulk een edelmoedig aanbod kon men niet weigeren en de oude Fabius ging met versterkingen op weg.
De Romeinse soldaten wilden zelf ook graag de schande van hun nederlaag uitwissen. Aangemoedigd door de tegenwoordigheid van de oude bevelhebber vochten ze verwoed, versloegen de Samnieten en namen Pontius, hun aanvoerder, gevangen.
De jonge Fabius keerde naar Rome terug en over zijn nederlaag werd niet meer gesproken. In sommige verhalen wordt verteld, dat de aanvoerder van de Samnieten die door Fabius gevangen was genomen, dezelfde Pontius was, die dertig jaar tevoren in de Caudijnse Passen zo edelmoedig was geweest.

Als dat waar is, werd die edelmoedigheid nu niet beloond. Want toen Fabius op zijn strijdwagen door de straten van Rome reed, liep Pontius in ketenen geklonken daarachter. Met andere gevangenen werd hij later onthoofd.
Enkele jaren later, in 290 v. Chr., eindigde de derde Samnitische oorlog. De laatste veldslag werd gewonnen door een beroemd consul, Dentatus genaamd. De Samnieten dachten dat ze hem konden omkopen en zochten hem op zijn landgoed op. Daar vonden ze hem bezig het middagmaal klaar te maken van zijn eigen rapen. Dentatus had de gezanten weinig te zeggen toen ze hem goud aanboden, behalve dat hij er weinig waarde aan hechtte.
Later versloeg hij de Samnieten, die om vrede moesten smeken en zich in hun bergen terugtrokken. Toch onderwierpen zij zich moeilijk en telkens weer kwamen ze naar de dalen om te plunderen of om een aanval op Rome te doen. Daarvoor kozen ze steeds een moment, waarop de stad moeilijkheden had met andere vijanden.

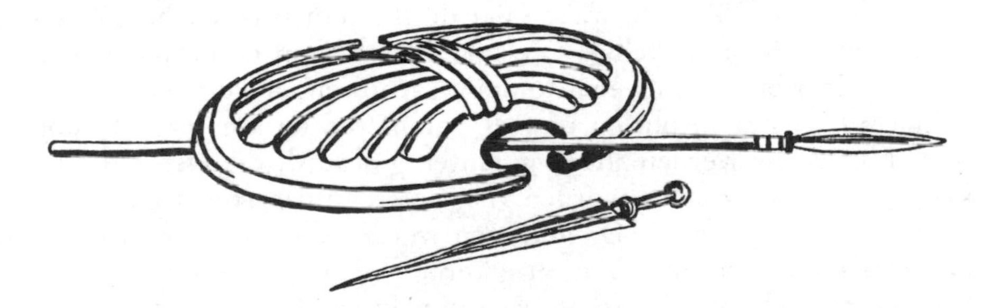

Hoofdstuk 47

PYRRHUS

Langs de zuidkust van Italië lagen vele Griekse steden, die zich nog niet aan Rome hadden onderworpen. Maar naarmate Rome machtiger werd in Zuid-Italië, riepen die steden dikwijls de Romeinen te hulp, wanneer ze door vijanden werden aangevallen.
Tarente, een van de belangrijkste Griekse nederzettingen, was naijverig op Rome en vroeg liever hulp aan Griekenland of Sicilië. Gedurende de tweede Samnitische oorlog hadden de Romeinen een verdrag gesloten met Tarente, en daarbij beloofd dat geen oorlogsschepen de golf van Tarente zouden binnen varen. Maar in de herfst van 282 v. Chr. verschenen er plotseling tien Romeinse schepen voor de haven, tot grote verontwaardiging van de inwoners. Als die schepen in de haven werden toegelaten, zou hun stad feitelijk in handen van de Romeinen zijn. Daarom bemanden ze hun eigen schepen en voeren op de vijand af. De burgers van Tarente toonden bij deze gelegenheid dat ze goed konden vechten, want ze brachten vier Romeinse schepen tot zinken en maakten er een buit. De andere vijf ontsnapten. De Romeinse bevelhebber werd gedood en vele soldaten en zeelieden werden gevangen genomen. De zeelieden werden als slaaf verkocht, de soldaten werden ter dood gebracht.
De inwoners van Tarente wisten dat de Romeinen revanche zouden nemen en werden roekeloos. Ze marcheerden op naar Thurii, een stadje in de nabijheid met een Romeins garnizoen, en veroverden het. Rome was echter in oorlog met de Samnieten en kon Tarente nog niet straffen. Er werden alleen gezanten gestuurd, die eisten dat de krijgsgevangenen zouden worden vrijgelaten en dat Thurii weer garnizoensstad zou worden. De gezanten werden onhoffelijk behandeld en moesten onverrichterzake terugkeren.
Dat was te veel voor de senaat. Aemilius kreeg de opdracht om met zijn legioenen naar Tarente te trekken. Daar aangekomen bood hij dezelfde vredesvoorwaarden aan als de gezanten, maar zij werden wederom geweigerd. De burgers zonden met de meeste spoed een verzoek om hulp aan Pyrrhus, de koning van Epirus.

De consul begon de omgeving van Tarente te plunderen en te verwoesten, terwijl de burgers van Tarente wachtten op Pyrrhus. In de lente van 280 v. Chr. kwam Pyrrhus in Tarente aan.
Epirus, het land waarover hij regeerde, lag in het noordwesten van Griekenland. De bevolking noemde hun koning de Arend, omdat hij zo moedig was. Pyrrhus had nog een eigenaardigheid, die er toe bijdroeg hem tot een schrikaanjagende figuur te maken. Wanneer hij zijn mond opendeed, zag men geen aparte boventanden, maar een aanééngegroeid geheel.
Pyrrhus had niet willen wachten tot de wind gunstig was, en daardoor was zijn vloot overvallen door een hevige storm en uit elkaar geslagen. Hijzelf was met een klein gedeelte van zijn troepen op enige afstand van Tarente terecht gekomen.
Hij had twintig olifanten meegebracht, want in Afrika had hij gezien hoe men deze enorme beesten op het slagveld kon gebruiken. Na vele moeilijkheden kreeg hij zijn gehele strijdmacht tenslotte bij elkaar.
Pyrrhus was nog niet lang in Tarente, of hij bemerkte dat de burgers die hij te hulp was gekomen, lui waren en meer van feestvieren hielden dan van oorlog voeren. Zij zouden liefst in de stad zijn gebleven, terwijl hij met zijn leger tegen de vijand optrok.
De koning van Epirus was echter gewend aan goede soldaten en hij besloot al het mogelijke te doen om van de burgers van Tarente geoefende krijgers te maken. Theaters, baden en andere gelegenheden tot vermaak werden gesloten en iedereen die wapenen kon dragen, werd opgeroepen. De stad werd een soldatenkamp. De discipline was streng en de soldaten mopperden over de strenge dienst. Er scheen niets over te zijn van de geestdrift waarmee ze de Romeinen hadden aangevallen.

Hoofdstuk 48

DE SLAG BIJ HERACLEA

Terwijl Pyrrhus bezig was de burgers van Tarente op te leiden, trok de nieuwe consul, Valerius, al plunderend op de stad af. Daarom besloot Pyrrhus de vijand tegemoet te gaan en hij marcheerde naar Heraclea, aan de oevers van de Siris, waar hij zijn kamp opsloeg.
Aan de overzijde stonden de tenten van het Romeinse leger en toen de koning langs de Siris reed en het vijandelijke kamp overzag, bewonderde hij de orde en de discipline die overal heersten. Hij wilde de Romeinen de overtocht beletten tot zijn versterkingen aangekomen waren en hij liet de rivier dus bewaken.
Valerius was niet van plan daarop te wachten en zond zijn ruiters verder stroomopwaarts om daar over te steken, terwijl hijzelf met het voetvolk probeerde om ondanks de bewaking over de rivier te komen.
Pyrrhus zette drieduizend ruiters in en hoopte daarmee de Romeinen uiteen te drijven voor ze zich konden opstellen. Maar de Romeinse soldaten kropen tegen de oevers op, terwijl ze zich met hun schild beschermden. Zij herkenden Pyrrhus aan zijn prachtige wapenrusting en deden herhaaldelijk pogingen hem te doden. Zijn vrienden zagen het gevaar en smeekten hem voorzichtig te zijn. Een van hen wees toen op een vijand en zei: „Sire, wees op uw hoede voor die man, want hij heeft het uitsluitend op U gemunt". De koning antwoordde: „Niemand kan zijn lot ontlopen, maar noch die man, noch iemand anders zal er veel plezier van beleven als hij mij aanvalt."
Op dat ogenblik gaf de Romein zijn paard de sporen en galoppeerde op de koning af, wiens paard door een speer dodelijk gewond werd. Pyrrhus viel op de grond. Leonnatus, die de koning al gewaarschuwd had, doodde toen het paard van de Romein en bracht Pyrrhus in veiligheid, die nu van wapenrusting wisselde met Megacles.
De Romeinen richtten daarna hun aanvallen op Megacles en slaagden erin hem van zijn paard te trekken en dodelijk te verwonden. Ze grepen zijn helm en mantel en brachten die naar hun aanvoerder, om te laten zien dat zij inderdaad de koning hadden gedood. Op de punt van

een speer werden deze tropheeën langs de Romeinse soldaten gedragen, zodat iedereen zien kon dat de koning gedood was.
Maar Pyrrhus vernam wat er voorgevallen was, snelde blootshoofds naar voren en gebood zijn soldaten hem te volgen. Dat was het ogenblik voor de consul om zijn reserves in de strijd te werpen en een beslissing te forceren. Maar Pyrrhus had ook nog een reserve, namelijk zijn twintig olifanten, die hij nu op de vijand afstuurde.
Die enorme luid trompetterende beesten joegen de paarden zulk een schrik aan, dat ze dol van angst weggaloppeerden en hun berijders afwierpen. Vele Romeinse soldaten werden door de olifanten vertrapt en de Grieken achtervolgden de rest. Het gehele leger zou verslagen zijn, als niet een van de olifanten, die door een speer gewond was, zich had omgekeerd en verwarring had gesticht in de Griekse gelederen. Eer de orde was hersteld, was de hoofdmacht van het Romeinse leger erin geslaagd de Siris over te steken.
Pyrrhus had een overwinning behaald, maar een groot aantal soldaten verloren. Na de veldslag riep hij uit: „Nog één zulk een overwinning en ik zal alleen naar Epirus terug moeten keren”. Hij zag ook, dat de gesneuvelde Romeinen allen van voren gewond waren en zei: „Als ik zulke soldaten had, zou ik spoedig over de gehele wereld regeren”. Daarbij dacht hij natuurlijk aan de luie, ongedisciplineerde soldaten uit Tarente.
Toen het bericht van de overwinning van Pyrrhus bekend werd, zonden verscheidene Griekse steden hem soldaten. En Pyrrhus gaf hun een deel van de buit en rekende het hun niet te zwaar aan, dat ze pas na de veldslag kwamen.

Hoofdstuk 49

PYRRHUS EN FABRICIUS

Na de overwinning bij Heraclea zond Pyrrhus de redenaar Cineas naar Rome om zijn vredesvoorwaarden te overhandigen. Men zegt van Cineas, dat hij meer steden veroverde met zijn tong dan Pyrrhus met het zwaard.

De welsprekendheid van Cineas en de vrees voor een nieuwe nederlaag brachten de senaat bijna zover, dat zij de voorwaarden aanvaardde. Toen verscheen Appius Claudius, steunend op zijn zoons, in de vergadering. Hij had vernomen, dat de senaat erover dacht de voorwaarden van de overwinnaar te accepteren, en oud en zwak als hij was, wilde hij protesteren tegen zulk een oneervolle daad.

„Tot nu toe," zei de oude man, "betreurde ik mijn blindheid. Nu echter zou ik bovendien wel doof willen zijn, om de schandelijke voorstellen van de vijand niet te horen. Romeinen, waar zijn uw trots en uw moed gebleven?"

De oude Claudius sprak met zoveel vuur en ook zo verstandig, dat na afloop van zijn rede alle senatoren ervoor waren om de oorlog voort te zetten tot Pyrrhus uit Italië was verdreven. Cineas kreeg dus de boodschap mee terug, dat de Romeinen nooit vrede zouden sluiten, zelfs niet al zouden er duizend consuls worden verslagen.

Ondertussen was Pyrrhus naar het noorden gegaan om de stad Capua te veroveren, maar Valerius had die al bezet. Teleurgesteld marcheerde hij door tot op drieëntwintig mijl van Rome. Valerius volgde hem en leverde herhaaldelijk schermutselingen met de achterhoede. Zodra Pyrrhus vernam dat in Rome een dictator was benoemd en dat een nieuw leger gereed stond om hem aan te vallen, trok hij terug naar Tarente, waar hij de wintermaanden doorbracht. De overwinning bij Heraclea had hem dus weinig voordeel opgeleverd.

In de winter kwamen afgezanten van Rome onder leiding van Fabricius naar Tarente om een uitwisseling van gevangenen voor te stellen. Cineas raadde de koning aan te proberen Fabricius om te kopen. Pyrrhus bood hem prachtige geschenken aan, maar kreeg ten antwoord: „Indien ik oneerlijk ben, hoe kan ik dan deze geschenken waard zijn. Indien ik eerlijk ben, hoe kunt U dan van mij verwachten, dat ik ze aanneem? Armoede gepaard met eerlijkheid is meer waard dan rijkdom".

Pyrrhus besloot toen het op een andere manier te proberen. Misschien zou hij Fabricius door vrees ertoe kunnen brengen te doen wat hij wilde. Hij liet zijn grootste olifant de zaal binnenleiden waarin hij Fabricius zou ontvangen en verborg hem achter een gordijn, dat op een teken van hem opzij zou worden geschoven. Toen Fabricius dus zijn zaak kwam bepleiten, werd het onderhoud plotseling verstoord door het verschijnen van de enorme olifant. Het beest begon te trompetteren, maar Fabricius lachte luid en zei: „Noch dit dier, noch uw geschenken van gisteren kunnen mij beïnvloeden".

Pyrrhus zag in, dat hij niet tot overeenstemming met de Romeinen zou komen en bereidde zich weer voor op een voortzetting van de oorlog. In het begin van 279 v. Chr. marcheerde hij Apulië binnen en daar, bij de stad Asculum, vond een hevige strijd plaats.

De Romeinen hadden ontzag gekregen voor de olifanten van Pyrrhus. Ze hadden daarom wagens laten bouwen met scherpe punten aan de wielen en die bemanden ze met soldaten, die met werpspiesen waren gewapend.

Maar Pyrrhus had de wagens gezien en stuurde zijn olifanten naar een ander deel van het slagveld, waar geen wagens waren. Evenals bij Heraclea moesten de Romeinen tenslotte vluchten, maar Pyrrhus en vele van zijn olifanten werden gewond. Hoewel hij een overwinning had behaald, trok hij naar Tarente terug om daar op adem te komen.

De overwinning bij Asculum scheen al even onbelangrijk als die bij Heraclea, want Pyrrhus bemerkte dat hij zoveel manschappen had verloren, dat hij niet eerder uit kon rukken voor hij versterkingen uit Epirus had ontvangen. Daarom probeerde hij in de lente van 278 v. Chr. nogmaals om vrede te sluiten met Rome. De senaat dacht echter aan de wijze woorden van Appius Claudius en weigerde alle voorwaarden.

De burgers van Tarente begonnen hoe langer hoe duidelijker hun afkeer te tonen van de discipline waaraan Pyrrhus hen onderwierp. Hun ondankbaarheid en het feit dat er nieuwe Romeinse legers onderweg waren, deden hem tenslotte besluiten Tarente te verlaten.

Hij voer naar Sicilië, waar de Griekse koloniën in gevaar verkeerden, omdat de Carthagers weer op veroveringen uit waren. Hij bleef bijna twee jaar op dat eiland en behaalde in het begin grote overwinningen. Maar evenals in Italië scheen hij die overwinningen niet te kunnen uitbuiten.
Bovendien werden zijn officieren, die de bevolking in het begin goed hadden behandeld, hebzuchtig en wreed. In 276 v. Chr. werden Pyrrhus en zijn soldaten weggejaagd. Hij ging toen terug naar Italië, waar én de burgers van Tarente én de Samnieten bevreesd begonnen te worden voor de grote macht van Rome.

Hoofdstuk 50

PYRRHUS WORDT VERSLAGEN

Het was niet gemakkelijk voor Pyrrhus om naar Italië terug te keren, want de Romeinen hadden een verbond gesloten met de Carthagers, wier vloot nu de kust bewaakte om een landing te verhinderen. De koning zette echter door en hoewel hij in een gevecht met de Carthaagse vloot een aantal schepen verloor, slaagde hij erin Italië te bereiken.
Toen hij voor de tweede maal Tarente binnentrok, stond hij aan het hoofd van een leger, dat even groot was als toen hij uit Epirus kwam. Maar zijn nieuwe leger was lang niet zo sterk, want de veteranen waren op de slagvelden gesneuveld en hun plaats was ingenomen door huursoldaten.
De koning zelf had de hoop opgegeven in Italië de heerschappij te veroveren en Cineas, die hem zo dikwijls had opgemonterd, leefde niet meer. Toch werd zijn naam nog gevreesd door de Romeinse legioenen.
Ondertussen hadden consul Dentatus en zijn leger Rome verlaten en waren ze langs de Via Appia opgemarcheerd naar Beneventum. Daar had hij een sterke positie op de heuvels ingenomen en nu wachtte hij op zijn collega alvorens de strijd te beginnen.
Pyrrhus wist, dat zijn ruiters en zijn olifanten hem van weinig nut

zouden zijn op dit heuvelachtige terrein, maar hij wilde toch liever meteen vechten dan wachten totdat Dentatus versterkingen had gekregen. Alles zou misschien goed gegaan zijn voor Pyrrhus, als niet een van de jonge olifanten was gewond. Het dier rende dol van pijn tussen de andere door en stichtte een enorme verwarring, die oversloeg op de huursoldaten. De Romeinen versloegen het leger van Pyrrhus, doodden twee olifanten en wisten er vier levend in handen te krijgen.
De koning en een kleine groep soldaten konden Tarente bereiken. Vandaar voer Pyrrhus in 274 v. Chr. naar Epirus terug. Hij liet een garnizoen achter in Tarente. De stad werd door consul Papirius belegerd, terwijl de Carthaagse vloot de haven blokkeerde, zodat de burgers zich, door honger gedwongen, spoedig moesten overgeven.
De Romeinen zonden kolonisten naar vele steden die tot nu toe Grieks waren geweest en Rome werd oppermachtig in Italië, van de rivier de Rubicon, waar de Po-vlakte van de Galliërs begon, tot aan het zuidelijkste puntje.

Hoofdstuk 51

DE ROMEINEN BOUWEN EEN VLOOT

De Romeinen hadden Pyrrhus overwonnen met de hulp van de Carthagers. Nu zij die hulp niet meer nodig hadden, zouden ze het liefst gezien hebben dat hun bondgenoten weer naar Afrika terugvoeren. Maar dat deden zij niet. Op Sicilië veroverden zij vele Griekse steden en Rome zag dat met lede ogen aan. Ook waren de kusten van Italië niet veilig, want soms werd onverwachts de een of andere havenstad door de Carthaagse vloot aangevallen en geplunderd. Eer de Romeinen dan een leger op de been hadden gebracht en naar de stad waren opgemarcheerd, was de vloot alweer verdwenen.

Rome kon dat natuurlijk niet toelaten en verklaarde de oorlog aan haar vroegere bondgenoten. Dat was het begin van de eerste Punische Oorlog (de Carthagers waren Phoeniciërs en Punisch is daarvan afgeleid).

Te land toonden de Romeinen zich machtiger dan de Carthagers en in drie jaar tijd was de vijand uit geheel Italië verdreven en waren nog slechts enkele kustplaatsen op Sicilië in handen van de Carthagers.

Maar de vijandelijke vloot was sterk en de Romeinen zagen in, dat zij de vijand nooit geheel de baas zouden worden als ze geen vloot hadden. En dus besloten ze een vloot te bouwen, al waren ze geen zeelieden.

De Carthaagse oorlogsschepen waren grote vaartuigen met vijf rijen roeibanken boven elkaar. Op zekere dag strandde een Carthaags schip op de Italiaanse kust en dat was juist wat de Romeinen nodig hadden, want nu hadden zij een model. Het schip werd naar Rome overgebracht en de scheepsbouwers gingen aan het werk. Er werden bossen omgekapt en planken gezaagd en in slechts twee maanden tijd bouwden de Romeinen een vloot van tweehonderd schepen, even groot en sterk als die van de Carthagers.

Ondertussen had men ook zeelieden opgeleid. Te land was een stellage gebouwd, waarop de roeiers precies zo konden zitten als in de schepen. En ze hadden geleerd de riemen gelijk te bewegen op de maat van muziek. Natuurlijk konden deze pas opgeleide zeelieden niet zo goed met schepen omgaan als de Carthagers en daarom brachten de Romeinen op ieder schip een stevige houten brug aan. met een scherpe punt aan het einde. Die bruggen waren aan de mast bevestigd en draaibaar. Het was de bedoeling die bruggen neer te laten op het dek van een vijandelijk schip. Door de val zou de scherpe ijzeren punt diep in het dek worden geslagen, waardoor de twee schepen dan stevig met elkaar verbonden zouden zijn. Over die brug zouden de Romeinse soldaten dan naar het vijandelijke schip snellen om daar te vechten.

In 260 v. Chr. voer de nieuwe vloot uit onder bevel van consul Duilius en aan de noordkust van Sicilië kwam het tot een treffen met de vijand. De Carthagers vreesden de nieuwe schepen en de in der haast opgeleide zeelieden niet. Hun aanvoerder vond zelfs de gewone manoeuvres onnodig en voer recht op de vijand af. Tot zijn grote verbazing merkte hij, dat zijn schepen plotseling door die van de vijand werden vastgehouden en niet meer weg konden. De Romeinen hadden op het juiste moment de loopbruggen laten vallen.

Voor de Carthagers van hun verwondering waren bekomen, waren de Romeinen met het zwaard in de hand de schepen opgerend en hadden zij vele leden van de bemanningen gevangen genomen en vijftig schepen vernietigd of buitgemaakt.

Zelfs het vlaggeschip, waarin zeven rijen roeiers boven elkaar zaten en dat eens aan Pyrrhus had toebehoord, moest worden prijsgegeven. Deze eerste overwinning ter zee bracht grote vreugde in Rome en Duilius werd in triomf binnengehaald. Men zegt dat de consul tot het einde van zijn leven door een fluitspeler en een fakkeldrager werd vergezeld, wanneer hij na een feestmaal naar huis ging, als herinnering aan die glorieuze overwinning.

Drie jaar later vond er weer een grote zeeslag plaats, maar ditmaal eisten beide partijen de overwinning voor zich op. De Romeinen waren echter eerzuchtig en door hun succes aangemoedigd, besloten zij naar Afrika te varen en de Carthagers in hun eigen land aan te vallen. Ze bouwden een nieuwe vloot van driehonderddertig schepen. Toen die klaar was, brachten ze twee legers aan boord van tezamen ongeveer veertigduizend man onder bevel van de twee consuls Regulus en Manlius.

Ze voeren naar de zuidkust van Sicilië en vonden daar een grote Carthaagse vloot onder aanvoering van Hamilcar en Hanno, die de opdracht hadden de vijandelijke schepen te vernietigen of te verjagen voor zij Afrika zouden bereiken.

Hoofdstuk 52

DE SLAG BIJ ECNOMUS

Zodra de Romeinen de Carthaagse vloot in zicht hadden gekregen, wisten ze dat een zeeslag onvermijdelijk was. Daar de vijandelijke vloot één lange lijn vormde, besloten de consuls om in het midden daarvan aan te vallen.
Hamilcar gaf zijn schepen toen bevel om weg te roeien net alsof ze op de vlucht gingen. De eerste afdeling van de Romeinse vloot kon dus ongehinderd doorvaren. Maar Hamilcar liet zijn schepen daarna terugkeren om de volgende afdelingen aan te vallen. De bruggen van de Romeinse schepen werden neergelaten en er volgde een hevig gevecht van man tegen man, waarin de Carthagers het onderspit moesten delven.
Regulus kwam de vierde afdeling van de vloot te hulp, die door Hanno was aangevallen en wist de vijand tot de aftocht te dwingen. De derde afdeling was door de Carthagers naar de kust gedreven, maar had nog weinig geleden, omdat de vijand, bevreesd voor de bruggen, niet te dichtbij durfde komen.
Ook daar werden ze nu verjaagd. Aan het einde van de zeeslag hadden de Romeinen vierenzestig schepen met hun bemanning buitgemaakt en meer dan dertig tot zinken gebracht. Zelf hadden zij slechts vierentwintig schepen verloren en die waren gezonken, niet buitgemaakt. Deze grote overwinning maakte de weg naar Afrika vrij, en nadat de schepen aan de Siciliaanse kust waren hersteld, voeren de Romeinen naar de Afrikaanse kust.

Hoofdstuk 53

DE ROMEINSE LEGIOENEN IN AFRIKA

De Romeinse soldaten hadden er niet veel zin in om naar een vreemd land te gaan. Bovendien werden er op de vloot allerlei griezelige verhalen verteld over die onbekende gebieden. Er werd gemopperd, dat het er te heet zou zijn, dat ze zouden verdwalen in de reusachtige wouden en dat ze door de grote vergiftige slangen zeker gewurgd zouden worden. Een van de tribunen moedigde zelfs de soldaten aan om te klagen.

Maar Regulus trok zich niets aan van wat de soldaten zeiden en de vloot voer verder tot de kust bereikt was. De soldaten gingen aan land en ze zagen spoedig hoe ongegrond hun vrees was geweest. Inplaats van de donkere angstaanjagende bossen vonden ze een prachtig bebouwd land. De huizen waren omringd door wijngaarden, olijfbomen en goede weidegrond.

Dat prachtige gebied lag nu open voor de Romeinen, die aan het plunderen sloegen. Huizen werden in brand gestoken, velden vertrapt, het vee gestolen, en men zegt dat twintigduizend mensen, die daar hun leven lang gewoond en gewerkt hadden, nu gevangen werden genomen en als slaven verkocht.

Het Carthaagse leger bleef ondertussen angstvallig in de bergen en liet de vijand ongemoeid. De Romeinen wisten, dat de Carthagers in dat bergachtige gebied hun ruiters en olifanten niet konden gebruiken, vielen aan en versloegen de vijand. Na de overwinning werd Manlius met een van de legers naar Rome teruggeroepen.

Regulus bleef achter en ging voort met plunderen en vernielen. Hij ging er prat op, zegt men, dat hij meer dan driehonderd dorpen had geplunderd. De ellende van de bevolking werd nog vergroot, doordat wilde stammen uit de woestijn nu ook het land binnendrongen om te roven.

Van heinde en ver kwamen de bewoners naar Carthago om daar bescherming te zoeken, tot de stad zo overbevolkt raakte, dat er nauwelijks voldoende voedsel was. De Carthaagse senaat stuurde toen gezanten naar Regulus om vredesvoorwaarden te vragen. De consul

stond hen nauwelijks te woord en de voorwaarden die hij aanbood, waren onaannemelijk.
Onder andere eiste hij, dat de Carthagers geen bondgenootschap zouden sluiten of oorlog zouden voeren zonder toestemming van Rome, dat zij nooit meer dan één oorlogsschip uit zouden zenden, maar dat zij zo nodig Rome moesten bijstaan met een vloot van vijftig schepen. Verder zouden ze de kosten van de oorlog en bovendien een jaarlijkse schatting aan Rome moeten betalen.
Toen de gezanten zeiden, dat Carthago zulke voorwaarden onmogelijk zou kunnen aannemen, dreef Regulus hen het kamp uit, terwijl hij grof zei: „Mannen die iets waard zijn, behoren òf te overwinnen òf zich aan hun meerderen te onderwerpen."
De senaat van Carthago verwierp die voorwaarden eenstemmig en besloot nu offers aan de goden te brengen. In een van de tempels stond het beeld van een god met uitgestrekte armen en aan de voet daarvan vlamde een groot vuur op. In die koude levenloze armen legde men kleine kinderen van vooraanstaande families. Wanneer ze eruit vielen kwamen ze in de vlammen terecht en werden levend verbrand. Met zulke verschrikkelijke offers trachtte men de goden gunstig te stemmen.
Toen werden soldaten gehuurd in Griekenland, en onder degenen die voor Carthago kwamen vechten, bevond zich de Spartaanse officier Xanthippus.

HOOFDSTUK 54

REGULUS WORDT GEVANGEN GENOMEN

Xanthippus had in de Griekse oorlogen gevochten en hij was een bekwaam en ervaren krijgsman. Hij zag spoedig in, dat het Carthaagse leger een fout had gemaakt door in de bergen te vechten. Hij sprak daarover met de bevelhebbers en toonde aan, hoe zij de vijand toch nog zouden kunnen overwinnen. Het duurde niet lang of hij werd tot opperbevelhebber over het gehele Carthaagse leger benoemd. Hij wist het geschokte zelfvertrouwen van de soldaten te herstellen en hun moed en vechtlust aan te wakkeren.

Toen leidde hij het leger naar een open vlakte. Het aantal soldaten was niet groot, maar hij stelde veel vertrouwen in zijn vierduizend ruiters en honderd olifanten.
Regulus zou de strijd liever hebben vermeden. Maar als het Carthaagse leger nu sterk genoeg was om het plunderen te verhinderen, zou hij weldra geen proviand meer hebben, en dus was een veldslag onvermijdelijk.
Toen de Carthagers de gevreesde Romeinse legioenen zagen, sloeg hun de schrik om het hart. Maar Xanthippus sprak zijn mannen moed in en gaf weldra het sein voor de aanval. Op hetzelfde ogenblik kwamen ook de Romeinen in actie. Voor het Carthaagse leger was een rij olifanten opgesteld, maar de Romeinse linkervleugel trok daar omheen en viel het voetvolk aan. Dat stond op het punt op de vlucht te slaan, toen Xanthippus aan kwam rijden, de orde herstelde, van zijn paard sprong en als gewoon soldaat met de anderen mee ging vechten.
Ondertussen hadden de Carthaagse ruiters de Romeinse van het slagveld verdreven en de legioenen van achteren aangevallen. De olifanten, wild geworden door het krijgsrumoer, drongen aan de voorzijde op en vertrapten vele dappere soldaten. Het werd een grote nederlaag voor de Romeinen. Slechts tweeduizend soldaten wisten te ontkomen. Regulus zelf vluchtte met vijfhonderd soldaten, maar hij werd achtervolgd en gevangen genomen. In korte tijd verloren de Romeinen alles wat zij in Afrika veroverd hadden.
In Carthago was men natuurlijk zeer verheugd. De mensen stroomden naar de tempels om dankoffers te brengen. Xanthippus, aan wie de eer van de overwinning toekwam, keerde met vele geschenken naar Griekenland terug.
Regulus werd vijf jaar gevangen gehouden. In die tijd werd de oorlog tussen Carthago en Rome voortgezet op Sicilië, dat tenslotte geheel in handen van de Romeinen viel. Toen besloten de Carthagers, ontmoedigd, om vredesvoorwaarden te vragen. Ze zonden gezanten naar Rome, en Regulus, die eerst een eed had afgelegd dat hij terug zou keren indien hij de senaat niet kon bewegen tot het sluiten van vrede en het uitwisselen van gevangenen, ging met hen mee.
Bij de poorten van Rome aangekomen, weigerde Regulus de stad bin-

nen te gaan, omdat hij zich onwaardig achtte. Hij wilde ook zijn vrouw en kinderen niet zien. Daarom besloot de senaat om naar hem toe te gaan.
Hoewel Regulus wist, dat hij als gevangene naar Carthago terug moest keren als er geen vrede gesloten werd, drong hij er bij de senaat op aan, dat de strijd zou worden voortgezet. De senaat was het daarmee eens en Regulus werd dus naar Carthago teruggevoerd.
De legenden verhalen, dat de Carthagers zo woedend op hem waren dat ze hem martelden. Hij werd met een olifant in een hok opgesloten, zodat hij elk ogenblik doodgetrapt kon worden. Hij kreeg niet genoeg voedsel, zijn oogleden werden afgesneden en hij werd in de brandende zon gelegd. En tenslotte legde men hem in een kist, waar overal spijkers doorheen geslagen waren.
Ook wordt er verteld, dat de Romeinen, toen ze vernamen wat er met Regulis was gebeurd, twee voorname Carthaagse gevangenen aan de weduwe en de zoons van Regulus gaven, zodat zij zich op hen konden wreken.
Maar vele geschiedschrijvers zeggen nu, dat die verschrikkelijke verhalen over wreedheid en martelingen niet waar zijn.

Hoofdstuk 55

DE ROMEINEN OVERWINNEN DE GALLIËRS

De eerste Punische Oorlog eindigde in 241 v. Chr. en liet de Romeinen in het bezit van Sicilië. De tweede Punische oorlog begon pas drieëntwintig jaar later.

Een korte tijd heerste er dus vrede in Rome en in 235 v. Chr. werden de poorten van de tempel van Janus voor de eerste maal sinds de regering van de vredelievende koning Numa Pompilius gesloten.

Tien jaar later bedreigden de Galliërs Rome. Ze waren altijd al gevreesde vijanden geweest en de bijgelovige angst, die schijnbaar verdwenen was, kwam weer boven. De voortekenen waren ook slecht. Het Capitool werd door de bliksem getroffen en toen men de boeken van de Sibylle raadpleegde, stond daar: „Wanneer de bliksem het Capitool en de tempel van Apollo treft, weest dan op uw hoede voor de Galliërs!."

Hierna scheen de kleinste kleinigheid ongeluk te voorspellen. En terwijl de burgers somber peinsden over de betekenis van een vreemd lichtschijnsel of de eigenaardige vorm van een wolk, marcheerde een groot Gallisch leger op naar Clusium, een stad die op een afstand van drie dagmarsen van Rome lag.

Wanneer de consuls afwezig waren, werden de praetoren uitgezonden als legeraanvoerders. Ook in dit geval was het een praetor, die met een reserve-leger op de vijand werd afgestuurd. Hij volgde de Galliërs tot Clusium en geloofde, dat hij ze daar zou kunnen verslaan. Maar gedurende de nacht sloop de hoofdmacht van het Gallische leger zo stil mogelijk het kamp uit en liet alleen de ruiters achter om de tenten te bewaken. Toen de praetor de volgende ochtend slechts een kleine groep ruiters in het kamp vond, gaf hij onmiddellijk het sein tot de aanval. De Galliërs trokken terug, de Romeinen volgden en bevonden zich toen plotseling tegenover het gehele vijandelijke leger.

Er volgde een hevige strijd, waarin zesduizend Romeinen sneuvelden. De overlevenden verschansten zich met de praetor op een heuvel en werden door de Galliërs omsingeld.

Ondertussen was consul Aemilius met zijn leger beschikbaar gekomen en deze haastte zich nu naar Clusium. Hij hoorde van de nederlaag en besloot revanche te nemen. De Romeinen die zich op de heuvel bevonden, waren zeer verheugd toen zij de kampvuren van het leger van Aemilius zagen en ze waren ervan overtuigd, dat hij de volgende dag de barbaren zou verjagen.
De Galliërs wilden daar echter liever niet op wachten, omdat zij hun buit en hun krijgsgevangenen in veiligheid wilden brengen. Ze trokken daarom naar het noorden, gevolgd door de consul, die kleine schermutselingen met de achterhoede leverde en zoveel mogelijk oorlogsbuit in handen probeerde te krijgen.
Plotseling hield het Gallische leger stil. De bevelhebber had een ander leger zien naderen. Als dat Romeinen waren, bevond hij zich in een benarde positie. Het was inderdaad een Romeins leger dat op hen toemarcheerde, onder aanvoering van Regulus, de zoon van de consul die in Carthago was doodgemarteld. Hij was op weg naar Rome.
Er zat voor de Galliërs niet anders op dan slag te leveren. Ze verdeelden hun leger in tweeën en besloten naar beide zijden aan te vallen. Aemilius moest de strijd aanbinden met zeer wilde stammen, die geen wapenrusting of kleding droegen, maar wel sieraden. De aanvoerders hadden gouden armbanden en halskettingen, waar de Romeinen natuurlijk belust op waren. De Galliërs schreeuwden hun woeste oorlogskreten, snelden op de vijand af en vochten met de moed der wanhoop.
Ook aan de noordzijde werd hevig gevochten. Regulus voerde zelf zijn ruiters aan, maar sneuvelde vrijwel onmiddellijk. De barbaren hakten zijn hoofd af, staken het op een lans en hielden die omhoog, zodat de Romeinen goed konden zien wat het lot van hun bevelhebber was. Van hun leider beroofd trokken de ruiters zich nu terug. Het voetvolk zette de aanval voort.
De Galliërs bemerkten spoedig, dat hun wapens niet veel konden uitrichten tegen de schilden en de helmen van de Romeinen. Hun zwaarden van slecht-gehard staal verbogen bij de eerste slag of schampten af zonder schade aan te richten.
Langzamerhand werden de Galliërs aan beide zijden achteruitgedre-

ven en tenslotte stonden ze zo dicht opeen, dat zij hun wapens niet meer konden gebruiken. Zonder genade werden de meesten door de Romeinen gedood.
Veertigduizend Galliërs sneuvelden, tienduizend werden gevangen genomen, waaronder een van de koningen. De andere koning maakte zelf een einde aan zijn leven. Alle buit was nu weer in Romeinse handen en natuurlijk maakten zij zich ook meester van alle sieraden.
Toen Aemilius in Rome terugkeerde, werd hij met eerbewijzen overladen en de burgers dankten de goden voor het feit, dat hun stad gevrijwaard was gebleven voor de barbaren.
Nog drie jaar lang werd er tegen de Galliërs gevochten, tot de gehele vlakte van Noord-Italië, van de Apennijnen tot de Alpen, Romeins gebied was geworden.

Hoofdstuk 56

DE JONGE HANNIBAL

Aan het einde van de Eerste Punische Oorlog waren de Carthagers uit Sicilië verdreven. Ze hadden nog meer grondgebied verloren en wilden zich nu schadeloos stellen door hun koloniën in Spanje uit te breiden.
Terwijl de Romeinen tegen de Galliërs vochten en niet veel aandacht aan de Carthagers konden besteden, zonden deze hun bevelhebber Hamilcar Barcas naar Spanje om daar nieuw land te veroveren.
Voor Hamilcar vertrok, ging hij naar de tempel om offers te brengen en succes af te smeken voor zijn expeditie. Toen hij van het altaar terugliep, zag hij dat zijn zoontje Hannibal, toen negen jaar oud, alles met grote ogen had gadegeslagen. Hij riep de jongen bij zich en vroeg hem of hij wel mee zou willen naar Spanje.
Mee naar Spanje! Soldaat worden als zijn vader! Dan zou één van zijn grootste verlangens vervuld worden. De bevelhebber leidde zijn zoontje naar het altaar en liet hem de eed afleggen, dat hij nooit een vriend van de Romeinen zou worden.
Hannibal vergat die eed nooit. Naarmate hij groter en sterker werd, groeide ook zijn haat tegen de Romeinen, en later werd het zijn levensdoel om hun plannen te verijdelen en hun macht omver te werpen.
En zo gebeurde het, dat Hannibal met zijn vader meeging. In het kamp wende de jongen spoedig aan de ontberingen van het soldatenleven. Zijn vader zag erop toe dat hij een goede opleiding kreeg. En later gaf hij zijn eigen leven om zijn zoon op het slagveld voor gevaar te behoeden.
Na zijn vaders dood diende Hannibal acht jaar onder Hasdrubal, zijn zwager. Toen hij nog zeer jong was, kreeg hij al het bevel over een legerafdeling en hij was zeer geliefd bij zijn manschappen.
Op het slagveld was hij altijd te vinden waar het gevaar het grootst was en hij deelde alle ontberingen met zijn soldaten. Bij tegenslagen en bij overwinningen was hij even opgewekt en altijd vol vertrouwen.
Dat ging zo door tot hij zesentwintig jaar was.

Toen kreeg hij een zeer grote verantwoordelijkheid te dragen. Want op een nacht werd Hasdrubal in zijn tent door een slaaf vermoord, en het gehele leger wenste Hannibal tot zijn opvolger te benoemen. Aarzelend gaf Carthago tenslotte toe. Tot nu toe was die belangrijke post altijd toevertrouwd aan mannen van rijpere leeftijd en meer ervaring. Maar de nieuwe opperbevelhebber toonde spoedig wat hij waard was. Hij was jong en energiek en in twee jaar tijds vergrootte hij de macht van Carthago in Spanje en veroverde hij vele steden.
Maar Saguntum, een Griekse stad aan de oostkust van Spanje, bleef tegenstand bieden. Daar de inwoners echter vreesden dat zij het op den duur niet vol zouden houden, deden ze een beroep op hun bondgenoot Rome. In de winter van 220 v. Chr. kwamen Romeinse gezanten in Spanje aan met een boodschap van de senaat voor Hannibal.
De jonge bevelhebber ontving die boodschap met nauwelijks verholen afkeer. Want kwamen deze mannen niet uit het land, dat hij gezworen had te zullen haten? De gezanten troffen Hannibal dus in een norse stemming aan en zij deden niets om daar verbetering in te brengen. Hooghartig deelden zij mede, dat hij Saguntum niet aan mocht vallen en de rivier de Ebro niet mocht oversteken.
Hannibal luisterde minachtend naar de eisen van de senaat en zond de gezanten toen weg zonder een antwoord mede te geven.
In de lente van 219 v. Chr. werd het duidelijk, dat hij van plan was Rome uit te dagen, want hij sloeg toch het beleg voor Saguntum. Acht maanden hield de stad het uit. Toen er geen proviand meer was en de hongersnood dreigde, weigerden de inwoners nog steeds, omdat ze geloofden dat Rome hulp zou sturen.
Maar tenslotte stierf ook het laatste sprankje hoop. De officieren besloten liever te sterven dan in handen van de vijand te vallen. Ze lieten een groot vuur aanleggen op het marktplein en wierpen daar alle schatten in die ze konden vinden. Nadat alles verbrand was, sprongen ze zelf in de vlammen en verbrandden levend.
Toen het nieuws van de val van Saguntum Rome bereikte, zond de senaat gezanten naar Carthago onder leiding van Fabius. Deze eiste dat Hannibal en zijn officieren uitgeleverd zouden worden; anders zou Rome de oorlog aan Carthago verklaren.

Terwijl de Carthagers weifelden over het antwoord dat zij zouden geven, stond Fabius op, tilde de zware plooien van zijn toga op en riep uit: „Ik heb hier vrede en oorlog. Doet uw keuze, mannen van Carthago!"
„Geeft ons wat gij wilt", antwoordde de senaat. En Fabius antwoordde: „Dan geeft ik u de oorlog", en hij verliet de bijeenkomst.
„In dezelfde geest waarmee gij de oorlog geeft, zullen wij hem voeren", riepen de Carthagers, terwijl Fabius vertrok.

HOOFDSTUK 57

HANNIBAL WIL NAAR ITALIË

De Romeinen dachten dat het een eenvoudige zaak zou zijn om de jonge Carthaagse bevelhebber te straffen door een leger naar Spanje te sturen. Maar zij bemerkten spoedig, dat zij zich hadden vergist. Hannibal had zeer stoutmoedige plannen en voor er een leger naar Spanje was gezonden, had hij dat land al verlaten om een inval in Italië te doen. Om daar te komen wilde hij de Alpen overtrekken, een onderneming die alleen iemand met de durf en de energie van de Carthaagse bevelhebber tot een goed einde zou kunnen brengen.

De Galliërs, die kort geleden nog tegen de Romeinen hadden gevochten, beloofden hem hulp. Toen riep hij zijn soldaten bijeen en vertelde hun over zijn plannen.

„De Romeinen", zei hij, „verlangden dat ik en mijn voornaamste officieren als boosdoeners zouden worden uitgeleverd. Soldaten, wilt gij zulk een vernedering dulden? De Galliërs bieden ons de helpende hand, nodigen ons uit naar hun land te komen en samen met hen het hun aangedane onrecht te wreken. En het land dat wij willen binnenvallen, zo rijk aan graan en wijn en oliën, zo vol kudden, met talrijke bloeiende steden, zal de rijkste buit opleveren die de goden ons kunnen aanbieden als beloning voor uw dapperheid."

Hannibal was zeer geliefd bij zijn soldaten en zijn woorden werden met luid gejuich ontvangen. Het was duidelijk dat zij hem tot in de dood zouden volgen. Hannibal dankte zijn troepen voor hun toewijding, deelde hun de dag van vertrek mede en liet hen toen gaan. Zelf ging hij naar een tempel om de goden succes af te smeken.

Dag en nacht peinsde hij over zijn plannen. Op een nacht droomde hij, dat hij voor de goden van Carthago stond. Zij verzochten hem Italië binnen te vallen en één van hen, zo beloofden zij, zou hem als gids vergezellen. In zijn droom trok hij er met zijn goddelijke gids op uit. „Denk eraan, dat gij niet achterom ziet!" zei de god. Maar ondanks die waarschuwing keek Hannibal toch om en hij zag een verschrikkelijke draak. Het monster vernielde op zijn weg boomgaarden, huizen en bossen.

„Wat heeft dat te betekenen?" vroeg Hannibal.
„Gij aanschouwt de verwoesting van Italië", antwoordde zijn gids. „Ga verder en zie niet om!"
Aangemoedigd door zijn droom ging Hannibal vol vertrouwen op weg naar de Alpen.

Hoofdstuk 58

HANNIBAL TREKT OVER DE ALPEN

In de lente van het jaar 218 v. Chr. begon het Carthaagse leger, dat zevenendertig olifanten met zich meevoerde, de grote expeditie. Hasdrubal, een van Hannibals broeders, bleef in Spanje achter als stadhouder.
Ondertussen zond de Romeinse senaat, die nog niets afwist van de tocht van Hannibal, Sempronius, een van de consuls, met een leger naar Sicilië, terwijl de andere, Cornelius Scipio, de opdracht kreeg naar Spanje te gaan om Hannibal te straffen.
Deze marcheerde ondertussen door Gallië. Bij de Rhône ontmoette hij voor het eerst tegenstand. Enkele stammen die de Carthagers vijandig gezind waren, stonden aan de andere kant van de rivier gereed om hem de overtocht te beletten.
Hannibal zond onmiddellijk een afdeling van zijn troepen uit om verderop de rivier over te steken, het kamp van de vijand te zoeken en dat in brand te steken. Toen hij dacht dat er voldoende tijd verlopen was, begon hij met de hoofdmacht van het leger over de rivier te trekken. Aan de andere oever stonden de barbaren in slagorde opgesteld. Hannibal vreesde hen niet. Hij had reeds een rookkolom zien opstijgen uit het Gallische kamp en wist dat de barbaren zodra ze de vlammen zagen, hun tegenstand zouden opgeven. En zo was het ook. De meeste Galliërs renden weg om te proberen hun bezittingen te redden. De enkelen die op hun post bleven, konden de overtocht niet verhinderen.
Het was niet gemakkelijk om de olifanten over het water te krijgen. Er werden grote vlotten gemaakt, die met aarde overdekt werden om

ze op land te doen lijken. Toen ze van wal staken, werden enkele olifanten wild en sprongen in het water, waardoor meerdere soldaten verdronken. De dieren zelf bereikten veilig de andere oever.
Rome had nu ontdekt waar Hannibal was en Scipio, die nog niet naar Spanje was vertrokken, werd naar de Rhône gezonden om daar de Carthagers tegen te houden. Maar hij kwam te laat en zond toen ruiters uit om de streek te verkennen. Die stootten al spoedig op een afdeling van het Carthaagse leger, die vooruit gestuurd was. Scipio's ruiters spoedden zich toen naar hun kamp om de consul te vertellen waar Hannibal zich bevond. Scipio trok op in de richting van de rivier, maar bereikte de aangeduide plaats pas drie dagen nadat de vijand die verlaten had. Hij kon opmaken uit de richting die de Carthagers hadden ingeslagen, dat ze van plan waren over de Alpen te trekken en Italië binnen te vallen over de passen, die de Galliërs gewoon waren te volgen.
Scipio durfde Hannibal niet te volgen op die gevaarlijke weg en daarom keerde hij naar Italië terug om de vijand op te wachten in het dal van de Po.
In de bergen had het Carthaagse leger met de grootste moeilijkheden te kampen. Het was reeds oktober en in de passen lag de sneeuw hoog, zodat er dikwijls geen pad te zien was. Gidsen leidden hen op het verkeerde spoor en bovendien werden zij herhaaldelijk door de bergbewoners aangevallen.
Het was bijna onmogelijk om voedsel en beschutting te vinden voor het grote leger, maar Hannibal zette door. Hij ging vooraan, onbevreesd en doelbewust.
Op een avond bezette Hannibal met een troep lichtgewapende soldaten een pas, die de bergbewoners gedurende de dag bewaakt hadden. En toen de ochtend aanbrak, gaf hij bevel om langs het smalle, moeilijk begaanbare bergpad naar boven te klimmen, terwijl hij de vijand in bedwang hield.
Eerst keken de barbaren met verbazing naar dat langzaam optrekkende leger, maar toen zagen zij hoe gemakkelijk het zou zijn om aan te vallen en buit te bemachtigen. Ze kwamen naar beneden en gingen op de verschrikte Carthagers af. Hannibal zag geen kans om dat te verhinderen.

Binnen enkele ogenblikken heerste er de grootste verwarring. De lastdieren struikelden en vielen; paarden, gewond door pijlen en dol van angst, stortten zich in de diepten.
Hannibal zag wat er gebeurde en ondanks de daaraan verbonden gevaren deed hij een tegenaanval en wist de barbaren te verdrijven. Van zijn leger waren ondertussen velen gesneuveld.
Enige tijd later kon hij de pas overtrekken en nu bereikte hij een stad, die stormenderhand werd genomen. Hij vond daar vele soldaten en veel bagage terug. Er was bovendien een flinke voorraad graan en vee en het uitgeputte leger kon dus op krachten komen voor het de tocht voortzette.
Het scheen alsof de bergbewoners nu besloten hadden vriendschappelijk te zijn. Het leger marcheerde vier dagen lang verder en telkens werden de Carthagers ontvangen door stammen met takken in de handen en kransen op het hoofd, als teken van vriendschap. Ze brachten zelfs vee mee en boden gijzelaars aan om hun oprechtheid te tonen. Toch vertrouwde Hannibal hen niet. Hij aanvaardde hun hulp, maar toen het leger weer een gevaarlijke pas naderde, zond hij de bagage en de ruiters vooruit.
Het voetvolk volgde, maar de trouweloze barbaren deden van de bergen af aanvallen en lieten grote rotsblokken op het optrekkende leger neerkomen. Weer werden vele soldaten gedood en slechts met grote moeite bereikte Hannibal de volgende dag zijn ruiters.
Het moeilijkste gedeelte van de beklimming was nu achter de rug en na een mars van negen dagen was de top bereikt. De soldaten, die uit het zonnige en warme klimaat van Afrika of Spanje kwamen, waren niet aan sneeuw en koude gewend en mopperden er hevig over. Hannibal riep hen daarom bijeen en zei: „Kijk, die vallei daar beneden is Italië. Dat dal voert ons naar de Galliërs, onze bondgenoten, en daarginds is de weg naar Rome".
Na een rustperiode van tien dagen begon de afdaling, en hoewel er nu geen vijandige stammen waren, bleek die nog moeilijker dan de bestijging. Er lag een dikke laag sneeuw en ieder misstap betekende de dood. Er wordt verteld, dat op één punt het pad geheel door een lawine was vernield en dat er plotseling een afgrond gaapte.
Maar zelfs zulk een tegenslag kon Hannibals opmars niet stuiten. Er

werd een brug gemaakt over de kloof. Binnen een dag waren de lastdieren en de ruiters er al overheen. Maar het duurde drie dagen eer een brug gebouwd was, sterk genoeg om de olifanten te kunnen dragen. Tenslotte waren alle hindernissen overwonnen en voerde Hannibal zijn leger Noord-Italië binnen. Hij had op zijn tocht over de Alpen echter dertigduizend man, de helft van zijn leger verloren.

Hoofdstuk 59

DE SLAG BIJ DE TREBIA

Na de ontberingen die Hannibal en zijn leger hadden moeten doorstaan, waren ze gedwongen enige tijd rust te nemen. Maar al spoedig was Hannibal gereed om zijn troepen langs de linkeroever van de Po te voeren, na een troep ruiters vooruit te hebben gezonden om de weg te verkennen.

Scipio, die hem in de Povlakte had opgewacht, bevond zich ook aan de linkeroever van de rivier. En toen hij de Ticino, een zijrivier van de Po, overstak, stond hij plotseling tegenover de vijandelijke ruiters. Er vond een hevige strijd plaats en de Romeinse soldaten werden op de vlucht gejaagd, ondanks alle pogingen van de consul om hen stand te doen houden. Hijzelf toonde grote moed, vocht in de voorste gelederen en werd gewond. Hij zou zeker gevangen genomen of gedood zijn als zijn zoon hem niet gered had.

Die zestienjarige knaap zag dat zijn vader gewond was en door vijanden omringd. Hij ging erop af, gevolgd door zijn manschappen, die niet achter durfden te blijven. Hij wist de Carthagers te verjagen en de consul werd in veiligheid gebracht. Deze jongen van zestien jaar was de Scipio, die later bekend stond als Scipio Africanus, de overwinnaar van Hannibal.

De slag aan de Ticino was eigenlijk slechts een schermutseling. Maar het was een waarschuwing voor Scipio om voorzichtig te zijn en daarom besloot hij zich achter de Po terug te trekken. Daar wilde hij wachten op Sempronius, die uit Sicilië was teruggeroepen, toen het bekend werd dat Hannibal Italië wilde binnenvallen.

De overwinning van de Carthaagse ruiters bracht vele Gallische stammen ertoe het Romeinse juk af te schudden en Hannibal te steunen. De Galliërs in het Romeinse leger sloegen aan het muiten en op een nacht overrompelde een groep van tweeduizend soldaten de schildwachten en liep over naar de vijand.

Na de ontsnapping van de Galliërs dacht Scipio, dat het verstandiger zou zijn om een veiliger positie in te nemen en daarom trok hij naar

de bovenloop van de Trebia, ook een zijrivier van de Po. Daar voegde Sempronius zich bij hem.
Hannibal wilde graag vechten nu de Galliërs hem nog trouw waren, want hij kende evengoed als de Romeinen hun wispelturige aard. Scipio daarentegen wilde de strijd uitstellen, want hij was nog niet geheel hersteld. Bovendien verwachtte hij dat de Galliërs op den duur hun nieuwe bondgenoten in de steek zouden laten. Sempronius, die het opperbevel over beide legers had nu Scipio gewond was, wilde van geen uitstel weten.
Hannibal had reeds ontdekt dat het gemakkelijk zou zijn deze consul tot de strijd te verleiden. Hij besloot daarom hem over de Trebia heen te lokken. Het was winter, het had veel geregend en er was natte sneeuw gevallen. De rivier was buiten haar oevers getreden. Op een gure ochtend gaf Hannibal zijn jongere broer Mago opdracht om met een flinke strijdmacht in hinderlaag te gaan liggen in een oude rivierbedding, waar zij door de hoge oevers en de begroeiing goed verborgen zouden zijn. Zij moesten zich stil houden tot ze een teken kregen.
Ondertussen was een afdeling Carthaagse ruiters dicht bij het Romeinse kamp de rivier overgestoken. Ze moesten Sempronius uit zijn tent lokken en proberen hem tot de strijd te bewegen.
Zodra de consul de vijand bemerkte, liet hij zijn ruiters aantreden, al hadden zij nog niet gegeten, en hij gaf het voetvolk bevel onmiddellijk te volgen. Koud en hongerig gehoorzaamden de Romeinse soldaten en ze joegen de Carthagers over de Trebia terug. Toen kregen ze bevel de vijand te achtervolgen en zij moesten het ijskoude water in. Tot op het gebeente verkild klauterden zij tegen de andere oever op. Ze waren nauwelijks in staat een kleine vijandelijke afdeling aan te vallen, laat staan het gehele Carthaanse leger, dat hen in slagorde opwachtte. Hannibal, die altijd zo goed mogelijk voor zijn soldaten zorgde, had ervoor gezorgd dat ze een behoorlijke maaltijd hadden gehad en dat zij zich met olie hadden ingewreven voor zij hun wapenrusting aantrokken.
Het bleek spoedig, dat de Romeinen niet tegen de Carthagers opkonden. Maar ondanks de olifanten en de sterkere ruiterij van hun tegenstanders gaven zij geen grond prijs. Pas toen het sein gegeven was en

Mago met zijn tweeduizend man uit zijn schuilplaats tevoorschijn kwam, weken de Romeinen achteruit. Ze keerden terug naar de Trebia om die over te steken en zo hun kamp te bereiken. Velen sneuvelden echter voor ze de rivier bereikt hadden en anderen verdronken bij hun poging er overheen te komen.
Slechts tienduizend man slaagden erin door de vijandelijke linie heen te breken en die trokken naar Placentia, een stad aan de oevers van de Po, die ze al enige tijd geleden veroverd hadden.
De Carthagers moesten de achtervolgen opgeven, omdat het te hard regende en sneeuwde en ze zochten beschutting in hun tenten.
Toen in Rome de tijding van de nederlaag der beide legers bekend werd, heerste er grote ongerustheid. Het jaar 218 liep ten einde en slechte voortekenen verhoogden de neerslachtigheid.
Er viel regen, een regen van gloeiendhete stenen. Op het marktplein rende een stier naar de derde verdieping van een huis en sprong vandaar naar beneden. Zelfs de minst bijgelovigen zagen in zulke vreemde voorvallen de hand van de goden en zij waren bevreesd voor wat komen zou.

Hoofdstuk 60

DE SLAG AAN HET TRASIMEENSE MEER

In het begin van het jaar 217 v. Chr. brak Hannibal zijn kamp in de Povlakte op. Er waren nog heel wat Galliërs in zijn leger, maar sinds hij een jaar geleden de Rhône overstak, had hij veel van zijn eigen trouwe soldaten verloren.
Bij het aanbreken van de lente marcheerde hij naar de rivier de Arno, en daar begonnen zijn moeilijkheden. Het gebied waar Hannibal doorheen wilde trekken, was door de smeltende sneeuw en het vele water in een groot moeras veranderd. Vele Carthagers zonken weg in de drassige bodem en kwamen om met hun paarden.
Drie dagen lang duurde die verschrikkelijke tocht en als de avond viel, was er geen droog plekje grond te vinden om de tenten op te slaan. De soldaten moesten de nacht doorbrengen op de lichamen van

de paarden of op de door hun kameraden achtergelaten bagage. Vele soldaten werden ziek door de ontberingen en het vocht en Hannibal zelf werd door een ontsteking aan één oog blind.
De Galliërs hadden het meest te lijden, want zij waren niet zo goed getraind als de Carthagers. Als ze kans hadden gezien, zouden ze gedeserteerd zijn, maar Hannibal had dat voorzien en zijn broer Mago opdracht gegeven met zijn ruiters de achterhoede te vormen.
Het scheen nu alsof Hannibal inderdaad naar Rome oprukte. Hij passeerde het Romeinse kamp waar Flaminius, een van de nieuwe consuls, opperbevelhebber was, en trok verder naar het zuiden, waar geen leger was om hem tegen te houden.
Wat de grote bevelhebber eigenlijk probeerde te doen, was niet Rome te bereiken en de stad te belegeren, want daar had hij de nodige uitrusting niet voor, maar het Romeinse leger uit het kamp te lokken. En dat gelukte.
Flaminius was naar Etrurië gezonden om ervoor te zorgen, dat Hannibal niet naar Rome kon oprukken. Daar hij de vijand ongehinderd het kamp had laten passeren, besloot hij die fout goed te maken door nu de achtervolging in te zetten en het vijandelijke leger te vernietigen. Men drong er bij de consul op aan dat hij zou wachten tot zijn collega Servilius gearriveerd was, maar daar had hij geen geduld voor.
Hannibal had ondertussen het Trasimeense meer bereikt. Tussen het meer en de bergen liep een smalle weg. Hij zag onmiddellijk dat deze plek uitstekend geschikt was om een aanval op het Romeinse leger te doen, en daarom bezette hij de hoogten langs de weg.
Diezelfde avond overnachtte Flaminius op korte afstand van het meer. Vroeg in de ochtend ging hij weer op weg. Zich van geen gevaar bewust trok hij langs het meer. Er hing een dichte mist en de soldaten konden nauwelijks een hand voor ogen zien.
Maar hoger in de bergen scheen de zon. Daar wachtte Hannibal, en toen ook de achterhoede van het Romeinse leger zich op de smalle weg bevond, gaf hij het sein voor de aanval. Door de mist klonken de angstaanjagende oorlogskreten van de Galliërs en het hoefgetrappel van Hannibals ruiters.
Werpspiesen en pijlen doorboorden de mist en deden hun moordend werk. Rotsblokken kwamen naar beneden en verpletterden tientallen

Romeinen. Tevergeefs probeerde Flaminius een paniek te voorkomen. De soldaten renden alle kanten uit om dekking te zoeken en vielen dikwijls elkaar aan, omdat ze niet konden zien wie ze voor zich hadden, vriend of vijand. De consul vocht dapper, maar werd al dadelijk dodelijk gewond.
Duizenden soldaten sneuvelden. Sommigen sprongen in het meer in de hoop de overkant te kunnen bereiken, maar door hun zware wapenrusting verdronken zij. Anderen liepen een stuk het water in, maar zij werden door Hannibals ruiters zonder genade afgeslacht.

Voor de Carthagers was dit een dag van wraak. Binnen drie uur was het Romeinse leger niet alleen verslagen, het bestond niet meer. Slechts een groep van zesduizend man, die zich in de voorhoede bevond, slaagde erin door de vijandelijke linies heen te breken en de top te bereiken. Daar bleven ze wachten tot de mist optrok, zonder iets te weten van het lot van hun kameraden. Toen ze later vernamen wat er gebeurd was, namen ze stelling in een dorpje niet ver van het meer. Hannibal liet het plaatsje omsingelen en dwong de zesduizend tot overgave.
In deze slag verloren de Carthagers slechts vijftienhonderd man, voor het merendeel Galliërs.
Vluchtelingen brachten het nieuws van de verschrikkelijke nederlaag naar Rome over. De mensen stroomden samen op het Forum en wilden weten wat er precies gebeurd was. Tegen de avond besteeg Pomponius, een van de praetoren, het platform en riep met luide stem: „Romeinen, wij zijn verslagen in een grote veldslag. Ons leger is vernietigd en Flaminius is gesneuveld."
De woorden van Pomponius veroorzaakten grote opwinding. Mannen en vrouwen die zoons hadden verloren, riepen de vloek der goden over de vijand uit; anderen schreiden bittere tranen of gingen naar de tempels om gebeden op te zeggen.
De senatoren alleen bewaarden hun kalmte. Ze bleven in vergadering bijeen om te bespreken hoe ze hun stad het beste zouden kunnen verdedigen. Drie dagen later werd er nog slechter nieuws bekend. Consul Servilius had zijn ruiters uitgezonden om Hannibals opmars te stuiten, maar ze waren of gevangen genomen of gedood. Servilius was

zonder zijn ruiters niet bij machte om Hannibal tegen te houden en de vijand was nog slechts twee dagmarsen van de stad verwijderd. Flaminius was dood. Tussen Servilius en de stad bevond zich het Carthaagse leger. Daar er in de stad geen consul was, besloot men een dictator te benoemen.

Hoofdstuk 61

HANNIBAL EN FABIUS

De senaat had door kalmte en ernst de bevolking weer wat moed gegeven. Geruststellende mededelingen waren ook, dat de bruggen die toegang gaven tot de stad, vernield waren en dat de muren versterkt werden.
Soldaten die te oud waren om met het leger op te trekken, werden nu opgeroepen en ze kregen wapens, die al jaren in de tempels hadden gehangen — tropheeën van de vele behaalde overwinningen.
Maar de belangrijkste maatregel was het kiezen van een dictator. Fabius, de man die benoemd werd, was zeer verstandig en liet zich niet gemakkelijk door anderen beïnvloeden. Minucius, die bij het volk zeer geliefd was, werd tot zijn adjudant benoemd.
Vele Romeinen geloofden dat de grote nederlaag van Flaminius daaraan was te wijten, dat hij geen offers aan de goden had gebracht voor hij wegmarcheerde en dat hij hun waarschuwingen in de wind had geslagen. Want toen hij wegreed om zich bij zijn troepen te voegen, werd hij van zijn paard geworpen en een standaard die in de grond was gestoken, stond zo vast dat men hem niet meer los kon trekken. Fabius, de dictator, besloot daarom voor alles de goden gunstig te stemmen. Hij liet in de tempels witte ossen offeren om het verzuim van Flaminius goed te maken. De burgers stroomden toe bij de plechtigheden, brachten zelf ook offers en smeekten de god van de oorlog genadig te zijn.
Ook werd de gelofte afgelegd om een „heilige lente" te houden. Dat betekende, dat elk dier dat in de lente van 216 v. Chr. in Italië gebo-

ren zou worden en dat als offer geschikt zou zijn, aan Jupiter zou worden gewijd.
Na de ceremoniën bereidde Fabius zich voor op de strijd. Er werden twee nieuwe legioenen gevormd en Servilius kreeg de opdracht om met zijn twee legioenen naar Rome terug te keren, zodat Fabius dan de beschikking zou hebben over vier legioenen.
De dictator had zijn eigen mening over de wijze waarop hij Hannibal het best zou kunnen verslaan en daar bleef hij bij, ook al dreven vriend en vijand de spot met zijn tactiek. Hij had namelijk besloten iedere veldslag te vermijden. De Carthagers hadden al zo vele veldslagen gewonnen! Hij was van plan het de achterhoede van Hannibals leger lastig te maken door voortdurende schermutselingen en hij wilde de proviandering zoveel mogelijk verhinderen. Deze voorzichtige tactiek viel niet in de smaak bij zijn eigen troepen en ook niet bij Hannibal, maar Fabius trok zich daar niets van aan.
De dictator leidde zijn troepen naar Noord-Apulië en sloeg zijn kamp op dicht bij de vijand. Tevergeefs probeerde Hannibal om Fabius tot vechten te dwingen. Hij zette boerderijen in brand en vernielde boomgaarden om de dictator te prikkelen. Deze bleef echter schijnbaar onbewogen en hield zich aan zijn eigen wijze van oorlogvoeren. Hij kreeg daarom de bijnaam van Fabius Cunctator, of Fabius de Draler.
Minucius daarentegen wilde graag vechten en hij wakkerde de ontevredenheid van de soldaten aan, zodat men al hoorde fluisteren dat hij beter geschikt was om het opperbevel te voeren dan Fabius.
Toen Minucius zag dat de soldaten hem goedgezind waren, werd hij stoutmoediger en dreef de spot met de dictator, omdat hij op de heuvels bleef, terwijl de vijand zich in het dal bevond. „Het lijkt wel", zei hij, „alsof Fabius ons naar de heuvels gebracht heeft als naar een theater, om de verwoesting van ons land te kunnen aanschouwen". Of hij zei dat de dictator hen naar de hemel voerde, omdat hij op aarde toch geen kans meer had.
Die woorden werden aan Fabius overgebracht en zijn vrienden drongen nogmaals bij hem aan, dat hij zou vechten. Maar de dictator antwoordde: „Ik zou wel erg zwak zijn, als ik mijn overtuiging prijs zou geven voor zulke verwijten".

Enige tijd later besloot Hannibal, die de gehele omgeving geplunderd had, om met zijn buit naar Apulië terug te keren. Grote kudden vee vormden een voornaam deel van de buit.
Om Apulië binnen te komen moesten de Carthagers een bergpas over en Fabius geloofde dat zijn geduld nu zou worden beloond. Hij zou Hannibal in een val lokken.
Fabius had zich niet voldoende gerealiseerd welk een man hij tegenover zich had. Hannibal zou heus niet in een val lopen zoals hij die zelf vaak voor de Romeinen had opgesteld.
De dictator, die de streek goed kende, wachtte nu niet langer. Hij zond vierduizend soldaten naar het einde van de pas om die te bewaken. Zelf bleef hij met de hoofdmacht van het leger op een heuvel in de buurt.

Hannibal vermoedde wat de Romeinen gedaan hadden en wilde hun plannen door een list verijdelen. Hij liet toortsen en takkebossen bevestigen aan de horens van tweeduizend buitgemaakte ossen. Toen de duisternis viel, liet hij die toortsen aansteken en daarna werden de beesten naar de bergen gedreven waar de Romeinse soldaten opgesteld waren.
De dieren sjokten voort en maakten in het donker de indruk van een opmarcherend leger. Naarmate de toortsen opgebrand raakten, begonnen de ossen het vuur te voelen, en dol van pijn renden ze her- en derwaarts. Ze schudden met hun koppen en staken zodoende ook bomen in brand.
Bovenop de heuvel zagen de Romeinen de bewegende lichten, maar daar Fabius geen enkel bevel gaf, bleven ze in hun kamp. De vierduizend soldaten die de pas bewaakten, zagen de lichten in de richting van de bergen gaan. Ze dachten dat hun kameraden in gevaar waren, verlieten hun post en snelden te hulp.
Hannibals soldaten bezetten toen ogenblikkelijk de pas en het Carthaagse leger kon ongehinderd verder trekken.
Nog voor de ochtend aanbrak, ontdekte Fabius hoe hij beetgenomen was. Hij vreesde echter, dat hij op zijn beurt in een hinderlaag gelokt zou worden als hij Hannibal achtervolgde, en daarom bleef hij waar hij was.

Toen het licht was geworden, was het te laat om de Carthagers nog veel kwaad te kunnen berokkenen, maar toch liet Fabius de achterhoede aanvallen.

Hoofdstuk 62

FABIUS BEHAALT TWEE OVERWINNINGEN

In Rome werd al spoedig bekend hoe Hannibal de dictator had beetgenomen, en de burgers waren zeer verontwaardigd dat Fabius de vijand had laten ontsnappen. Nu moest de dictator noodzakelijk naar Rome om een godsdienstige plicht te vervullen. Gedurende zijn afwezigheid werd Minucius met het opperbevel belast.

Voor Fabius vertrok, waarschuwde hij Minucius nog dat hij in geen geval een veldslag moest riskeren.

Maar vlak na het vertrek van de dictator vernam Minucius, dat een grote afdeling Carthagers er op uit was getrokken om proviand te zoeken, en hij deed een aanval op de achtergebleven soldaten. Vele daarvan werden gedood en hijzelf leed geen verliezen. Toen het nieuws van dit succesje in Rome bekend werd, juichten de mensen. En natuurlijk begonnen ze vergelijkingen te trekken tussen Minucius en Fabius. Als Minucius opperbevelhebber was geweest, mopperden ze, zou Hannibal reeds verslagen zijn. Het getuigde toch niet van grote moed om rustig in een kamp te blijven, terwijl de vijand het land verwoestte!

Zo groot was de ontevredenheid van de burgers, dat de senaat tenslotte besloot dat Minucius evenveel macht zou hebben als de dictator. Iets dergelijks was nog nooit voorgekomen, want een dictator had altijd de absolute macht gehad.

Fabius keerde naar het kamp terug en toonde geen wrok over de nieuwe regeling. Hij gaf Minucius twee legioenen. Dat was verstandiger, vond hij, dan twee bevelhebbers over het gehele leger. Hannibal was zeer verheugd toen hij vernam dat het Romeinse leger onder twee bevelhebbers was verdeeld. Hij dacht dat het niet moei-

lijk zou zijn de jonge onstuimige Minucius van de heuvels af te lokken. En dus bereidde hij een hinderlaag voor en zond toen een kleine afdeling soldaten uit om een heuvel in de buurt van het vijandelijke kamp te veroveren. Minucius reageerde onmiddellijk. Hij gaf zijn ruiters en lichtbewapende troepen opdracht de vijand te verjagen. Zodra Minucius zag dat Hannibal zelf oprukte om zijn soldaten te helpen, liet hij het gehele leger aantreden.
Toen gaf Hannibal een teken aan de soldaten die zich verborgen hadden gehouden; deze sprongen uit hun schuilplaatsen en vielen de Romeinen van achteren aan. Tevergeefs probeerde Minucius zijn verschrikte soldaten bijeen te houden. Er heerste de grootste verwarring. Maar juist op het ogenblik dat de Romeinen de vlucht wilden nemen, riep Fabius, die zijn leger gereed had gehouden: „Wij moeten snel hulp bieden aan Minucius, die een dapper man is en veel van zijn land houdt!" Hij leidde zijn leger zo dapper en tevens zo doordacht, dat Hannibal terug moest trekken.
De Carthaagse bevelhebber zei later tegen zijn vrienden: „Heb ik u niet gezegd, dat de wolk die altijd boven de bergen hing, op zekere dag in een storm zou losbarsten?"
Nadat Hannibal zijn troepen had teruggetrokken, ging Fabius weer naar zijn kamp zonder een woord van verwijt tot Minucius te richten. Deze schaamde zich te meer, omdat Fabius zo edelmoedig was. Hij riep zijn soldaten bijeen en vertelde hun, dat het hem speet dat hij ooit de spot had gedreven met Fabius.
„Ik heb misschien enige reden", zei hij, „om het noodlot de schuld te geven, maar veel meer reden om het te prijzen, want in enkele uren heeft het mij geleerd, dat ik niet de man ben om anderen te leiden, maar dat ik iemand nodig heb die mij leiding geeft. Daarom moet Fabius voortaan uw bevelhebber zijn. Alleen in het tonen van mijn dankbaarheid jegens hem wil ik nog uw aanvoerder zijn".
Hij marcheerde met zijn soldaten naar het kamp van Fabius en nam de standaards mee. Hij liet die neerleggen aan de voeten van de man die hij geminacht had en zei: „Gij hebt vandaag twee overwinningen behaald. Een op Hannibal, door uw dapperheid en wijs beleid, en een op mij, door uw goedheid en edelmoedigheid." Verder dankte hij Fabius, omdat hij hem en zijn soldaten het leven gered had.

Hoofdstuk 63

DE SLAG BIJ CANNAE

De winter was voorbij en de lente, de tijd waarin de nieuwe consuls gekozen werden, was gekomen. Fabius nam ontslag als dictator, omdat de consuls de oorlog verder zouden kunnen voeren.
Varro, een man, die door de patriciërs gehaat werd, was een van de nieuwe consuls. Men zei dat hij de zoon van een slager was, maar hoe dat ook zij, hij had al verscheidene belangrijke posities bekleed. Zijn collega was Aemilius, een patriciër die drie jaar geleden ook consul was geweest.
In de zomer van dat jaar 216 v. Chr. marcheerde Hannibal weer Apulië binnen en veroverde de citadel van Cannae, waar de Romeinen een grote voorraad proviand voor het leger hadden opgeslagen. Hij wist dat het Romeinse leger, dat nu uit acht legioenen bestond, daardoor werd gedwongen òf terug te trekken òf te vechten.
Aemilius en Varro voerden om de dag het bevel. De eerstgenoemde, die voor hij Rome verliet had gezegd „Voor alles wil ik proberen Fabius te volgen", drong er bij Varro op aan, dat hij niet op een open vlakte zou vechten. Fabius, wist hij, zou dat nooit geriskeerd hebben, omdat de ruiters van Hannibal dan in het voordeel zouden zijn.
Maar Varro weigerde te luisteren naar de raad van zijn collega. Toen het zijn beurt was om het bevel te voeren, trok hij het leger samen bij Cannae en hing zijn purperrode mantel buiten zijn tent. Dat was het teken dat de consul slag wilde leveren, en Hannibal liet zijn soldaten aantreden.
Daar er een flinke wind stond en de stofwolken over de vlakte joegen, namen de Carthagers stelling met hun rug naar de storm, zodat het stof hun voorbij ging. Maar de Romeinse soldaten kregen het in hun gezicht en werden er bijna door verblind.
In het midden en iets naar voren had Hannibal de soldaten geplaatst waarop hij het minst kon vertrouwen. De dapperste mannen bevonden zich bij de vleugels. Hij deed dat, omdat hij verwachtte dat de Romeinen hun aanval op het middengedeelte zouden concentreren. Hannibal wilde, indien zijn soldaten daar achteruit weken, de vleugels

laten ombuigen en de vijand omsingelen. Zo gebeurde het ook. Langzaam maar zeker werden de Romeinen op elkaar gedrongen, en tenslotte konden zij zich haast niet meer bewegen. Degenen die zich aan de buitenkant bevonden, werden meteen gedood en de anderen konden niet anders doen dan toekijken en afwachten. De slachting ging de gehele dag door en toen de zon onderging, bestond er geen Romeis leger meer.

Aemilius was in het begin van de strijd gewond geraakt. Maar hij was toch weer te paard gestegen in een poging om de opdringende vijand te weerstaan. Hij was echter te ernstig gewond om in het zadel te kunnen blijven; hij viel van zijn paard en werd gedood. Minucius sneuvelde ook, evenals tachtig senatoren die aan de strijd hadden deelgenomen. Consul Varro wist met zeventig ruiters te ontsnappen en de stad Venusia te bereiken, waar kleine groepen gevluchte soldaten zich bij hem voegden.

Maharbal, Hannibals onderbevelhebber, verzocht om naar Rome te mogen optrekken. „Als gij mij met de ruiters laat oprukken en zelf snel volgt, zult gij over vijf dagen op het Capitool dineren", zei hij vol vertrouwen.

Maar Hannibal weigerde dat verzoek en bood Rome vredesvoorwaarden aan. Naar men zegt mompelde Maharbal teleurgesteld: „Gij weet, Hannibal, hoe ge een overwinning moet behalen, maar gij weet er geen gebruik van te maken".

Rome wees de voorwaarden van de hand, hoewel de stad na het verlies van de acht legioenen bijna geen uitweg meer zag. Hannibal scheen inderdaad niet te weten hoe hij de overwinning moest uitbuiten. Hij keerde Rome de rug toe en marcheerde naar de rijke stad Capua, in het zuiden van Italië. De poorten werden wijd opengegooid voor het Carthaagse leger en Hannibal trok de stad binnen.

Hoofdstuk 64

WANHOOP IN ROME

Na de overwinning bij Cannae werd Hannibal door velen als bovenmenselijk beschouwd. Hij moest toch wel een goddelijke kracht bezitten om acht legioenen te kunnen vernietigen.
Een aantal jonge Romeinse edelen uit de beste families waren er zozeer van overtuigd dat niets hun land meer zou kunnen redden, dat zij besloten naar de kust te vluchten en vandaar naar een ander land te trekken. Maar Cornelius Scipio, niet ouder dan de anderen, trok het zwaard en verklaarde dat hij iedereen zou doden, die niet ogenblikkelijk wilde zweren dat hij Rome nooit in de steek zou laten. De andere jongelieden schaamden zich toen en gaven hun plan op.
In Rome zelf hadden de burgers de laatste tijd wat meer zelfvertrouwen gekregen, want stond niet Varro aan het hoofd van hun leger en had hij niet gezegd, dat hij Hannibal in één dag zou overwinnen?
Het nieuws van de nederlaag bij Cannae bereikte de stad eerst als een gerucht en vervulde de harten van de burgers met bange voorgevoelens. Men zei dat het gehele leger vernietigd was, dat beide consuls waren gesneuveld en in grote spanning wachtte men op bevestiging van die geruchten.
Eindelijk kwam een ruiter bezweet en onder het stof in Rome aan. De hoop leefde op. Alle geruchten werden vergeten, want Varro had toch voor hen gevochten! Ze snelden dus op de boodschapper toe en riepen vol verwachting: „Komt ge ons het nieuws van een overwinning brengen?"
Maar onmiddellijk daarop begrepen de burgers hoe dwaas die vraag was. De ruiter was bleek en zijn gelaat was vertrokken van pijn. En hij maakte geen aanstalten om zijn nieuws mede te delen. Fabius de Draler kwam naar hem toe en verzocht hem te spreken, want ook als hij slechte tijding bracht, wilden de burgers naar hem luisteren.
Er viel een plotselinge stilte toen de boodschapper zijn verschrikkelijke verhaal begon te vertellen. Toen hij klaar was, besefte men dat er in geheel Rome geen huis was dat niet in rouw was gedompeld. Opnieuw sloeg de burgers de schrik om het hart. Misschien was Hannibal

al op weg naar Rome! Velen begaven zich naar de poorten om de stad te ontvluchten.
Fabius sprak de bevreesde bevolking toe en slaagde erin een paniek te voorkomen. In deze moeilijke dagen bewees Fabius, dat hij een verstandig man was en degenen die hem eerst bespot hadden om zijn kalmte, wendden zich nu tot hem om raad. Hij liet de poorten bewaken, zodat niemand de stad kon verlaten. De vrouwen kregen van hem de raad om niet in het openbaar te klagen en te snikken, maar thuis te treuren over hun doden.
Er waren verkenners uitgestuurd om te onderzoeken waar Hannibal was. Zij kwamen spoedig terug en vertelden, dat de Carthaagse bevelhebber niet op weg was naar Rome, maar nog steeds in Apulië was, waar hij de oorlogsbuit verdeelde.
Varro, die zich in Venusia bevond, had met veel moeite het restant van zijn leger bijeengekregen. De senaat verzocht hem nu naar Rome terug te keren. Dat was juist wat hij vreesde. Hij had Rome verlaten, trots op het vertrouwen dat de burgers in hem stelden, en nu zou hij, verslagen, diezelfde mannen weer onder ogen moeten komen. Toen hij voor de poorten van de stad stond, wilde hij niet binnengaan, maar buiten het vonnis van zijn stadgenoten afwachten.
De senatoren wisten dat hij veel van zijn land hield en het diep betreurde, dat hij zoveel gezinnen in rouw had gedompeld. Ze gingen daarom naar de poort om hem te verwelkomen, gevolgd door vele inwoners. Niemand gaf hem de schuld van de nederlaag bij Cannae. Ze prezen hem, omdat hij een klein gedeelte van het leger weer bijeen had weten te krijgen en ze dankten hem voor het feit, dat hij naar Rome was gekomen en hen niet in de steek had gelaten.
Hannibal was ondertussen naar Campania getrokken en in Capua, de voornaamste stad, verwelkomd. Gedurende de wintermaanden genoten zijn soldaten daar een welverdiende rust. Men zegt zelfs, dat de grote bevelhebber de teugels van de discipline een beetje liet vieren.
Maar Capua werd gestraft voor het verwelkomen van de vijand. Twee Romeinse legers, onder Fabius en Marcellus, sloegen het beleg voor de stad nadat Hannibal haar verlaten had.
Nu besloot de Carthaagse bevelhebber om naar Rome te gaan en zo de Romeinse legers te dwingen van Capua weg te trekken.

Hij sloeg zijn kamp op, drie mijl van de stad, en reed om de muren heen, maar hij ging niet over tot een belegering. Hij wist dat zijn uitrusting niet voldoende was voor de belegering van een stad, die zo versterkt was als Rome.
Hannibal bereikte niet wat hij had gehoopt. Het beleg van Capua werd niet opgeheven, al werd Fabius teruggeroepen. Het Carthaagse leger, dat bij Rome geen successen had behaald, wilde eerst naar Capua terugkeren, maar toen Hannibal vernam dat de stad nog steeds belegerd werd, besloot hij het hem achtervolgende Romeinse leger af te straffen. Hij wachtte tot het donker was, bestormde hun kamp en joeg de soldaten op de vlucht.
Daar Hannibal wist dat hij Capua niet zou kunnen ontzetten, keerde hij niet daarheen terug, en het gevolg was dat de stad zich moest overgeven. Dertig vooraanstaande senatoren wilden liever sterven dan in handen te vallen van degenen die zij hadden verraden, want zij vreesden hun wraak. Zij kwamen bijeen voor een laatste plechtige feestmaaltijd en namen toen vergif in.
De andere senatoren, die vertrouwd hadden op de Romeinse gerechtigheid, werden in ketenen geklonken en naar twee verschillende steden gezonden. Fulvius, die een strengere straf wenste, besloot daar zelf voor te zorgen. Hij volgde de gevangenen met een aantal ruiters en in de eerste stad aangekomen liet hij hen geselen en ter dood brengen. Daarna haastte hij zich naar de andere stad, waar hij de rest van de senatoren eenzelfde lot liet ondergaan.
Men zegt dat Fulvius, voor hij wraak genomen had, een brief uit Rome had ontvangen, waarin stond dat hij de bestraffing moest uitstellen tot de gevangenen in Rome waren. Maar Fulvius vermoedde wat er in die brief stond en opende hem pas, toen hij het vonnis al ten uitvoer had gelegd.
Ondertussen wachtte Hannibal op versterkingen uit Afrika, en hij zocht een goede haven waar ze zouden kunnen landen. Daarom deed hij in 210 v. Chr. een aanval op Tarente en veroverde die stad. Het volgende jaar echter heroverde Fabius de stad, zodat Hannibal geen haven had waar troepen aan land gezet zouden kunnen worden.
Als hij meer grondgebied in Italië wilde veroveren, moest hij wachten tot zijn broer Hasdrubal hem soldaten uit Spanje stuurde.

Hoofdstuk 65

DE NEDERLAAG VAN HASDRUBAL

In het begin van de lente van het jaar 207 v. Chr. ging Hasdrubal uit Spanje op weg naar Italië. Hij had een groot leger bij zich en veel geld om zijn broer Hannibal in staat te stellen de oorlog voort te zetten. Hasdrubal had veel minder moeilijkheden bij het overtrekken van de Alpen, want de passen waren nu vrij van sneeuw en de gidsen bleken betrouwbaar.

Hij had ook veel profijt van de bruggen die Hannibal had laten bouwen en de doorgangen die hij had laten uithakken. Na zeven jaar waren die bruggen nog betrouwbaar.

In afwachting van de komst van zijn broer had Hannibal zijn kamp opgeslagen bij Venusia, aan de grens van Lucanië en Apulië. De Romeinen sloegen de bewegingen van de beide broers gade en hoopten hen gescheiden te kunnen houden.

Een Romeins leger onder consul Claudius Nero had al schermutselingen met de Carthagers geleverd en bevond zich nu niet ver van Venusia. Daar Claudius daarbij vijftienhonderd man had verloren, waagde hij het niet de vijand nogmaals aan te vallen.

De andere consul, Livius, was bij de rivier de Sena gelegerd om Hasdrubal tegen te houden als hij naar het zuiden wilde marcheren. Hasdrubal was echter van plan niet naar Venusia te gaan, maar naar Umbrië en zijn broer te vragen zich daar bij hem te voegen. Om hem te laten weten wat zijn plannen waren, schreef hij een brief, vertrouwde die aan vier soldaten toe en zei hun, dat ze die alleen aan Hannibal mochten overhandigen.

De soldaten stegen te paard en reden weg. Ze wisten dat ze hun leven waagden, omdat ze ieder ogenblik in handen van de Romeinen konden vallen. Ze kwamen zonder grote moeilijkheden in Apulië, maar omdat ze Hannibal niet konden vinden, gingen ze door naar Tarente. Onderweg werden ze gevangen genomen door een troep Romeinse soldaten. Daar hun antwoorden onbevredigend waren, werden ze met folteringen bedreigd als ze niet precies zouden vertellen waarom ze op weg waren naar Tarente. In hun angst zeiden ze toen, dat ze Han-

nibal zochten en een brief voor hem bij zich hadden van Hasdrubal. Men bracht hen toen haastig naar Claudius, die zo de brief in handen kreeg, die ze met hun leven hadden moeten beveiligen.
Claudius was er buitengewoon mee ingenomen. Hij kende nu het geheim dat alleen voor Hannibal bestemd was. De Carthagers zouden ditmaal hun lot niet ontlopen. De consul beraamde zorgvuldig zijn plannen en voerde ze met succes uit.
Men zond een boodschapper naar Livius om hem mee te delen, dat Claudius naar hem toe zou komen met een troep soldaten. Toen het donker werd, slopen de consul en zijn troepen zo stil mogelijk het kamp uit om Hannibal niet te laten merken dat zij vertrokken. Claudius had soldaten achtergelaten ter bewaking van het kamp, om de indruk te wekken dat alles normaal was.
Onderweg werden zij toegejuicht door de bevolking, die ervan overtuigd scheen dat de indringers eindelijk verjaagd zouden worden. Duizenden sloten zich als vrijwilligers bij het leger aan en de soldaten gunden zich nauwelijks de tijd om te eten.
Het Romeinse kamp lag ten zuiden van de Metaurus en niet ver daarvandaan was het kamp van Hasdrubal.
Claudius kwam 's nachts aan, zoals hij had afgesproken en verdeelde in alle stilte zijn manschappen over de tenten, waar de soldaten van Livius al lagen te slapen.
De consuls dachten dat Hasdrubal, nu hun kamp niet was uitgebreid, niet zou merken dat het leger versterkt was. Maar Hasdrubal had in Spanje tegen de Romeinen gevochten en kende hun signalen. En toen hij de volgende ochtend twee trompetten hoorde inplaats van één, wist hij dat de andere consul gekomen was.
En toen de soldaten waren aangetreden, merkte Hasdrubal natuurlijk op dat er veel meer waren. De pas-aangekomen soldaten zagen er vermoeid uit, alsof ze een lange snelle mars achter de rug hadden, of slag hadden geleverd, en dat verontrustte Hasdrubal. Was Hannibal misschien verslagen? Had hij de brief niet ontvangen? Was die in vijandelijke handen gevallen?
Hasdrubal nam het zekere voor het onzekere en besloot om zodra het donker zou zijn, zijn troepen terug te trekken achter de rivier. Daar zou hij dan wachten op nieuws van Hannibal. Toen de avond gevallen

was, brak hij het kamp op en vroeg de gidsen hem en zijn leger naar een doorwaadbare plaats te brengen.
Het bleek dat de gidsen niet te vertrouwen waren, zodat er veel tijd verloren ging met het zoeken naar een geschikte plaats voor de overtocht. Toen de ochtend aanbrak, bevonden ze zich nog dicht bij het vijandelijke kamp en de Romeinen, die vroeg op waren, konden hen spoedig inhalen.
Hasdrubal had een veldslag liever vermeden, omdat zijn troepen vermoeid waren, maar er was voor hem geen andere mogelijkheid dan vechten. Hij stelde zijn leger zo gunstig mogelijk op en hoopte, dat zijn olifanten hem goede diensten zouden bewijzen.
Zoals vaak gebeurde, werden de dieren onrustig en ze maakten evenveel slachtoffers in hun eigen gelederen als bij de vijand. Tenslotte slaagde Claudius erin de Spaanse soldaten zowel van achteren als van opzij aan te vallen en te verslaan. Toen Hasdrubal zag dat de Spanjaarden, zijn grootste steun, verslagen werden, wist hij dat hij verloren was.
Wat hemzelf betrof, hij besloot niet te vluchten en zich ook niet gevangen te laten nemen. Hij gaf zijn paard de sporen, galoppeerde midden tussen de vijanden in en werd vrijwel onmiddellijk gedood. Tienduizend soldaten sneuvelden en er werden vele krijgsgevangenen gemaakt. De buit was enorm, want behalve wat Hasdrubal door plundering had verkregen, had hij nog grote sommen geld bij zich voor Hannibal.
De Romeinen hadden wraak genomen voor de nederlaag bij Cannae.

Hoofdstuk 66

LIVIUS EN CLAUDIUS

Hannibal ontdekte pas dat de consul Venusia verlaten had, toen deze terugkeerde. Claudius had het hoofd van Hasdrubal meegenomen en liet dit in het kamp van zijn tegenstander werpen. Ook hergaf hij aan twee krijgsgevangenen de vrijheid, zodat ze naar het Carthaagse kamp konden gaan om te vertellen dat ze waren verslagen. Zo vernam Hannibal het nieuws van de nederlaag en het lot van zijn broer.
Vóór Claudius naar de legerplaats van Livius vertrok, had hij een boodschap naar de senaat gestuurd, waarin hij zijn plannen meedeelde. In de stad heerste de grootste opwinding. Niemand kon werken. Het Forum stroomde vol. Iedereen sprak over de nieuwe onderneming en de kansen op een overwinning.
Tenslotte werd in de verte een ruiter gesignaleerd, die in galop de stad naderde. Bij de poort verdrongen de mensen zich om hem heen. Zou er goed nieuws zijn? Het scheen van wel; de gehele houding van de ruiter en zijn gelaatsuitdrukking wezen erop. Ze durfden het haast niet geloven, want ze waren aan slecht nieuws gewend.
De boodschapper begaf zich naar de senaat en de bevolking bleef buiten wachten. Tenslotte kwam een van de senatoren naar buiten en vertelde de menigte, die ademloos luisterde, dat er inderdaad goede berichten waren. Hasdrubal was gesneuveld en zijn leger was verslagen. Een luid gejuich klonk op. Drie dagen lang werd er feestgevierd en niemand dacht eraan, dat Hannibal nog leefde en overwonnen moest worden.
Hannibal bleef nog vier jaar in Italië, maar er vonden geen grote veldslagen meer plaats. De steden die hij had veroverd, vielen één voor één weer in handen van de Romeinen. Na de nederlaag van Hasdrubal trok hij met zijn troepen naar Lacinium.
Claudius en Livius, aan wie de overwinning te danken was, mochten een triomftocht houden. Maar omdat de slag plaatsvond in het ambtsgebied van Livius en omdat hij het bevel gevoerd had tijdens de veldslag, reed hij de stad binnen op een triomfwagen getrokken door vier paarden, gevolgd door zijn soldaten. Claudius reeds te paard naast de

wagen en zijn leger was er niet, omdat zijn soldaten niet gemist konden worden. Maar voor hem juichten de mensen het hardst, want ze wisten dat door zijn toedoen het succes zo groot was geweest.

HOOFDSTUK 67

DE VEROVERING VAN NIEUW CARTHAGO

In 218 v. Chr. zou Publius Scipio naar Spanje gegaan zijn om Hannibal te straffen, daar hij de eisen van Rome genegeerd had. Maar toen men hoorde dat Hannibal de Alpen overtrok, werd Scipio naar de Povlakte gezonden om hem daar op te wachten. In plaats van Scipio werd zijn broer Gnaeus naar Spanje gestuurd.
Ongeveer een jaar later trok Publius Scipio ook naar Spanje en samen met Gnaeus vocht hij vier jaar lang tegen de Carthagers. Toen, in 213 v. Chr., bemerkten de Romeinen dat de vijand een poging wilde doen om zijn gebied uit te breiden tot over de Ebro. Dat moest worden verhinderd. Publius trok er met een leger heen, maar werd in de strijd die volgde, dodelijk gewond. Gnaeus sneuvelde drie weken later.
Het verlies van de beide Scipio's was een zware slag voor Rome, want zij hadden de belangen van hun land trouw verdedigd. Het was niet gemakkelijk iemand te vinden om hen te vervangen, want iedereen wilde in Italië blijven om tegen Hannibal te vechten. Tenslotte bood Cornelius Scipio, de zoon van Publius, aan om het werk van zijn vader voort te zetten. Hij was pas vierentwintig jaar oud, maar had reeds getoond dat hij een dapper en bekwaam krijgsman was. Op het slagveld bij de Ticino had hij zijn vader het leven gered door tijdig in te grijpen en na de nederlaag van Cannae had hij een groep jonge edelen die het land wilden verlaten, daarvan weten te weerhouden.
In Rome was hij zeer geliefd, misschien ten dele door zijn knap uiterlijk, maar ook omdat hij ernstig was en zich waardig gedroeg. Zijn aanbod om naar Spanje te gaan werd aanvaard en omstreeks 210 v. Chr. kwam hij daar aan. Hij besloot een aanval te doen op Nieuw Carthago, het tegenwoordige Carthagena, een stad die zeer belangrijk was.
De Carthagers hadden drie legers in Spanje, maar die lagen alle drie op enige afstand van de stad. De Carthaagse bevelhebbers waren zo overtuigd van de sterkte van de stad, dat ze er een garnizoen van slechts duizend man hadden achtergelaten. De inwoners, eenvoudige vissers en handwerkslieden, konden geen wapenen hanteren.

Nieuw Carthago was voor de vijand van veel belang. Het was de dichtstbijzijnde haven, en voedselvoorraden en versterkingen werden daar aan land gebracht. Ook het geld en de Spaanse gijzelaars bevonden zich daar. De stad was omringd door sterke hoge muren, behalve op één plaats, waar zij beschermd werd door de zee. Daar waren de muren laag en werden ze minder streng bewaakt, omdat men daar geen vijand verwachtte.
Scipio had met enkele vissers gesproken en van hen vernomen wat hij wilde weten, namelijk dat het water soms laag genoeg stond om de lage muur te kunnen bereiken. Hij beraamde zijn plannen, waarvan hij alleen Laelius, zijn beste vriend, deelgenoot maakte en verzocht hem op een bepaalde dag met de Romeinse vloot naar de haven van Nieuw Carthago te varen. Als de aanval mocht mislukken, zouden de soldaten op de schepen kunnen ontsnappen.
Het leger sloeg zijn kamp voor de stad op en de vloot verscheen voor de haven. Mago, de bevelhebber van het garnizoen, was zeer verwonderd toen hij dat zag. Hij liet de muren strenger bewaken en bewapende tweeduizend burgers. Een afdeling soldaten deed een uitval om de vijand te verjagen, maar ze werd door de Romeinen verdreven. De soldaten verdrongen elkaar bij de poort in hun haast om weer binnen te komen, waardoor velen werden gewond.
De Romeinse soldaten slaagden er bijna in om met de vluchtenden de stad binnen te dringen. Ze maakten van de gelegenheid gebruik om hun ladders tegen de muren te plaatsen. Die bleken echter te kort te zijn.
In de middag trokken de Romeinen terug en het garnizoen geloofde, dat er die dag niets meer te vrezen zou zijn. Maar enkele uren later begonnen de Romeinen een nieuwe aanval. Deze tweede aanval was slechts een list om de aandacht af te leiden van een gevaarlijker onderneming. Scipio had gezien dat het water laag stond en zijn mannen opdracht gegeven er doorheen te waden en de ladders tegen de lage muur te zetten, die veel minder goed bewaakt werd.
De ladders stonden spoedig tegen de muur en de Romeinse soldaten klommen er tegenop. Ondertussen was het garnizoen bezig de aanval aan de andere kant af te slaan.
De Romeinse soldaten die naar boven waren geklommen, sprongen

in de stad, doodden de enkele wachten die zij tegenkwamen, en snelden naar de poort. Ze wierpen die open, lieten hun kameraden binnen en overrompelden het garnizoen. Nieuw Carthago was in handen van Scipio.
De jonge bevelhebber was bescheiden en wilde niet alle eer voor zichzelf opeisen. Neptunus, de god van de zee, had ook zijn aandeel in de overwinning geleverd, want hij had Scipio in een droom ingefluisterd, dat hij de stad van de waterkant moest aanvallen.
Er was veel buit en bovendien viel de vijandelijke vloot die in de haven lag, hun in handen. Maar het belangrijkste was, dat de Romeinen nu een stad bezaten midden in het vijandelijke gebied en bovendien de beste haven.
In 206 v. Chr. keerde Scipio in Rome terug en hij kon toen meedelen, dat zich in geheel Spanje geen Carthaags soldaat meer bevond. Maar hij had meer gedaan dan de Carthagers uit Spanje verdrijven. Hij had geprobeerd om in Afrika twee machtige bondgenoten te krijgen, en een van die pogingen was met succes bekroond.
Syphax, de koning van West-Numidië, had nu eens de zijde van Rome gekozen, dan weer die van Carthago. Scipio voer naar Afrika en bracht hem een bezoek, waarna hij geloofde dat de koning voortaan trouw aan Rome zou blijven. Dat bleek echter niet zo te zijn.
De andere bondgenoot die Scipio in Afrika maakte, was Masinissa, een Afrikaanse prins. Die was met een afdeling ruiters naar Spanje gekomen en had beloofd, dat hij Scipio zou helpen wanneer die in Afrika landde.
Want dat was wat de jonge bevelhebber wilde: de oorlog tegen de Carthagers in hun eigen land voortzetten.

Hoofdstuk 68

SCIPIO GAAT NAAR AFRIKA

Het was niet de gewoonte om een Romeins burger die geen praetor of consul was geweest, een triomftocht te laten houden. Toch hoopte Scipio waarschijnlijk die eer te ontvangen, toen hij in 206 v. Chr. naar Italië terugkeerde, want hij had het land trouw gediend en vele overwinningen behaald.

Het volk wilde hem graag die eer bewijzen, en daarom kwam de senaat bijeen in de tempel van Bellona, die buiten de stadsmuren stond, om Scipio te ontmoeten en te vernemen wat hij in Spanje had bereikt. Als het hem toegestaan werd een triomftocht te houden, moest hij, zoals de gewoonte was, buiten de poorten blijven tot de feestelijke intocht gehouden zou worden.

De senaat luisterde naar Scipio's verslag. Hij had gevochten tegen vier bevelhebbers en vier legers en was telkens als overwinnaar uit de strijd getreden. In geheel Spanje was geen Carthaags soldaat meer. Maar ondanks dat alles mocht hij geen triomftocht houden. Dat kwam misschien ten dele, omdat er onder de senatoren verscheidene waren, die niet van de traditie wilden afwijken, ten dele omdat andere zulk een eerzuchtige jongeman niet wilden aanmoedigen, daar zij hem vreesden.

Hoewel Scipio Rome binnentrok als gewoon burger, deed hij dat met alle pracht en praal. En de mensen verdrongen zich om hem heen en juichten hem des te meer toe, nu hij geen triomftocht mocht houden.

Spoedig hierna vond de verkiezing plaats van consuls voor het volgende jaar. Van heinde en ver stroomden de mensen naar Rome, niet alleen om te stemmen, maar ook om de man te zien die de Carthagers uit Spanje had verdreven.

Ondanks de tegenwerking van de senaat werd Scipio gekozen. De senatoren vreesden dat hij nu zijn plan zou doorzetten, hoewel ze al het mogelijke hadden gedaan om hem dat te ontraden. Maar aangezien zijn medeconsul plichten in Rome te vervullen had, was Scipio degeen die uitgezonden zou moeten worden. Het scheen echter een waagstuk om een leger naar Afrika te sturen, terwijl Hannibal nog

steeds in Italië was. De voornaamste tegenstander van Scipio was Fabius de Draler.
Aan degenen die Hannibal's aanwezigheid in Italië vreesden, legde Scipio uit, dat het verplaatsen van het strijdtoneel naar Afrika de beste manier was om de Carthaagse bevelhebber uit Italië te krijgen. Hij zou zeker worden teruggeroepen om zijn land te verdedigen. En dat bleek inderdaad waar te zijn.
De nieuwe consul was vastbesloten naar Afrika te gaan en verklaarde tenslotte dat hij, als de senaat hem die opdracht niet gaf, een beroep zou doen op het volk. Dat dreigement hielp. Na hevige debatten gaf de senaat de provincie Sicilië aan de jonge consul. Hij mocht naar Afrika oversteken, als dat „in het belang van het land" was. Hij kreeg echter geen nieuwe troepen. Alleen de soldaten die reeds op Sicilië waren, kwamen onder zijn bevel.
Scipio liet zich door die moeilijkheden niet ontmoedigen. De senaat kon hem niet beletten vrijwilligers op te roepen. En zodra het bekend werd dat hij soldaten vroeg, kwamen velen zich aanmelden. Want het was een eer onder zulk een goed bevelhebber te mogen dienen.
Een jaar lang oefende hij zijn troepen op Sicilië. En in de lente van 204 v. Chr. voer hij naar Afrika. Zijn vloot bestond uit vierhonderd transportschepen en veertig oorlogsschepen. Sommigen zeggen, dat hij een leger had van ruim twaalfduizend man, maar anderen beweren dat het er wel dertigduizend waren.
De inscheping vond plaats in Lilybaeum. Een grote menigte was daar samengestroomd op de dag van vertrek. Nadat een heraut om stilte had verzocht, bad de consul tot de goden en godinnen van Rome om hem te beschermen, hem de overwinning en veel oorlogsbuit te schenken en hem en zijn leger behouden te laten terugkeren.
Toen klonken de trompetten en de vloot voer uit, door de menigte toegejuicht.
De Carthagers wisten dat Scipio met een vloot naar Afrika onderweg was, maar ze ondernamen geen poging om hem tegen te houden. Ongehinderd door de vijand, niet door stormen opgehouden, landde Scipio dichtbij de havenstad Utica aan de Afrikaanse kust.

HOOFDSTUK 69

HET NUMIDISCHE KAMP IN BRAND

Zodra Scipio in Afrika was geland, voegde Masinissa zich bij hem met ongeveer tweehonderd ruiters. Koning Syphax had hem zijn land uitgejaagd en daarom wilde hij graag met Scipio meevechten. Hij was een waardevol bondgenoot, want hij was bekend met de wijze van oorlogvoeren zowel van de Carthagers als van de Numidiërs.
De Carthagers hadden een groot leger op de been gebracht, dat onder bevel stond van Hasdrubal, de zoon van Gisco. Koning Syphax had zich met zijn Numidische troepen daarbij aangesloten en de twee legers hadden hun kamp opgeslagen in de buurt van Utica, welke stad nu door Scipio werd belegerd.
De Romeinse bevelhebber deed alsof hij het nog mogelijk achtte dat er vrede zou worden gesloten, en hij zond gedurende een korte wapenstilstand gezanten naar het Carthaagse kamp. In werkelijkheid wilde hij trachten iets te weten te komen over de sterkte en de positie van de vijand. Zoals dus te verwachten was, werden de onderhandelingen spoedig afgebroken.
De Carthagers dachten, dat de aanval op Utica nu hervat zou worden. Maar Masinissa wist dat het Carthaagse kamp slecht bewaakt werd. Hij wist ook, dat er veel hutten stonden die met takken of met biezen waren afgedekt. Daarom raadde hij Scipio aan een nachtelijke aanval op het kamp te doen en de hutten in brand te steken.
Scipio volgde die raad op en hij liet de soldaten vroeger dan gewoonlijk eten. Toen de trompetten schalden op de gewone tijd van het avondeten, wekte dat niet de achterdocht van de vijand op. Maar ditmaal was dit het sein om aan te treden. Even na middernacht was het Romeinse leger, na een mars van zeven mijl, bij het kamp van de Carthagers aangekomen.
Masinissa liet alle uitgangen bewaken en stak toen een van de hutten aan de buitenkant in brand. De vlammen grepen gretig om zich heen en sloegen over naar de andere hutten, zodat het gehele kamp spoedig in lichterlaaie stond.
Hoewel het heel laat was, waren enkele officieren nog aan het feest-

vieren, toen de rook en het geluid van knappend hout hen op het gevaar opmerkzaam maakten. Ze renden naar buiten, de drinkbekers nog in de hand, en zagen dat het gehele kamp in brand stond. Andere soldaten sprongen uit bed en holden naar de brandende hutten, maar niemand scheen nog te denken dat de vijand het gedaan had.
Er heerste grote verwarring. Soldaten kwamen in de vlammen om of werden onder de voet gelopen. Degenen die probeerden te ontsnappen, werden door Masinissa en zijn manschappen gegrepen en gedood voor ze beseften dat ze in handen van de vijand waren gevallen.
Hasdrubal en Syphax zagen in, dat het hopeloos was om te trachten het kamp en de soldaten te redden. Vergezeld door enkele ruiters slaagden ze erin het kamp onopgemerkt te verlaten.
De senaat van Carthago was zeer verontwaardigd, toen de tijding van deze ramp de stad bereikte en veroordeelde Hasdrubal ter dood. Deze was echter naar de naburige provincies gereden om vrijwilligers op te roepen, want hij wilde zijn land blijven dienen. Binnen dertig dagen stond een nieuw leger onder dezelfde bevelhebbers gereed om de vijand te weerstaan.
Scipio liet troepen achter bij Utica, dat door de vloot geblokkeerd werd, en trok met zijn leger naar de plaats waar Hasdrubal zich bevond. Er werd hevig gevochten en de Romeinen behaalden de overwinning. Hasdrubal ontsnapte en Syphax ging terug naar Numidië.
Toen Hasdrubal het tenslotte waagde Carthago binnen te gaan, wilden zijn vijanden hem gevangen nemen. Maar hij zocht een schuilplaats in het familiegraf. Daar hij niet levend gevangen genomen wilde worden, nam hij vergif in en stierf.
Masinissa ging met een afdeling Romeinse soldaten achter koning Syphax aan, wist hem te verslaan, nam hem gevangen en bracht hem naar het Romeinse kamp. Masinissa kreeg zijn gebied terug en bovendien een gedeelte van het rijk van Syphax. Hij werd een machtig vorst. Onder zijn leiding vochten de Numidiërs voor Rome, zodat Carthago nu twee machtige vijanden tegenover zich had.

HOOFDSTUK 70

HANNIBAL VERLAAT ITALIË

De Carthagers zouden zich wanhopig gevoeld hebben, als Hannibal er niet geweest was. Zijn naam kon de Romeinen schrik aanjagen, zijn aanwezigheid zou zeker hun nederlaag betekenen. Dus werden er boodschappers naar Italië gezonden om hem terug te roepen.

Het speet de grote bevelhebber dat hij Italië moest verlaten, want hij had nog steeds niet bereikt wat hij had gehoopt. Ondanks al zijn overwinningen was het land hem ontglipt. Misschien was het waar, dat hij geen profijt wist te trekken van het behaalde voordeel.

Voor hij vertrok, liet hij bronzen platen maken, waarop hij een verslag liet graveren van alle veldslagen die hij in Italië had geleverd en van de gehele oorlog. De tekst kwam er in het Grieks en het Phoenicisch op te staan.

Een bekend geschiedschrijver, Polybius, die nog een jongen was in de tijd dat Hannibal in Italië vocht, zag die bronzen platen later en kon dus een getrouw verslag schrijven van de Tweede Punische Oorlog. Maar slechts een gedeelte daarvan is bewaard gebleven, zodat er van de periode na de slag bij Cannae alleen de verhalen van de Romeinse geschiedschrijvers zijn. En wat die schreven, verschilt naar men aanneemt belangrijk van wat Hannibal op de bronzen platen liet graveren.

Na de gevangenneming van koning Syphax werd een korte wapenstilstand gesloten en de Carthagers zonden gezanten naar Rome om over vredesvoorwaarden te praten.

Ondertussen waren enkele schepen, geladen met proviand voor het Romeinse leger, onderweg van Sardinië naar Scipio's vloot. Er brak een storm los, die de schepen naar een eiland in de baai van Carthago dreef. De Carthagers, die dringend voedsel nodig hadden, konden de verleiding niet weerstaan om enkele van die schepen in beslag te nemen, en ze verbraken zo de wapenstilstand. Scipio was daarover zeer ontstemd en eiste onmiddellijk, dat Carthago de buitgemaakte schepen zou teruggeven.

Maar in Carthago waren degenen die de oorlog wilden voortzetten, machtiger dan de tegenpartij en zij stuurden Scipio's gezanten weliswaar onder vrijgeleide, maar zonder antwoord terug. Toen zij in het gezicht kwamen van de Romeinse vloot, trok het escorte zich terug, terwijl de bevelhebber van de Carthaagse vloot, die heimelijk zijn instructies had ontvangen, probeerde de gezanten gevangen te nemen. Ze wisten te ontkomen, al werden enkele zeelieden gedood of gewond.

Dit was zulk een belediging voor Rome, dat Scipio dadelijk voorbereidingen trof om de oorlog voort te zetten. In de herfst van 203 v.Chr. bevond Hannibal zich in Carthago en de burgers, vol vertrouwen in hun grote bevelhebber, wilden dat hij dadelijk ten strijde zou trekken. Maar Hannibal zei, dat ze maar op hun eigen zaken moesten letten en dat hij zelf de tijd van vechten zou kiezen. Hij verzocht toen om een onderhoud met Scipio en probeerde vrede te sluiten. De consul weigerde alle voorwaarden, omdat de wapenstilstand was verbroken en de gezanten beledigd waren. Hij wilde de strijd zo spoedig mogelijk voortzetten en de oorlog beëindigen.

Het was nu oktober van het jaar 202 v.Chr. en hoewel Scipio toestemming had gekregen om nog in Afrika te blijven, wilde de senaat toch een van de nieuwe consuls naar hem toe sturen, die dan het bevel met hem zou delen.

Claudius, de held van de Metaurus, kreeg de opdracht om met een vloot van vijftig schepen naar Afrika te varen. Scipio was daar niet mee ingenomen, want als de oorlog met Carthago beëindigd werd nadat Claudius was aangekomen, zou deze als consul een triomftocht mogen houden. De expeditie naar Afrika was geheel Scipio's eigen denkbeeld en hij wilde er zelf de eer en de roem van hebben. Hij besloot daarom slag te leveren voor Claudius arriveerde.

Hoofdstuk 71

DE SLAG BIJ ZAMA

Hannibal was nog niet gereed voor de strijd, toen het Romeinse leger zijn kamp bij Zama naderde. Hij had juist besloten om een betere legerplaats te zoeken. Maar voor hij dat plan kon uitvoeren, viel de vijand aan en hij moest vechten, terwijl hij zich in een ongunstige positie bevond.

De olifanten van het Carthaagse leger joegen de Romeinen geen schrik meer aan, want ze waren in menige veldslag op Italiaanse bodem aan die dieren gewend geraakt. Bovendien hadden ze geleerd hoe ze de aanvalskracht van de olifanten teniet konden doen door ruimte open te laten tussen de afdelingen, zodat de beesten er tussendoor konden hollen zonder al te veel slachtoffers te maken.

Bij Zama vielen de olifanten niet eens aan. Ze schrokken van de trompetten en renden terug inplaats van naar voren, zodat ze verwarring stichtten onder de Numidische ruiters, die de linkervleugel vormden van Hannibals leger.

Masinissa zag zijn kans, en voor de ruiters zich hersteld hadden, viel hij aan en joeg hen op de vlucht. De Carthaagse ruiters van de rechtervleugel werden door Laelius, de grote vriend en onderbevelhebber van Scipio, verslagen. Er bleven nog de zwaarbewapende troepen over. Eerst moesten de huursoldaten worden verslagen en hoewel zij dapper vochten, konden ze niet tegen de Romeinen op. Ze gaven de moed pas op toen ze bemerkten, dat ze nog geen steun kregen van de Carthaagse soldaten. Ze sloegen op de vlucht en veroorzaakten daardoor de grootste verwarring. De Romeinen achtervolgden hen en doodden velen.

Hannibal bevond zich bij de afdeling veteranen, die hij in reserve had gehouden. Scipio gaf nu bevel deze laatste groep aan te vallen. Er ontstond een hevige strijd, want de veteranen gaven geen duimbreed grond prijs en bleven staan tot ze tenslotte gedood werden. Pas toen Laelius en Masinissa van hun achtervolging terugkeerden en Hannibal van achteren aanvielen, werd de uiteindelijke overwinning behaald. Het aantal gesneuvelden was zeer groot.

Men vertelt, dat twintigduizend Carthagers werden gedood en dat er bijna evenveel gevangenen werden gemaakt. De Romeinen verloren vijftienduizend man. Hannibal wist te ontkomen en ging naar Carthago.

Hoofdstuk 72

SCIPIO MAG EEN TRIOMFTOCHT HOUDEN

Na de slag bij Zama, in 202 v.Chr., was de oorlog ten einde, want de Carthagers hadden geen leger meer. Ze konden slechts de vredesvoorwaarden van Rome accepteren of de stad Carthago laten belegeren.
Daar onderwerping onvermijdelijk was, besloten ze zich daar zo goed mogelijk in te schikken. Ze zonden een van hun schepen, van olijftakken voorzien, met gezanten naar Utica. Ze hoopten dat het schip Scipio zou tegenkomen, die op weg was naar de stad Tunes. De Romeinse bevelhebber weigerde echter hooghartig hen te ontvangen voor hij zijn bestemming had bereikt. Het onderhoud met de gezanten was kort, zijn antwoord trots.
„Gij verdient niet anders dan straf," zei hij, „maar Rome heeft besloten u grootmoedig te behandelen, mits gij met de voorwaarden accoord gaat."
De ontmoedigde gezanten durfden daar niets op te zeggen, want ze wisten dat ze niets in te brengen hadden. De voorwaarden waren inderdaad hard, maar Carthago bleef een vrij land.
De Carthagers werden natuurlijk ook gestraft voor het verbreken van de wapenstilstand. De schepen en levensmiddelen die zij in beslag hadden genomen, moesten worden teruggegeven. Alle gevangenen en weggelopen slaven moesten teruggestuurd worden. De olifanten, die zulk een belangrijke rol hadden gespeeld bij de oorlogvoering, moesten aan de Romeinen worden afgestaan, evenals alle oorlogsschepen op twintig na. Maar dat was niet alles. Ze moesten beloven geen oorlog te zullen voeren in vreemde landen, ze mochten zelfs geen oorlog voeren in Afrika zonder aan Rome vergunning te vragen. Masinissa moest al zijn land en bezittingen terugkrijgen. Dat waren de voornaamste eisen van Rome.
Onder de Carthagers waren er verscheidene, die de voorwaarden wilden afwijzen. Want, zeiden ze, als ze geaccepteerd worden, zal onze handel verlamd zijn en ons leger niet in staat zijn om Masinissa tegen te houden.

Maar Hannibal was bij de besprekingen aanwezig en zei tot zijn landgenoten, dat ze dankbaar moesten zijn dat de voorwaarden niet nog strenger waren. Toen een van de senatoren nog bleef aandringen op verzet, trok Hannibal hem aan zijn mantel op zijn zetel terug en zei bij wijze van verontschuldiging: „Ik ben al zo lang krijgsman, dat ik de burgerlijke beleefdheid vergeten heb”.
Daar er geen andere mogelijkheid bestond, werden de voorwaarden aangenomen en Scipio, die in Afrika klaar was, keerde naar Rome terug. In Italië werd hij onderweg overal toegejuicht als de bevrijder van Rome. Want had hij niet de overwinnaar van Cannae verslagen? Zijn triomftocht was de prachtigste die men ooit had gezien. Gedurende verscheidene dagen werden er spelen gehouden in Rome en Scipio gaf het geld daarvoor. Ter ere van zijn grote overwinning kreeg hij de naam van het land dat hij overwonnen had, en voortaan noemde men hem Scipio Africanus. Zo'n bijnaam betekende bij de Romeinen hetzelfde als bij ons een ridderorde.

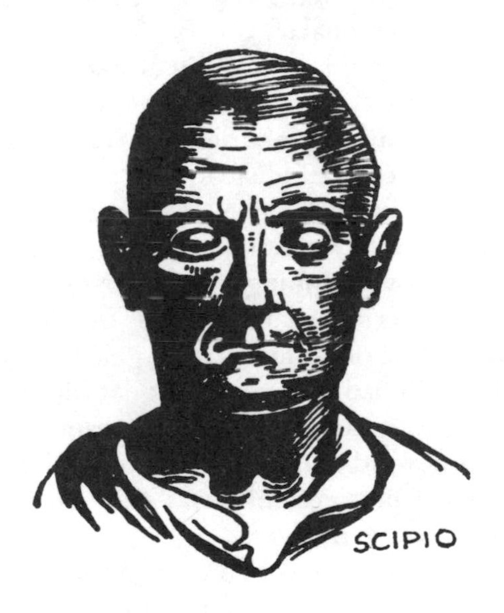
SCIPIO

Hoofdstuk 73

FLAMININUS WORDT GEHULDIGD

Tien jaar voor het einde van de strijd tegen Hannibal had Rome de oorlog verklaard aan Philippus, de koning van Macedonië die na enige aarzeling zich aan de zijde van Carthago had geschaard, toen het de Romeinen slecht ging. Dat was het begin van een oorlog, die eindigde met de onderwerping van het Oosten.
De Romeinen bemerkten spoedig dat ze, zolang Hannibal in Italië was, geen tijd en geen soldaten konden missen om tegen Macedonië te vechten. En daarom werd Philippus voorlopig ongemoeid gelaten, al sloot hij een verdrag met Hannibal en al stond hij vierduizend Macedoniërs af voor het Carthaagse leger.
Maar toen de vrede met Carthago gesloten was, duurde het niet lang voor de rekening met Philippus vereffend werd. Een leger van twintigduizend man stak de Adriatische zee over om hem te straffen. Consul Flamininus was de bevelhebber van het Romeinse leger in Griekenland en in de herfst van 197 v.Chr. kwam het tot een treffen met Philippus bij Cynoscephalae.
In de ochtend voor de strijd begon, hing er een dichte mist. Flamininus wilde weten waar de vijand zich bevond en zond een afdeling ruiters op verkenning uit. Deze afdeling kwam onverwachts tegenover de Macedonische reserves te staan, die zich op de top bevonden van een heuvel, die Cynoscephalae of Hondekop heette. Daar de Macedoniërs zich hoger bevonden, waren ze in het voordeel en ze behaalden een kleine overwinning. Opgewonden en verheugd over dat succes zonden zij koeriers naar Philippus met het goede nieuws en drongen er op aan, dat hij onmiddellijk het gehele leger zou opstellen. De koning aarzelde. Hij had niet verwacht dat hij die dag zou moeten vechten en had een groot aantal soldaten uitgezonden om proviand te zoeken. Bovendien bevond zijn leger zich op een oneffen steile helling, die in het geheel niet geschikt was voor de phalanx, waarvoor een flinke ruime vlakte nodig was.
De Macedonische phalanx was voor het leger van Philippus even belangrijk als de olifanten voor dat van Hannibal. Hij werd gevormd

door zestienduizend man, die zestien rijen diep dicht op elkaar stonden en met lange speren waren gewapend. De speren werden zo gehouden, dat die van de eerste vijf rijen een muur van stalen punten vormden. De elf volgende rijen hielden hun schilden schuin boven de hoofden van hun voorgangers om hen tegen pijlen te beschermen.
De soldaten in de phalanx marcheerden zo dicht op elkaar, dat ze alleen maar rechtuit konden gaan. Hun speren konden ook slechts in die ene richting worden gebruikt. In de dagen van Pyrrhus hadden de Romeinen een aanval van de phalanx gevreesd, maar nu niet meer. Ze waren lichtbewapend, konden zich vlug bewegen en hadden geleerd hoe ze in zulk een geval moesten handelen.
Op deze mistige ochtend van het jaar 197 v.Chr. gaf Philippus na enige aarzeling toe aan de verlangens van zijn soldaten. Hij stelde zijn rechtervleugel op in de phalanx en leidde die naar de vijandelijke linkervleugel. De compacte massa soldaten kwam met zulk een onweerstaanbare kracht de helling af, dat de Romeinen uiteengedreven werden. Voor Philippus echter zijn linkervleugel op het moeilijke terrein op kon stellen, hadden de Romeinen die aangevallen en op de vlucht gejaagd. Toen ondernam een van de tribunen op eigen initiatief een poging, die met succes werd bekroond en aan de Romeinen de overwinning bezorgde.
In plaats van met zijn soldaten de achtervolging in te zetten op de linkervleugel, zoals de anderen deden, voerde hij hen naar de achterzijde van de phalanx. De koning zag plotseling dat er iets mis was. Soldaten wierpen de wapens weg en sloegen op de vlucht. En de Romeinen die zojuist verdreven waren, keerden zich om en hernieuwden de aanval. Philippus klom hoger de heuvel op en toen begreep hij wat er was gebeurd. Hij zag dat de soldaten van achteren werden aangevallen en een goed heenkomen zochten. Hij verzamelde de rest van zijn ruiters en vluchtte.
Hij voorzag, dat deze nederlaag een grote slag zou zijn voor de invloed van Macedonië in Griekenland. Voortaan zou Griekenland eerder de hulp van Rome inroepen dan die van Macedonië. Philippus besefte, dat het weinig nut had de strijd voort te zetten. Met de rest van zijn leger trok hij daarom naar zijn eigen gebied terug.
Het bericht van de overwinning bij Cynoscephalae werd in Rome

met vreugde ontvangen, maar belangrijker was het feit dat er vrede was. De Romeinen hadden genoeg van onophoudelijk oorlogvoeren. Gedurende 196 v.Chr. bleef Flamininus in Griekenland om de definitieve voorwaarden op te stellen en de nodige regelingen te treffen. Op de Isthmische spelen, die in juli in Corinthe gehouden werden, zou hij zijn beslissingen bekend maken.
Die spelen trokken altijd veel mensen, maar dat jaar was het aantal groter dan ooit, omdat iedereen wilde weten wat Rome had besloten. Op de vastgestelde dag, toen allen bijeengekomen waren op de renbaan, weerklonken plotseling de trompetten. Toen het stil was geworden, las een heraut met luide stem: „De senaat van Rome en Quinctius Flamininus verklaren, dat nu koning Philippus en de Macedoniërs zijn overwonnen, de volgende steden vrij zullen zijn en geen schatting behoeven te betalen . . ."
Het gejuich dat op deze mededeling volgde, overstemde de verdere woorden van de heraut. Toen hij zich weder verstaanbaar kon maken, las hij nogmaals de namen op. De dankbare Grieken verdrongen zich om Flamininus heen en omhingen hem met kransen. De druk van de opdringende menigte was zo groot, dat Flamininus hen moest verzoeken hem ruimte te geven.
Twee jaar later trof hij voorbereidingen om naar Rome terug te keren. Hij riep de vrije steden van Griekenland bijeen om ze voor de laatste maal toe te spreken. Bij die gelegenheid beloofde hij, dat de garnizoenen van nog drie steden zouden worden teruggeroepen. Wederom toonden de Grieken zich zeer dankbaar en toen het gejuich verstomd was, zei Flamininus dat zij een bewijs van hun goede wil konden leveren door de Romeinen vrij te laten die als slaaf in hun dienst waren, nadat zij destijds door Hannibal krijgsgevangen gemaakt en als slaven verkocht waren.
Toen Flamininus de kust van Epirus bereikte, waar zijn vloot lag, vond hij daar een grote groep vrijgelaten slaven, die de Grieken uit dankbaarheid hadden gestuurd.
Maar de vreugde en dankbaarheid van de Grieken zouden in later jaren in woede verkeren toen ze ondervonden dat de Romeinen niets anders wilden dan de baas in Griekenland spelen. Het eind was dat het land een Romeinse provincie werd.

Hoofdstuk 74

DE DOOD VAN HANNIBAL

De Aetoliërs waren vroeger een wilde stam. Ze leefden in de bergen van Griekenland en aten rauw voedsel. Vele jaren later, toen zij iets beschaafder waren geworden, werden zij een van de machtigste volken van Griekenland.

In de oorlogen met Macedonië vochten de Aetoliërs, die van mening waren dat ze door koning Philippus V niet rechtvaardig werden behandeld, aan de zijde van Rome. En na de slag bij Cynoscephalae beweerden zij, dat de overwinning aan hen te danken was.

Zij konden ook niet goed met Flamininus overweg en mopperden, dat zij er weinig mee waren opgeschoten hem te hebben geholpen. Ze waren zo ontevreden, dat ze besloten het Romeinse juk af te schudden, maar om dat te kunnen doen hadden ze hulp nodig. Ze wendden zich tot Antiochus III, de koning van Syrië, en verzochten hem Griekenland te bevrijden van de Romeinse overheersing.

Antiochus was in Egypte al door de Romeinen schaakmat gezet en nu hij wist hoe sterk zij waren, aarzelde hij om de Aetoliërs bijstand te beloven. Maar in die dagen kwam de grote Carthaagse bevelhebber Hannibal aan het hof te Ephesus en bood de koning zijn diensten aan. Het was nu zeven jaar geleden dat Rome vrede had gesloten met Carthago, en al die tijd had Hannibal hard gewerkt voor het welzijn van zijn land. Ondanks de harde vredesvoorwaarden was hij erin geslaagd de stad weer tot bloei te brengen.

Rome begon naijverig te worden op het herstel van de stad, die zij als haar concurrent beschouwde. Beïnvloed door de senator Cato begon men te denken, dat Rome nooit veilig zou zijn vóór Carthago verwoest was. In ieder geval was Hannibal gevaarlijk voor Rome en daarom eiste men zijn uitlevering.

Hannibal had, zoals iedere vernieuwer, ook vijanden in zijn eigen land, en hij besefte dat hij Carthago zou moeten verlaten als hij niet in handen van de Romeinen wilde vallen. Hij vluchtte dus en bereikte na enkele avonturen Ephesus, waar hij Antiochus zijn diensten aanbood.

De komst van de Carthaagse bevelhebber gaf misschien de doorslag bij het besluit van de koning om de Aetoliërs te helpen bij hun strijd tegen Rome. Maar hoewel Antiochus Hannibal hartelijk ontving, wilde hij niet naar zijn raad luisteren.
Toen Hannibal de troepen van de koning zag, wist hij dat ze het niet zouden kunnen opnemen tegen de goedgeoefende Romeinse legioenen. Hij zei dat ronduit tegen Antiochus en raadde hem aan Italië van zee uit aan te vallen. Zelf zou hij dan het bevel over de vloot willen voeren.
De koning was er echter van overtuigd dat zijn soldaten even goed waren als de Romeinse. Bovendien wilde hij in geen geval Hannibal met het opperbevel belasten, want als er dan een overwinning werd behaald, zou de eer daarvan aan de Carthager ten deel vallen. Het leek wel alsof Antiochus jaloers was.
Hannibal zag dat de koning niets voelde voor zijn eerste plan en stelde iets anders voor. „Maak Philippus van Macedonië tot uw bondgenoot," zei hij, „want anders doen de Romeinen dat." Antiochus wilde daar ook niets van weten, en zoals Hannibal had voorzien, verzekerden de Romeinen zich van de hulp van Philippus.
In 193 v.Chr. kwamen er gezanten van Rome naar het hof van Antiochus. De koning was er niet, omdat hij in de rouw was over de dood van zijn zoon, die hij, naar verluidde, zelf uit jaloezie had vergiftigd. Maar Hannibal was er wel en die ging zo vriendschappelijk met de Romeinen om, dat de hovelingen achterdochtig werden en de koning van hun vermoedens in kennis stelden.
Toen Antiochus aan het hof was teruggekeerd, deed Hannibal al het mogelijke om die achterdocht weg te nemen en vertelde hij zelfs, hoe hij als kind de gelofte had afgelegd de Romeinen altijd te zullen haten.
Er wordt verteld, dat Scipio Africanus een van de gezanten was en dat hij Hannibal op een keer vroeg, wie volgens hem de grootste bevelhebber was die ooit geleefd had.
„Alexander", zei Hannibal.
„En daarna?" vroeg Scipio.
„Pyrrhus", was het antwoord.
„Wie als derde?" vroeg de Romein toen.
„Ikzelf", antwoordde Hannibal.

„Wat zoudt ge dan gezegd hebben", vroeg Scipio, „als ge mij had overwonnen?"
„Dan zou ik gezegd hebben, dat ik groter was dan Alexander of Pyrrhus", zei Hannibal onmiddellijk.
In het begin van de lente van 192 v.Chr. hadden de Romeinse gezanten een onderhoud met de koning. Antiochus weigerde te luisteren naar hun eis, dat hij de Griekse steden die een beroep op Rome hadden gedaan, met rust zou laten.
Een oorlog was nu onvermijdelijk, maar voor die begon hadden de officieren de koning ervan overtuigd, dat hij Hannibals raad niet moest opvolgen en dat hij hem geen verantwoordelijke positie moest geven. Hannibal kreeg dus slechts een ondergeschikte functie op de vloot.
De oorlog eindigde met de nederlaag van Antiochus. Een van de vredesvoorwaarden was, dat in ieder geval Hannibal uitgeleverd moest worden. Hij moest dus weer vluchten. In 190 v. Chr. kwam hij op Kreta aan en korte tijd later bevond hij zich aan het hof van Prusias, de koning van Bithynië. Hij nam daar dienst en behaalde een grote overwinning voor de koning. Ongelukkigerwijze was daar een van Rome's bondgenoten bij betrokken en weer vroeg Rome om uitlevering van Hannibal. Prusias was Hannibal wel dankbaar, maar hij was niet sterk genoeg om tegen Rome in te gaan.
Ditmaal was ontsnappen niet mogelijk, want de koning had Hannibals huis onmiddellijk laten bewaken. De dood was beter dan als gevangene in een triomftocht door de straten van Rome te moeten lopen, en dus nam Hannibal vergif in. Zo stierf in 183 v.Chr. deze grote krijgsman op vierenzestigjarige leeftijd.
Twaalf jaar later zaaide Antiochus IV onrust in Egypte en de Ptolemaeen (de Macedonische koningen van Egypte) vroegen Rome om hen tegen de koning van Syrië te beschermen.
In 168 v.Chr. zond Rome Popilius naar Egypte om te protesteren. Vier mijl buiten Alexandrië ontmoette hij Antiochus. Deze hoopte de gezant door hoffelijkheid te ontwapenen en kwam met uitgestrekte hand op hem toe. Popilius liet zich daardoor niet van zijn stuk brengen. Hij overhandigde de koning de boodschap van Rome, waarin stond dat hij Egypte niet mocht bedreigen of aanvallen.

De koning las de boodschap, en hoewel hij wist dat hij zou moeten gehoorzamen, zei hij trots tegen Popilius: „Ik zal eerst overleg moeten plegen met mijn raadgevers, voor ik hierop kan antwoorden". Popilius bukte zich zwijgend en trok met zijn stok een cirkel op de grond om de koning heen. „Voor gij uit de cirkel stapt, die ik om U heen heb getrokken, moet ik Uw antwoord hebben", zei de Romein. Antiochus scheen door die stoutmoedigheid geïmponeerd te zijn, want hij gaf zonder meer toe. Daarop begroette Popilius hem met alle eerbewijzen, alsof hij zojuist was aangekomen en hem audiëntie was verleend. Toen verzocht Popilius de koning beleefd om een tijdstip vast te stellen, waarop hij zijn troepen uit Egypte terug zou trekken.

Hoofdstuk 75

CATO EN CARTHAGO

Toen Scipio met zijn vloot uit Lilybaeum op Sicilië vertrok, bevond Cato zich aan boord van een van de schepen. Misschien ontstond toen al zijn haat tegen Carthago. In ieder geval was het in later jaren zijn enige wens, dat Carthago verwoest zou worden.
Cato had zijn land gediend als praetor op Sardinië. In 195 v.Chr. werd hij consul en het jaar daarna kreeg hij Spanje als provincie toegewezen. Overal stond hij bekend als een eerlijk en rechtvaardig Romein, die weelde verachtte en zelf eenvoudig leefde.
In 184 v.Chr. werd hij tot censor benoemd en in die functie begon men hem te vrezen, zo streng was zijn oordeel. Zijn redevoeringen waren dikwijls bitter en wekten de verontwaardiging van zijn toehoorders op.
De censor kon niet goed met Scipio overweg. Want deze was een bewonderaar van de Griekse cultuur en op zijn raad werden vele Romeinse jongelieden door Grieken onderwezen. Cato had weinig op met die geleerdheid. Hij hield van het rustige ouderwetse leven van vroeger. Cincinnatus was zijn ideaal van een Romeins burger en hij zou het liefst hebben gezien, dat de edelen nog op hun boerderijen woonden, de akkers ploegden en die alleen verlieten als de staat hen riep.
Dit was de man, die in de senaat zei: „Elke rede die ik hier houd, zal eindigen met de woorden 'Carthago moet verwoest worden' ". Eens toen hij weer in de senaat sprak, haalde hij een paar verse vijgen tevoorschijn. Hij hield ze omhoog, zodat iedereen ze zien kon en zei: „Deze vruchten komen uit Carthago, een stad die slechts drie dagen varen van hier ligt. Ik zeg dat het niet goed is, dat zulk een welvarende stad zo dicht bij Rome ligt. Carthago moet verwoest worden!"
Die steeds weer herhaalde woorden misten hun uitwerking niet. Maar er moest een aanleiding zijn om de oorlog aan Carthago te kunnen verklaren. En in 149 v. Chr. vond men die.
Bij het verdrag dat na de slag bij Zama was gesloten, hadden de Carthagers moeten verklaren dat zij geen oorlog zouden voeren tegen een

van Rome's bondgenoten. En Masinissa was geen prettige buurman voor de Carthagers, want hij veroorzaakte herhaaldelijk moeilijkheden ook op aanstoken van Rome.
Een halve eeuw lang hield Carthago zich aan het verdrag. Ondanks de plundertochten van Masinissa was de stad weer groot en rijk geworden. Het was nu dus eenvoudig om een leger op de been te brengen en tegen de lastige buurman op te treden. Dat leger stond onder bevel van een nieuwe Hasdrubal.
Rome wist wat er in Carthago plaatsvond, maar kwam nog niet tussenbeide. Men wachtte tot de stad door de strijd tegen Masinissa verzwakt zou zijn.
In 151 v.Chr. trok het Carthaagse leger ten strijde en vond een grote veldslag plaats. Die duurde een gehele dag, maar geen van beide partijen wist een overwinning te behalen. Masinissa was nog een bekwaam bevelhebber, al was hij nu ongeveer negentig jaar oud. Kort na de veldslag slaagde hij erin de vijand naar een woestijnachtig gebied te lokken. Hij omringde toen het leger en zorgde ervoor, dat geen enkele soldaat er op uit kon trekken om voedsel of water te zoeken. Honger en ziekte noodzaakten toen de Carthagers om zich op genade of ongenade over te geven.
Hasdrubal en de soldaten die nog niet waren omgekomen, mochten naar Carthago terugkeren en Masinissa beloofde dat ze veilig zouden zijn. Maar hij verbrak die belofte, want hij liet toe dat zijn zoon Gulussa de soldaten, die uitgehongerd waren en hun wapens hadden moeten afstaan, achtervolgde en vermoordde. Slechts een enkeling wist Carthago te bereiken.
Masinissa was zeer verheugd, want hij geloofde dat hij nu de macht in dat gebied in handen had. De Carthagers zouden zich zeker niet langer verzetten. Hij zou Numidië en Carthago tot één rijk maken. Hij vergat alleen, dat Rome ook nog een woordje meesprak. Prompt ontving hij dan ook het bevel om Carthago niet bij Numidië te voegen. De senaat zou er zelf voor zorgen, dat de stad verwoest werd.

Hoofdstuk 76

DE STRENGE VOORWAARDEN

Carthago bemerkte spoedig, dat het niet Masinissa was die de lakens uitdeelde. De Carthagers wisten, dat ze gestraft zouden worden omdat ze de wapens hadden opgenomen tegen de Numidiërs. Daarom besloten ze de Romeinen de wind uit de zeilen te nemen door Hasdrubal en de andere leiders van de groep die op oorlog had aangedrongen, ter dood te veroordelen. Daarna zonden zij gezanten naar Rome om te vertellen, dat alleen de ter dood veroordeelden schuldig waren aan het verbreken van het verdrag.

De gezanten werden koel ontvangen en kregen te horen, dat niet alleen de leiders, maar geheel Carthago moest boeten voor het verbreken van het vredesverdrag. Ondertussen gaf Utica, een goed-versterkte stad, die bijna even machtig en rijk was als Carthago, zich over.

Dat verschafte de Romeinen een uitstekende haven, waar zij troepen aan land konden zetten, en zij verklaarden meteen de oorlog aan Carthago. De twee consuls werden met een groot leger naar Sicilië gezonden, vanwaar zij naar Afrika zouden oversteken. Met was hun taak om Carthago te verwoesten.

Toen de Carthagers de oorlogsverklaring ontvingen, zonden ze weer gezanten naar Rome, die de boodschap overbrachten dat de stad zich wilde overgeven. Als dat aanbod werd aanvaard, kon Carthago behandeld worden als een stad die in een oorlog wordt veroverd. Maar vaak werd van dat recht geen gebruik gemaakt, als een stad zich uit vrije wil overgaf. In de hoop dat Rome genadig zou zijn, bood Carthago daarom overgave aan.

De Romeinse senaat aanvaardde dat voorstel en eiste, dat binnen dertig dagen driehonderd gijzelaars op Sicilië zouden zijn aangekomen. Maar daarna moest Carthago ook de verdere bevelen opvolgen. Was daaraan gevolg gegeven, dan zouden de Carthagers vrij zijn en hun bezittingen mogen houden.

De Carthagers zonden de gijzelaars, waaronder vele kinderen. Toen de schepen waarmee ze vervoerd zouden worden, zeilree waren, verzamelden de beroofde ouders zich aan de waterkant. In hun wanhoop

liepen enkele moeders de zee in en grepen de touwen vast waaraan de schepen gemeerd lagen. Maar dat kon het vertrek niet verhinderen.
Ondanks de komst van de gijzelaars staken de consuls van Sicilië over en landden te Utica. Gezanten uit Carthago kwamen vragen naar wat er bedoeld werd met 'verdere bevelen'. „De Carthagers moeten hun wapens en wapenrusting inleveren", kregen zij te horen. Dat was een zware slag. „Maar", zeiden de consuls, „zij die in vrede wensen te leven, die onder bescherming staan van het machtige Rome en aan wie vrijheid en onafhankelijkheid gegarandeerd zijn, hebben geen wapenen nodig".
De gezanten beloofden dat ook dit bevel zou worden opgevolgd, al viel het hun hard. En enige tijd later ging een lange rij wagens, volgeladen met wapens en katapulten, uit Carthago op weg naar het Romeinse kamp. Ze vervoerden tweehonderdduizend wapenrustingen en twee duizend katapulten. Het werd een plechtige processie: gezanten, priesters, senatoren, vooraanstaande burgers, allen gingen mee om dat zware offer te brengen.
Nog waren de Romeinen niet tevreden. De Carthagers moesten nu hun stad verlaten en mochten zich niet binnen tien mijl van de zee vestigen. Deze laatste voorwaarde was de hardste. Dit was het ergste dat men de Carthagers aan kon doen. Smeekbeden hielpen niet en er mochten ook geen nieuwe gezanten naar Rome worden gezonden.

Hoofdstuk 77

DE CARTHAGERS VERDEDIGEN HUN STAD

De gezanten van Carthago zagen zich dus voor een zeer zware taak geplaatst. Er waren er zelfs, die niet naar de stad terug durfden om de burgers te vertellen welk een verschrikkelijk lot hun wachtte. Andere gezanten smeekten de consuls in ieder geval een vloot naar de haven te sturen om te bevolking duidelijk te maken, dat het hopeloos zou zijn om nog tegenstand te bieden. Dat zouden de consuls doen.
Terneergeslagen gingen zij naar de stad terug. Ze wisten dat de bur-

gers woedend zouden zijn, als ze hoorden wat de laatste wrede eis van Rome was. Zodra zij de poort binnenkwamen, verdrongen de Carthagers zich om hen heen en wilden zij weten wat er aan de hand was. Zwijgend baanden de gezanten zich een weg door de menigte en begaven zich naar de senaat. Daar vertelden ze welk vonnis Rome over hun stad had uitgesproken. De senatoren schreeuwden het uit van verontwaardiging. De mensen buiten hoorden dat, konden niet langer wachten en drongen de vergadering binnen. Ze wilden de waarheid weten.

De senatoren deelden mede wat Rome verlangde, en verscheidene burgers begonnen hen uit te schelden, omdat zij het waren die aangeraden hadden de stad over te geven. Grote groepen renden de stad in en mishandelden elke Romein die ze konden vinden. De stadspoorten werden gesloten, alsof men vreesde dat de Romeinse legioenen al in opmars waren. De tempels stroomden vol met wanhopigen, die de goden smeekten de ramp af te wenden. Toen de grootste verontwaardiging gezakt was, werd in de volksvergadering besloten dat de stad tot het uiterste verdedigd zou worden.

Ze hadden weliswaar geen bondgenoten, geen wapens en geen schepen, maar ze wilden liever op de muren van hun stad sterven dan als bannelingen leven. Zodra het besluit gevallen was, begonnen de burgers met man en macht te werken. Dag en nacht zwoegden mannen en vrouwen zonder ophouden en het leek, alsof de gehele stad één reusachtige werkplaats was geworden.

Iedere dag kwamen honderd schilden, driehonderd zwaarden, vijfhonderd werpspiesen en een aantal katapulten gereed. Men zegt, dat de vrouwen hun haar afknipten om koorden te kunnen vlechten voor de katapulten.

De slaven in de stad werden vrijgelaten, omdat ze dan waarschijnlijk beter zouden vechten. Hasdrubal, die ter dood was veroordeeld in een poging om de Romeinen milder te stemmen, maar wiens vonnis nog niet ten uitvoer was gelegd, werd in ere hersteld en met het opperbevel belast. Hoewel de senaat hem zo onrechtvaardig veroordeeld had, was hij voor zijn land blijven werken en had hij een leger van twintigduizend man op de been gebracht.

De consuls wisten nog niet, dat ze te ver waren gegaan in hun eisen.

Ze maakten geen haast met hun opmars naar Carthago, omdat ze in de mening verkeerden dat er geen tegenstand meer zou geboden worden.
Maar toen ze tenslotte de stad bereikten, wachtte hun een ontgoocheling. De Carthagers schenen over voldoende wapenen te beschikken. De Romeinen werden ontvangen met een regen van pijlen en stenen en zouden moeten vechten. Tweemaal werden de Romeinse aanvallen afgeslagen. Het bleek onmogelijk de stad op deze wijze te nemen en de consuls konden niet anders doen dan het beleg ervoor slaan.
Een heel jaar lang deden de Romeinen hun best om de stad in handen te krijgen, maar al hun pogingen waren tevergeefs. Zelfs op het slagveld konden ze geen succes boeken. Cato stierf terwijl de stad nog dapper door de inwoners werd verdedigd. Masinissa, die evenals Cato een groot vijand van Carthago was geweest en een bron van herhaalde moeilijkheden, was ook gestorven, en nog steeds stonden de Romeinen buiten de muren.
Het jaar 148 v.Chr. ging voorbij en de senaat van Rome begon ongeduldig te worden. Het was duidelijk, dat de consuls er nooit in zouden slagen de stad te veroveren, en men besloot een bevelhebber te zenden die dat wel kon.
Onder de officieren in het leger van de consuls was er één, die daarvoor in aanmerking kwam. Dat was Scipio, de aangenomen kleinzoon van de grote Scipio Africanus.
Hij was zeer geliefd bij de soldaten, want meer dan eens had hij hen gered als zij zich in een moeilijke positie bevonden door de onbekwaamheid van hun aanvoerders. Cato had reeds gehoord van de dappere daden van deze jonge officier en gezegd: „Hij alleen heeft de adem des levens in zich, de anderen zijn slechts geesten”.
Volgens de Romeinse wetten was Scipio nog te jong om tot consul te worden benoemd. Niettegenstaande dat keerde hij in 147 v.Chr. naar Rome terug om tot consul gekozen te worden en kreeg het opperbevel over het leger in Afrika.

Hoofdstuk 78

DE VERWOESTING VAN CARTHAGO

Onder de vorige consuls was de discipline in het leger slap geweest. Toen Scipio naar Afrika terugkeerde, was het zijn eerste taak om een strenge discipline in te voeren. De soldaten mochten niet langer op eigen houtje het kamp verlaten om te roven en plunderen; de handelaars en de nieuwsgierigen werden uit het kamp verbannen. Alle luxe werd verboden. Door eenvoudige maaltijden en geregelde oefeningen werd de strijdbaarheid van het leger opgevoerd.
Carthago lag op een schiereiland en was door een landengte met het vasteland verbonden. Aan de andere zijde van die landengte lag Megara, vanwaar Carthago de meeste levensmiddelen aanvoerde.
Scipio besloot Carthago van Megara af te snijden en zo de toevoer van levensmiddelen te verhinderen. Daarom liet hij dwars over de landengte, die drie mijl breed was, loopgraven aanleggen. Daarlangs werden versterkingen gebouwd en toen die klaar waren, was het onmogelijk om over land proviand naar Carthago te brengen.
Toen werd Megara veroverd en Hasdrubal moest zich met zijn leger binnen de muren van de stad terugtrekken. De Carthagers konden nu alleen overzee hun stad bevoorraden en dat was niet eenvoudig. Maar als het flink waaide, waren er genoeg dappere zeelieden die het durfden wagen om langs de Romeinse schepen te varen en voedsel naar de stad te brengen. Ondanks het verlies van Megara kwam er dus nog voldoende voedsel de stad binnen.
Scipio zag in, dat hij ook de haven zou moeten blokkeren en hij liet een dam aanleggen, dwars door de haven heen. Eerst dreven de Carthagers de spot met de Romeinse soldaten, die grote brokken steen naar de haven sleepten, want ze dachten dat het een hopeloze onderneming was. Maar toen ze zagen dat de Romeinen dag en nacht doorwerkten en dat de dam steeds langer werd, verging hun de lust tot spotten. Misschien zouden de Romeinen er inderdaad in slagen de dam te voltooien en dan zou Carthago zonder voedsel zitten.
In het geheim gingen ze daarom ook zelf aan het werk en maakten ze een nieuwe opening van de haven naar zee. Mannen, vrouwen en zelfs

kinderen hielpen mee en tegelijkertijd bouwde men een nieuwe vloot. De schepen moesten van oud hout worden gemaakt, maar dat deerde hen niet. Alle lawaai werd vermeden, zodat Scipio er pas achter kwam toen zijn barricade bijna klaar was. Toen zag hij tot zijn grote verbazing een Carthaagse vloot van vijftig schepen de nieuwe havenuitgang doorvaren.

Drie dagen later vond een grote zeeslag plaats, die van de ochtend tot de avond duurde. Geen van beide partijen behaalde een overwinning. Tenslotte probeerde de Carthaagse vloot om naar de haven terug te keren. Daarbij blokkeerden de kleinere schepen de nauwe doorgang, zodat de grotere moesten wachten. De Romeinen grepen hun kans en vielen onmiddellijk weer aan. De Carthagers vochten wanhopig, maar ze werden verslagen en het grootste deel van de pasgebouwde vloot werd vernield.

De winter naderde en Scipio was er nu in geslaagd alle toegangen tot de stad af te sluiten. De ellende in de belegerde stad was verschrikkelijk. Er werd zulk een honger geleden, dat vele burgers zelfmoord pleegden en andere zelfs het vlees van lijken aten.

In het begin van de lente van het jaar 146 v.Chr. waren de Carthagers zo zwak en uitgeput, dat zij haast geen kracht meer hadden om de aanvallen van Scipio te weerstaan. Hasdrubal liet toen de buitenhaven in brand steken. Maar Laelius maakte van die gelegenheid gebruik om met zijn manschappen over de muur te klimmen. In de verwarring die door de brand was ontstaan, wist hij de poort te bereiken en die open te werpen. Al spoedig was toen de markt in handen van de Romeinen. Van de markt voerden drie smalle straten naar de hoger gelegen burcht. De huizen daarvan waren zes verdiepingen hoog en de inwoners verschansten zich er in. Ze bestookten de opdringende soldaten met alles wat ze maar konden vinden.

Scipio gaf bevel de huizen te bestormen en er ontstonden gevechten van man tegen man. Nog zes dagen lang vochten de wanhopige burgers in deze ongelijke strijd. Steeds weer zond Scipio nieuwe afdelingen naar voren om de vermoeide soldaten af te lossen. Tenslotte werd de burcht bereikt en toen liet hij de huizen in brand steken.

De Carthagers konden niets meer doen en degenen die een toevlucht in de citadel hadden gezocht, gaven zich over op voorwaarde dat hun

leven gespaard zou blijven. Vijftigduizend mannen, vrouwen en kinderen, bleek en uitgehongerd, verlieten de citadel en werden als gevangenen weggevoerd.
Hasdrubal, die de stad zo dapper had verdedigd, vond met zijn vrouw en kinderen en ongeveer negenhonderd gedeserteerde Romeinen een wijkplaats in de tempel van Aesculapius, die ze zelf in brand staken. Hij was echter van mening, dat hij zijn land geen dienst bewees met zijn dood en besloot zijn leven te redden. Hij ontsnapte uit de brandende tempel en wierp zich met een olijftak in de hand voor de voeten van Scipio, die hij om genade smeekte.
Men zegt dat Hasdrubals vrouw op het dak van de tempel stond en haar echtgenoot vervloekte, toen die aan de voeten van de overwinnaar knielde. Ze schreeuwde hem toe dat hij een verrader was, wierp toen haar twee kinderen in de vlammen en sprong hen achterna.
Scipio zond dadelijk een schip naar Rome, beladen met oorlogsbuit. Er heerste grote vreugde in de stad toen het nieuws van de val van Carthago bekend werd. Scipio kreeg bevel zijn werk te voltooien en de stad te verwoesten, iets wat hij naar men vertelt met een zwaar hart deed, omdat er zo dapper voor gevochten was.
Carthago werd dus in brand gestoken en zeventien dagen lang deden de vlammen hun verwoestend werk. Na de brand werd de grond waarop de stad had gestaan, omgeploegd en Scipio riep de vloek der goden uit over ieder die het wagen zou een nieuwe stad te bouwen op de plaats waar Carthago had gestaan.
Voortaan kon ook hij de bijnaam Africanus dragen niet alleen om de verdiensten van zijn grootvader, maar van hemzelf.

Hoofdstuk 79

CORNELIA, DE MOEDER VAN DE GRACCHEN

Cornelia en haar twee zoons, Tiberius en Gaius, zijn in de Romeinse geschiedenis beroemd geworden. Zij was de dochter van de eerste Scipio Africanus, en was met haar vaders toestemming in het huwelijk getreden met de plebejer Tiberius Gracchus. Haar echtgenoot stierf, toen de kinderen nog klein waren en zij stond alleen voor de taak om hen op te voeden.

Prinsen uit vreemde landen hoorden van de wijsheid en de goedheid van deze Romeinse vrouw en reisden naar Rome om haar ten huwelijk te vragen. Koning Ptolemaeus van Egypte wilde haar tot koningin maken.

Maar Cornelia wees die aanzoeken af, omdat ze alle tijd wilde besteden aan de opvoeding van haar zoons. Ze leerde hun het land lief te hebben en vertelde hun verhalen over dappere mannen van Rome, die het leven hadden gegeven voor hun land. Zo groeiden de knapen op met het verlangen ook eens hun land te mogen dienen. Bovendien leerde Cornelia hun, dat ze de armen en onderdrukten moesten helpen.

Op een dag, toen de kinderen nog erg jong waren, kwam een dame op bezoek bij Cornelia. Het was een rijke dame, die buitengewoon trots was op haar juwelen. Cornelia luisterde rustig, terwijl haar bezoekster vertelde over de edelstenen en kostbare sieraden die zij bezat. Toen zij eindelijk uitgepraat was, wilde ze graag de schatten van haar gastvrouw zien. Cornelia bracht haar naar een andere kamer en daar, in diepe slaap, lagen haar kinderen. Ze wees ernaar en zei tegen de verbaasde bezoekster: „Dit zijn mijn juwelen, de enige waar ik trots op ben".

Tiberius was negen jaar ouder dan zijn broer Gaius. De oudste jongen was zachtaardig, maar vastberaden; de jongste heftig en onstuimig. Toen ze groter werden, kwamen die verschillen nog sterker naar voren. Het waren beide goede redenaars, maar Tiberius maakte haast geen gebaren en bleef op dezelfde plaats staan als hij zijn gehoor toesprak. Gaius daarentegen stond geen moment stil. Zijn hartstoch-

telijke woorden werden door gebaren onderstreept en hij liep heen en weer terwijl hij sprak.
De twee broeders stonden bekend als de Gracchen. Ze hadden nog een zuster, die Sempronia heette en getrouwd was met Scipio de Jongere. Tiberius had in Afrika onder zijn zwager gediend en was de eerste geweest, die over de muur van Megara was geklommen. In 137 v.Chr., kort na zijn terugkeer naar Italië, werd hij naar Spanje gezonden. Op weg daarheen kwam hij door Etrurië, waar het land in grote landerijen was verdeeld, die aan de rijken toebehoorden en door slaven werden bebouwd. Op zijn reis door dat land zag hij die slaven aan het werk en hij merkte op, dat ze geketend waren en buitengewoon hard moesten werken. De jongeman had medelijden met hen, want Cornelia had haar zoons geleerd dat slaven ook mensen waren en als zodanig moesten worden behandeld.
Verder wist Tiberius dat veel boerenfamilies, ten gevolge van de Punische oorlogen en de langdurige krijgsdienst van de zoons verarmd, hun akkers hadden moeten verlaten. Ze waren naar Rome getrokken en leidden daar een armzalig bestaan. Men noemde ze proletariërs, d.w.z. kinderbezitters, want iets anders dan kinderen bezaten ze niet. Wanneer de mannen hun stem uitbrachten op een van de Optimaten kregen ze daarvoor in ruil dagelijks wat voedsel.
Tiberius vroeg zich af waarom het land alleen aan de rijken moest toebehoren. Was dit land niet door Romeinse burgers veroverd? En vele van die burgers vochten nu tegen de armoede in plaats dat ze een deel kregen van de grond waarvoor ze gevochten hadden. Toen herinnerde hij zich, dat de oude Licinische wetten het bezit van veel veroverd land verboden. En hij besloot, wanneer hij in Rome was teruggekeerd, er bij de senaat op aan te dringen, dat die wet weer van kracht zou worden, zodat de armen het land met de rijken konden delen.
Toen de tijd van zijn terugkeer was aangebroken, was hij nog steeds vol van zijn hervormingsplannen. Thuisgekomen vertelde hij zijn moeder wat hij wilde doen voor de slaven en de arme burgers en hij vroeg haar om raad. Cornelia stelde veel belang in wat haar zoon te vertellen had en zei tegen hem: „Men heeft mij de dochter van Scipio genoemd, maar later zal men mij de moeder van de Gracchen noe-

men", want zij geloofde dat haar beide zoons zich zouden onderscheiden. In 133 v.Chr. stelde Tiberius zich candidaat voor de functie van volkstribuun. Hoewel hij nog jong was, werd hij gekozen, omdat de burgers wisten dat hij aan hun zijde stond.

Hoofdstuk 80

TIBERIUS EN ZIJN VRIEND OCTAVIUS

De senaat en de rijke grondbezitters waren niet zeer ingenomen met de benoeming van Tiberius. Zij wisten dat hij hervormingen wilde invoeren waar zij niet voor voelden. Tiberius was verstandig genoeg om te proberen de machthebbers gunstig te stemmen. Daarom was zijn eerste maatregel niet zo schokkend als zijn tegenstanders hadden verwacht. De jonge hervormer zei zelfs, dat degenen die veel land zouden verliezen indien de oude Licinische wetten van kracht werden, schadeloos gesteld zouden worden.
Hoewel de rijke grondbezitters die concessie niet hadden verwacht, waren ze uiteraard zeer verontwaardigd, en ze probeerden dan ook op alle mogelijke manieren de zaken anders voor te stellen. Ze vertelden de plebejers, dat hun lot nog slechter zou worden als die wet aangenomen werd.
Om te voorkomen dat de plebejers zouden gaan denken, dat de grondbezitters beter wisten dan hij wat goed voor hen was, besloot Tiberius om hun precies te vertellen wat hij dacht over hun armoede en hun strijd om het bestaan. In de volksvergadering richtte hij onder meer de volgende woorden tot hen.
„De wilde dieren in Italië hebben hun holen en hun leger, maar de mannen die voor het land hebben gevochten, hebben slechts de open lucht en de hemel als dak. Met hun gezinnen zwerven zij rond, van huis en haard beroofd. Het is een aanfluiting dat een bevelhebber zijn soldaten voor de veldslag aanspoort om te vechten voor de graven van hun voorouders en hun huis-altaar, want geen van hen heeft een huis dat hem door zijn voorvaderen is nagelaten, en niemand bezit de grond waarin zijn voorouders liggen begraven. Zij vechten en val-

len om anderen te laten profiteren. Ze worden de meesters der aarde genoemd en kunnen niet één kluit aarde de hunne noemen".
Die woorden sloegen in bij de plebejers en ze wilden geen woord tegen hun volkstribuun meer horen. Van de mede-tribunen kon Tiberius nauwelijks hulp verwachten, behalve misschien van zijn vriend Octavius. Inderdaad weigerde Octavius eerst om tegen het voorstel van zijn vriend te stemmen, maar later bezweek hij onder de druk van anderen.
Daarmee was het lot van het voorstel bezegeld, want indien één van de tribunen tegen een maatregel was, konden de anderen niets doen. Tiberius wilde dat voorkomen en drong er bij Octavius op aan om niet tegen te stemmen. Octavius was zelf grootgrondbezitter en daarom bood hij zelfs aan om hem schadeloos te stellen. Octavius liet zich niet overhalen en niet omkopen.
Toen besloot Tiberius een andere politiek te volgen. Hij stemde tegen alle voorstellen die door de anderen gedaan werden en verzegelde de schatkist, zodat er geen geld beschikbaar was. De grondbezitters wisten dat Tiberius niet zou rusten voor hij zijn doel had bereikt. Om uiting te geven aan hun gevoelens liepen ze in rouwkleren rond. Maar ze deden meer dan dat. Ze riepen hun aanhangers bijeen, zodat ze desnoods met geweld tegen Tiberius zouden kunnen optreden. Er werden ook samenzweringen tegen hem op touw gezet, maar hij kwam dat te weten en droeg voortaan een dolk onder zijn mantel.
De grondbezitters hadden gelijk, toen ze geloofden dat Tiberius niet zou rusten vóór het volk over zijn voorstel had gestemd. Hij was niet alleen vastbesloten om de stemming door te laten gaan, maar ook om daar niet mee te wachten. Want uit alle delen van het land waren de mensen naar Rome gestroomd om hem te steunen, en hij vreesde dat zij anders naar huis terug zouden moeten keren vóór de stemming plaatsgevonden had.
Hij deed dus weer een poging om zijn voorstel aan de volksvergadering voor te leggen. Ditmaal lieten enkele patriciërs de urnen waarin de stemmen werden gedeponeerd, door hun aanhangers omverwerpen. Tiberius deed nogmaals een beroep op Octavius, maar tevergeefs. Daarop besloot hij een beroep op het volk te doen om Octavius van zijn functie te ontheffen. Dat was tegen alle wet en recht in,

want wanneer iemand eenmaal door het volk was benoemd, had hij volkomen vrijheid om gedurende zijn ambtstijd te doen wat hij in het belang van het land nodig vond.
Maar de invloed van Tiberius was zo groot, dat zeventien van de vijfendertig kiesdistricten al voor het afzetten van Octavius hadden gestemd toen hij liet ophouden. Hij zag dat hij het zou winnen en wilde Octavius een kans geven om uit vrije wil te bedanken. Toen deze daar geen gebruik van wenste te maken, werd de stemming voortgezet en de uitslag was natuurlijk, dat Octavius van zijn ambt werd ontheven.
De ongelukkige werd door dienaars van Tiberius van zijn zetel gesleurd en het scheelde maar weinig, of hij zou door het woedende volk zijn aangevallen en gedood.
Nu de tegenwerking van deze volkstribuun onmogelijk was gemaakt, werd het wetsvoorstel van Tiberius aangenomen. Maar hij was zo woedend op de grondbezitters, dat hij de passage over schadevergoeding schrapte.
Tiberius, zijn schoonvader Appius Claudius en zijn broer Gaius werden aangewezen om toezicht te houden op de uitvoering van de nieuwe wet. De zomer liep ten einde en spoedig zou Tiberius niet langer tribuun meer zijn en zijn vijanden verheugden zich daarover. Want als hij wederom gewoon burger was geworden, zouden ze hem wel straffen voor het afzetten van Octavius.
Hij was echter niet van plan om zijn tribunaat op te geven. Het was weliswaar tegen de wet om een tribuun te herkiezen, maar men had daar al eens eerder een uitzondering op gemaakt.
De mensen op het platteland hadden gekregen wat zij wilden en daarom zouden ze nu niet voor de komende verkiezingen in groten getale naar de stad stromen. Tiberius zou het voornamelijk van de stadsbevolking moeten hebben. Die stond onder invloed van de Optimaten, de partij die de senaat steunde, zodat zijn kans op herkiezing klein was.
Op de verkiezingsdag hadden twee districten reeds voor Tiberius gestemd, toen de Optimaten de bijeenkomst verstoorden en zeiden dat de stemming onwettig was. De andere tribunen kozen de zijde van de Optimaten, of spraken zich in ieder geval uit tegen de herkiezing van Tiberius, en dus werd de stemming uitgesteld tot de volgende dag.

HOOFDSTUK 81

DE DOOD VAN TIBERIUS GRACCHUS

Tiberius deed al het mogelijke om de burgers te beïnvloeden in de korte tijd die hij nog had. Hij liep rond in rouwgewaad en verzocht hun voor zijn zoontje te zorgen als hem iets zou overkomen.
De burgers waren ontvankelijk voor zulke dingen. Zij dromden om hem heen, begeleidden hem naar huis en beloofden hem de volgende dag te zullen steunen. Die avond sprak Tiberius met zijn vrienden af, dat hij hun een teken zou geven als hij het nodig vond geweld te gebruiken; hij zou zijn hand naar het hoofd brengen.
De volgende ochtend vroeg kwamen de mensen op het Capitool bijeen en ook Tiberius ging daar heen, hoewel men hem gewaarschuwd had dat er gevaar dreigde. De voortekenen waren slecht. Toen hij zijn huis verliet, struikelde hij en bezeerde zijn grote teen. Maar hij ging door en zag toen twee raven, die op het dak van een huis aan het vechten waren. Er raakte een stukje steen los en dat viel vlak voor zijn voeten. Zelfs zijn moedigste vrienden kwamen daarvan onder de indruk. Tiberius ging echter vastberaden verder naar het Capitool, waar zijn vrienden hem met vreugde begroetten.
De stemming begon bijna onmiddellijk, maar werd herhaaldelijk gestoord door zijn tegenstanders. Tenslotte besloot hij geweld te gebruiken. Hij gaf het afgesproken teken en zijn volgelingen snelden te hulp. Er ontstond een vechtpartij en de tegenstanders van Tiberius werden met knuppels en stenen op de vlucht gejaagd. De Optimaten waren natuurlijk zeer verontwaardigd. Ze beweerden, dat Tiberius zich tot koning wilde laten uitroepen. Ze hadden gezien dat hij zijn hand naar het hoofd had gebracht, en daarmee bedoelde hij natuurlijk dat hij gekroond wilde worden. Ze vonden dat de consul van zijn macht gebruik moest maken om Tiberius en zijn aanhangers te verjagen. Maar Mucius Scaevola was een verstandig man en weigerde geweld te gebruiken.
„Aangezien de consul de republiek verraadt", riep Scipio Nasica uit, „roep ik allen die de wetten van het land eerbiedigen op, mij te volgen". En aan het hoofd van een groep senatoren en vooraanstaande

patriciërs trok Nasica op tegen Tiberius. Toen de burgers dat zagen, werden zij bang, namen de vlucht en lieten Tiberius alleen staan, ondanks hun belofte dat ze hem zouden helpen.
Tiberius probeerde zich in veiligheid te brengen in de tempel van Jupiter, maar de priester had de deur gesloten. Toen hij zich omkeerde, struikelde hij, voor de tweede maal die dag. Voor hij weer op de been was, kreeg hij een klap op zijn hoofd. Een tweede slag maakte een eind aan zijn leven.
Driehonderd van zijn aanhangers werden gedood en de lichamen van de slachtoffers werden in de Tiber geworpen. Gaius diende een verzoek in om zijn broeder te mogen begraven, maar dat werd afgewezen. Het lichaam van Tiberius werd ook naar de rivier gesleept en in de stroom geworpen. Hij had zijn leven gegeven voor zijn hervormingen. In ieder geval had hij bereikt, dat het land rechtvaardiger verdeeld zou worden. En dat werd na zijn dood niet ongedaan gemaakt.
De lege plaats in de commissie van toezicht werd ingenomen door Publius Crassus, de schoonvader van Gaius, en het werk van de verdeling van het land werd voortgezet.

Hoofdstuk 82

DE DOOD VAN GAIUS GRACCHUS

Er waren enkele burgers, die niet schroomden de dood van Tiberius Gracchus openlijk te betreuren en een daarvan was Carbo. Dat de bevolking ook berouw had dat ze Tiberius op het kritieke moment in de steek had gelaten, bleek wel uit de sympathie voor Carbo en uit het feit, dat hij in 131 v.Chr. tot volkstribuun werd gekozen.
Carbo besloot de hervormingen van Tiberius voort te zetten en zijn eerste maatregel was een poging om het wettig mogelijk te maken, dat een volkstribuun herkozen werd. In de volksvergadering maakte Scipio Africanus daar bezwaar tegen en hij zei, dat Tiberius terecht ter dood was gebracht, omdat hij gepoogd had voor de tweede maal achtereen tribuun te worden. Bij die woorden klonk een dreigend gemompel uit de menigte op.
Maar Scipio was een heerszuchtig man, en geërgerd over die interrupties zei hij: „Laat niemand spreken voor wie Italië slechts een stiefmoeder is". Hij zei dat om de mensen eraan te herinneren, dat velen van hen door de Romeinen waren overwonnen en zelfs nog geen volledige burgerrechten bezaten.
Het niet bezitten van alle burgerrechten was een teer punt bij de Italianen en het gemompel en de uitroepen namen toe. „Denkt gij", vroeg Scipio toen minachtend, „dat ik de mannen, die ik hierheen gebracht heb in ketenen, vrees nu ze vrij zijn?"
De invloed van Scipio was zo groot, dat Carbo's voorstel verworpen werd. In 129 v. Chr. stond Scipio op het toppunt van zijn macht. Wanneer hij naar de senaat ging, bleven de burgers altijd staan kijken. Op een keer nam hij, nadat hij het Forum had verlaten, zijn schrijfmateriaal mee naar zijn kamer om zijn rede voor de volgende dag voor te bereiden. Maar de volgende ochtend vond men hem dood in bed. Bij zijn begrafenis kwam duidelijk uit, dat hij niet alleen werd gerespecteerd door zijn vrienden, maar ook door degenen die zijn zienswijze niet deelden. Zijn grote successen in de strijd tegen Carthago bleven nog lang in de herinnering leven.
Ondertussen leidde Gaius Gracchus na de moord op zijn broer thuis

een rustig leven. De vijanden van Tiberius begonnen te hopen, dat Gaius anders zou zijn dan zijn broer en geen hervormingen wilde. Maar zij vergaten dat Cornelia ook hem had grootgebracht. Gaius dacht er geen ogenblik aan om stil te blijven zitten. Hij wachtte slechts op een gunstig ogenblik om het werk van Tiberius voort te zetten.
In 123 v. Chr. werd hij tot volkstribuun gekozen. De Optimaten deden natuurlijk hun uiterste best om dat te verhinderen. Maar evenals destijds bij Tiberius stroomden de mensen uit alle delen van Italië naar Rome om voor hem te stemmen. Er waren er zoveel, dat niet iedereen een plaatsje kon vinden en men zelfs op de daken van de huizen rondom klom.
De jongste Gracchus was welsprekender dan zijn broer en hij kon een groot publiek naar zijn hand zetten. Soms kon hij zich gedurende een rede niet voldoende beheersen en dan begon hij te schreeuwen. Daarom stond er altijd een slaaf met een fluit naast hem, als hij aan het spreken was. Zodra zijn meester zijn stem teveel verhief, speelde de slaaf enkele zachte tonen op zijn fluit en dan wist Gaius dat hij minder luid moest spreken.
Na zijn verkiezing herinnerde Gaius de burgers aan de dood van zijn broer en ontroerde hen tot tranen toe. Hij vertelde hun, dat hij van plan was de hervormingen waarvoor Tiberius gestorven was, voort te zetten, en de burgers applaudisseerden.
De jonge tribuun wilde eerst proberen Octavius te straffen voor zijn tegenwerking. Hij wilde een wet laten aannemen, waarbij het iemand die uit een ambt was ontzet, werd verboden een ander openbaar ambt te bekleden.
Maar Cornelia was verstandiger dan haar zoon; zij wist dat zulk een wet de mensen slechts opstandig zou maken en haalde Gaius over het voorstel in te trekken.
Op vele wijzen probeerde Gaius zijn populariteit te behouden.
Hij liet bruggen bouwen en mijlpalen plaatsen. Hij zorgde ervoor, dat het graan voor de armen goedkoper werd. Maar bovenal ijverde hij voor volledige burgerrechten voor alle Italianen. De wetten die door zijn toedoen werden aangenomen, werden de Sempronische wetten genoemd, omdat Sempronius de familienaam van de Gracchen was.

De senaat begon echter ongerust te worden. Het scheen wel alsof Gaius nog lastiger zou worden dan zijn broer. Er werden naar hun zin teveel hervormingen doorgevoerd. De tegenstanders van Gaius besloten om hem niet te doden, zoals Tiberius, want ze dachten dat ze een beter middel wisten om hem ten val te brengen.
Zodra Gaius een maatregel voor het welzijn der burgers voorstelde, kwam een van de Optimaten met een verderstrekkend voorstel, dat dan natuurlijk nog meer in de smaak viel. De man die door de Optimaten aangewezen werd om de invloed van Gaius te ondermijnen, was Drusus, een rijke patriciër, die even welsprekend was als zijn tegenstander en die langzamerhand de gunst van het volk wist te verkrijgen. Gaius was van mening, dat de armen van Italië een beter bestaan zouden kunnen vinden als ze zich vestigden in de veroverde gebieden. Zijn collega had voorgesteld om van Carthago een van de nieuwe kolonies te maken, want ondanks de vervloeking van Scipio verrees daar weer een nieuwe stad.
De senaat stemde erin toe om van Carthago een nieuwe kolonie te maken en stuurde Gaius erheen om alles te regelen. In zijn afwezigheid zouden de burgers van Rome hem wel vergeten, zo dachten ze. Drusus maakte van de gelegenheid gebruik om met een veel groter plan tot kolonisatie te komen. Hij stelde voor om dichter bij huis te blijven en bepaalde streken van Italië voor dat doel te bestemmen. Bovendien beloofde hij, dat in de nieuwe nederzettingen geen belastingen betaald behoefden te worden, terwijl Gaius die concessie voor Carthago niet gedaan had.
Het kwam niet bij de burgers op, dat het zeer onwaarschijnlijk, zo niet onmogelijk was, dat het plan van Drusus ooit zou worden uitgevoerd. Toen Gaius na dertig dagen uit Afrika terugkeerde, bemerkte hij onmiddellijk hoe koel de mensen hem bejegenden. Maar hij wilde zich niet laten ontmoedigen. Hij zou het vertrouwen van het volk wel terugwinnen en ging daarom temidden van de arme burgers wonen. Gaius was echter te onstuimig om altijd verstandig te zijn. Zijn volgende stap vond geen gunstig onthaal bij de burgers, behalve dan misschien bij het gepeupel. Het viel hem namelijk op, dat er tribunes werden gebouwd rondom het terrein waar spelen gehouden zouden worden. Die tribunes waren voor de rijken, die konden betalen. Er

bleef maar heel weinig ruimte over voor de armen, die dan ook niet veel van de spelen zouden kunnen zien. Hij diende een verzoek in om de tribunes te laten verwijderen, maar dat werd afgewezen.
Toen nam hij de zaak in eigen handen. De avond voor de dag waarop de spelen gehouden zouden worden, liet hij de tribunes slopen, zodat rijken en armen evenveel zouden kunnen zien.
Korte tijd later vond de verkiezing van volkstribunen plaats en hoewel Gaius veel gedaan had voor het welzijn van de burgers, toonden zij geen dankbaarheid. Hij werd niet herkozen. Bovendien waren de consuls voor dat jaar, Fabius Maximus en Opimius, de leiders van de Optimaten, zodat de vijanden van Gaius nu machtig genoeg waren om hem in het openbaar aan te vallen.
Eerst werkten zij op de bijgelovigheid van de massa. Ze herinnerden de burgers eraan, dat er een vloek rustte op Carthago en dat Gaius en zijn vrienden daar toch een nieuwe stad wilden bouwen. Ook was er geen acht geslagen op de voortekenen. Wilde beesten hadden palen en grensstenen uit de grond gerukt, en zulke dingen voorspelden weinig goeds.
Zo baanden zij de weg voor de volgende stap. Ze riepen de volksvergadering bijeen en verzochten haar de wet te herroepen, waarbij de kolonisatie van Afrika geregeld was. Slechts een jaar tevoren had deze zelfde vergadering die wet aangenomen.
Gaius en zijn aanhangers wilden de herroeping natuurlijk verhinderen. Gaius wilde geen gebruik maken van geweld, maar zijn vrienden wel. Omdat de beide partijen elkaar niet vertrouwden, stroomden ze de avond voor de stemming al naar het Capitool met de bedoeling daar de nacht door te brengen. Er heerste een gespannen sfeer.
Terwijl Gaius heen en weer liep en met zijn aanhangers sprak, kwam een dienaar van de consul de tempel uit om een deel van de offers weg te brengen. Luid schreeuwend dat de mensen opzij moesten gaan, kwam hij de kant van Gaius op. Iemand riep dat het leven van hun leider in gevaar was, en ogenblikkelijk werd de dienaar door enkele volgelingen van Gaius gedood. Dat was zeer onfortuinlijk, want de tegenstanders sloegen daar natuurlijk munt uit. Het lichaam van de vermoorde werd omhooggehouden, zodat iedereen goed kon zien hoe Gaius en zijn aanhangers optraden. De senaat verklaarde hen tot

vijanden van de republiek. Het Capitool werd ontruimd, maar in de vroege ochtend bezetten Gaius en zijn mannen de Aventijnse heuvel. Toen consul Opimius hoorde van de volksmenigte die zich daar verzameld had, verklaarde hij dat het een daad van oorlog was om een deel van de stad te bezetten. Hij liet bekendmaken, dat degeen die hem het hoofd van Gaius bracht, beloond zou worden met het gewicht in goud. Daarna maakte hij zich gereed om met een troep soldaten de rebellen te verdrijven.

De leider van de volksmenigte was Fulvius, die zowel volkstribuun als consul was geweest. Hij zond zijn achttienjarige zoon naar de senaat om een vreedzame oplossing voor te stellen. Hij kreeg de boodschap mee terug, dat de rebellen uiteen moesten gaan en dat Gaius en Fulvius zich voor de senaat moesten verantwoorden.

Gaius wilde daarop ingaan, maar Fulvius weigerde toe te geven en zond zijn zoon met nieuwe voorstellen. Ditmaal kwam de jongen niet terug. Hij werd gevangen gehouden en Opimius marcheerde op. Fulvius had niet de moed om tegen de troepen van de consul te vechten. Hij vluchtte en verborg zich in een bad. Men ontdekte hem spoedig, sleepte hem weg en bracht hem ter dood.

Gaius deed geen poging om zich te weer te stellen, waarschijnlijk omdat hij wist dat het hopeloos was. Zijn vrienden wilden dat hij zou vluchten, maar Gaius wierp zich op de knieën en smeekte in bittere bewoordingen de godin Diana om de ondankbare burgers van Rome te straffen. Pas daarna rende hij de heuvel af naar de Tiber, gevolgd door enkele trouwe vrienden en een slaaf. Een van zijn vrienden viel en verstuikte zijn enkel. Hij stond op om de achtervolgers zo lang mogelijk tegen te houden, maar hij sneuvelde spoedig. Bij de brug over de Tiber hield de andere vriend stil. Daar zou hij de vijanden nog enige tijd de weg kunnen versperren. Ook hij viel spoedig. Gaius wist, dat er nu geen hoop meer was. Hij wilde niet levend in handen van zijn vijanden vallen, holde door tot hij een bosje bereikte dat aan de Furiën gewijd was, en beval daar zijn slaaf, de enige die nog bij hem was, hem te doden. De slaaf gehoorzaamde en pleegde daarna zelfmoord.

In het bosje vonden zijn tegenstanders het lichaam onder dat van zijn slaaf. Het hoofd van Gaius werd afgehakt en om het gewicht te ver-

groten met lood gevuld. Dat geschiedde naar men zegt door iemand, die eens zijn vriend was geweest. Het werd naar de consul gebracht, die er het gewicht in goud voor gaf.
Het lichaam van Gaius werd door de straten van Rome gesleept en in de Tiber geworpen. Cornelia, de moeder van de Gracchen, droeg het verlies van haar beide zoons zonder haar smart te tonen. Zij was te trots op wat ze voor Rome gedaan hadden om openlijk van haar verdriet te getuigen. Wel verliet ze de stad, omdat ze de moordenaars van haar zoons niet wilde zien. In later jaren schaamden de Romeinen zich over hun houding tegenover de Gracchen en uit eerbied voor de vrouw die hen ter wereld gebracht had, richtten ze een bronzen standbeeld op het Forum voor haar op. Het opschrift luidde: Voor Cornelia, de moeder der Gracchen.

Hoofdstuk 83

HET GOUD VAN JUGURTHA

Jugurtha was koning van Numidië. Hij had zijn koninkrijk, tenminste het grootste deel ervan, gestolen van zijn twee jonge neven, de kleinzoons van Masinissa. De ene prins had hij vermoord, de andere was naar Rome gevlucht en had daar om hulp gevraagd.
Maar Jugurtha was rijk en hij wist dat men in Rome met goud alles bereiken kon. Hij zond grote sommen geld naar enkele invloedrijke senatoren, die dat niet weigerden. En zo gebeurde het dat Adherbal, de jonge prins, tevergeefs een beroep deed op de senaat. De omgekochte senatoren wezen aan Jugurtha het rijkste deel van Numidië toe en Adherbal mocht de rest houden.
Dat was evenwel nog niet voldoende voor Jugurtha. Hij wilde ook dat laatste kleine stukje hebben. Nog enkele malen deed Adherbal een beroep op Rome, maar hij kreeg geen verdere hulp. Tenslotte sloeg Jugurtha het beleg voor Cirta, de hoofdstad van het gebied waarover Adherbal regeerde. De prins had niet genoeg soldaten om tegenstand te kunnen bieden en gaf zich over, op voorwaarde dat zijn leven en dat van de inwoners gespaard zou blijven.
Jugurtha ging met die voorwaarde accoord, maar hield zijn belofte niet. Zodra de prins de stad verlaten had, werd hij gedood en de inwoners ondergingen hetzelfde lot. Men wist in Rome van dat verraad, maar er werden geen maatregelen genomen.
Onder de tribunen was er één wiens handen schoon waren, en dat was Memmius. Die klaagde in de volksvergadering de patriciërs aan wegens het aannemen van steekpenningen. Het volk was verontwaardigd en de senaat durfde nu niet langer wachten met het nemen van maatregelen tegen Jugurtha. In 112 v.Chr. werd de oorlog aan Numidië verklaard. Het had echter geen zin een leger naar Afrika te sturen als de officieren niet betrouwbaar waren. Consul Bestia, die uitgezonden was, viel eerst wel aan en veroverde verscheidene steden, maar toen hield plotseling alle activiteit op. Hij vocht niet meer tegen de vijand, want Jugurtha had hem veel goud geboden en hij had dat aangenomen.

In Rome aarzelde Memmius niet om het gedrag van Bestia te laken en als onwaardig te bestempelen. Dat miste zijn uitwerking niet. In 110 v.Chr. werd Jugurtha onder vrijgeleide naar Rome overgebracht om te getuigen tegen de mannen, die geld van hem hadden aangenomen. Zelfs nu nog kon hij mensen vinden die omkoopbaar waren, en zo werd de behandeling van de zaak uitgesteld.
Ondertussen wilde een van de consuls Jugurtha afzetten en diens achterneef koning van Numidië maken. Toen Jugurtha dat hoorde, liet hij deze jonge prins door een slaaf vermoorden. Dat was meer dan de Romeinen konden verdragen en Jugurtha moest de stad ontvluchten. De senaat zag in dat de oorlog in Afrika voortgezet moest worden. Maar dan moest er een bevelhebber komen, die onomkoopbaar was.
Die man was consul Metellus, die in de zomer van 109 v.Chr. als opperbevelhebber naar Numidië werd gezonden. Als onderbevelhebber nam hij Gaius Marius met zich mee.

Hoofdstuk 84

GAIUS MARIUS

Gaius Marius werd in 156 v.Chr. geboren. Zijn ouders waren eenvoudige mensen, die hard moesten werken voor hun dagelijks brood. Hij groeide op in een bergdorpje, waar hij ontberingen leerde verdragen en waar het leven hem sterk en gehard maakte. Het zou nog heel wat jaren duren eer Marius kennis zou maken met de beschaafde manieren en de weelde van het stadsleven. Van jongsaf aan was hij moedig en actief. Toen hij ouder werd, barstte hij soms bij de geringste aanleiding in woede uit.

Gaius diende eerst als soldaat onder Scipio de Jongere. Hij was eenvoudige maaltijden gewend en de discipline waaraan Scipio de soldaten onderwierp, viel hem niet zwaar.

Meer dan eens wist hij de aandacht van de bevelhebber op zich te vestigen door zijn moed, en door die aandacht werd zijn eerzucht gewekt. Op een avond vroeg men Scipio aan het avondmaal, waar de Romeinen een andere bevelhebber zouden vinden als hij er niet meer was. „Hier misschien", antwoordde Scipio, terwijl hij Gaius Marius op de schouder klopte. Door die woorden werd de jongeman nog eerzuchtiger.

Toen hij zevenendertig jaar oud was, werd hij volkstribuun en onmiddellijk ging hij aan het werk om de gunst van het volk te winnen. Hij diende daartoe een voorstel in om omkoperij bij de verkiezingen te verbieden, maar de senaat weigerde het in stemming te brengen.

Marius dreigde de consuls gevangen te zullen nemen als ze de senaat niet tot toegeven dwongen, en hij bereikte zijn doel. Het wetsontwerp werd aan het volk voorgelegd en aangenomen.

In 115 v.Chr. werd hij praetor en ging hij naar Spanje. Daar toonde hij dat hij een geboren aanvoerder was, want hij slaagde er in korte tijd in, het land te zuiveren van de roversbenden die het onveilig maakten.

In die tijd was ieder die in Rome aan de macht kwam, rijk en liefst ook nog welsprekend. Maar Marius was arm en niet welbespraakt, en toch verwachtte hij eenmaal beroemd te worden. De mensen ge-

loofden ook in hem. Hij werkte zo hard en leefde zo eenvoudig, dat ze welwillend tegenover hem stonden.
Iets later trouwde hij met Julia, uit de bekende familie der Caesars, waardoor zijn maatschappelijke positie aanmerkelijk verbeterde. Zij was de tante van de grote Romein Julius Caesar.
Deze Gaius Marius was de onderbevelhebber, die Metellus meenam naar Afrika.

Hoofdstuk 85

GAIUS MARIUS WORDT BEVELHEBBER

Toen Metellus in Afrika aankwam, bemerkte hij dat de discipline van het leger zo slecht was, dat hij er niet aan kon denken om tot de aanval over te gaan. Hij voerde dus een strenge discipline in en oefende zijn soldaten, tot hij ervan overtuigd was dat hij een behoorlijk leger had.

Jugurtha ondervond dat deze Romein niets van zijn goud wilde weten en bovendien het leger zo gereorganiseerd had, dat het te sterk voor hem was geworden. Hij bood daarom aan zich te onderwerpen, als zijn leven en dat van zijn kinderen gespaard bleef. De bevelhebber ging daar niet op in en trok met zijn leger Numidië binnen. Gaius Marius had toen het bevel over de ruiters.

Marius voelde geen vriendschap voor zijn bevelhebber en gaf meer om eigen roem en eer dan om het succes van de veldtocht. Maar de soldaten verafgoodden hem, want hij deelde hun leven, sliep als zij op een ruw kampbed en at hetzelfde harde brood.

Jugurtha had ondertussen een sterke positie ingenomen, maar Metellus verdreef hem en versloeg hem tenslotte, zodat hij moest vluchten. De koning wilde vooreerst geen nieuwe veldslagen riskeren en trok zich terug in de bergen. Metellus betaalde hem nu met gelijke munt, want hij kocht verscheidene Numidische officieren om, zodat de koning zich nergens veilig voelde. Tenslotte besloot hij door de woestijn naar de stad Thala te marcheren. Metellus ging hem achterna, belegerde de stad en veroverde die na veertig dagen. Hij was daar niet mee tevreden, want hij wilde Jugurtha zelf in handen hebben, en deze was met zijn kinderen weer ontsnapt.

De koning wist dat zijn leger te zwak was om de Romeinen te verjagen en daarom riep hij de hulp in van zijn schoonvader Bocchus, die koning was van Mauretanië. Tezamen rukten zij op naar Cirta, in de buurt waarvan de Romeinen hun kamp hadden opgeslagen.

Marius begon hoe langer hoe meer te laten merken, dat hij een hekel aan Metellus had. Nu had de bevelhebber de zorg voor een belangrijke stad in Numidië toevertrouwd aan Turpilius, een vriend van hem. Turpilius was een eerlijk en vriendelijk man, die echter niet in de gaten had dat de inwoners gebruik maakten van zijn goedheid. Ze speelden de stad in handen van Jugurtha, maar lieten Turpilius ongehinderd vertrekken.

Onder de Romeinse officieren waren er verschillende, die Turpilius niet alleen beschuldigden van onachtzaamheid, maar zelfs van verraad. Er werd een krijgsraad gehouden en Marius maakte daar deel van uit. Hij viel Turpilius scherper aan dan de anderen, terwijl hij wist dat het om de vertrouwde vriend van Metellus ging. Mede door de invloed van Marius werd Turpilius veroordeeld en ter dood gebracht. Spoedig daarna bleek dat hij onschuldig was geweest. Metellus ging gebukt onder smart, en zijn officieren, Marius uitgezonderd, deden wat ze konden om hem te troosten.

Van die tijd af waren Metellus en Marius verklaarde vijanden.

Voor de winter van 108 v.Chr. vroeg Marius verlof, daar hij naar huis wilde gaan om zich candidaat te stellen voor de functie van consul. Metellus was verontwaardigd over een dergelijke aanmatiging en weigerde hem te laten gaan.

Marius was door die weigering niet ontmoedigd. Hij wist dat zijn tijd wel zou komen, en ondertussen zond hij ongunstige rapporten over zijn bevelhebber naar Rome en zinspeelde erop dat Jugurtha allang gevangen genomen zou zijn als hij zelf het bevel had gevoerd. Na een poosje vroeg hij weer verlof. Metellus werd sarcastisch en zei: „Wilt u niet liever wachten tot mijn zoon ook consul wordt?” Die zoon was een jongeman van twintig jaar en daar Marius toen negenenveertig was, maakte die opmerking hem woedend. Hij bleef echter op verlof aandringen en tenslotte moest Metellus hem laten gaan.

Marius moest zich nu haasten om op tijd in Rome te kunnen zijn. Het was een lange reis van het kamp naar de kust en hij deed er twee dagen en een nacht over. Ondanks zijn haast bracht hij eerst nog offers voor hij scheep ging. En het scheen goed dat hij dat gedaan had, want de priester verzekerde hem dat hij succes zou hebben. Vier dagen later zette hij voet op Italiaanse bodem. In Rome werd hij geestdriftig ontvangen, tot consul gekozen en met het opperbevel in Afrika belast.

Toen hij daar terugkeerde, was Metellus al vertrokken, want die wilde niet wachten om zijn plaatsvervanger en vroegere ondergeschikte te ontvangen. Metellus keerde naar Rome terug, in de verwachting dat hij in ongenade was gevallen. Tot zijn verwondering werd hij echter hartelijk verwelkomd. De burgers hadden niet vergeten, dat hij niet bezweken was voor het goud van Jugurtha.

HOOFDSTUK 86

JUGURTHA'S SCHATTEN

Jugurtha en Bocchus wisten, dat zij reden hadden de nieuwe Romeinse bevelhebber te vrezen. Hij zou zeker snel aanvallen en daarom besloten de koning en zijn bondgenoot in verschillende richtingen te marcheren, zodat een van beiden Marius misschien onverwacht zou kunnen aanvallen.

Marius verraste echter Jugurtha in de buurt van Cirta en dwong hem na een schermutseling te vluchten. Bocchus, die toch al niet zulk een enthousiast bondgenoot was, besloot nu zijn schoonzoon in de steek te laten en vrede te sluiten met Rome.

Marius besteedde weinig aandacht aan de toenaderingspogingen van Bocchus, omdat hij geheel in beslag werd genomen door de strijd tegen Jugurtha. Hij trok eerst op naar Capsa, een stad waar Jugurtha vele koninklijke schatten bewaarde. Zonder veel strijd werd de stad veroverd; de inwoners werden gedood of als slaven verkocht. Hierna viel een hele reeks steden en versterkte plaatsen hem in handen, tot hij tenslotte weer bij een plaats kwam, waar veel schatten bewaard werden. De naam van die vesting is niet bekend. Het was geen stad, maar slechts een versterkte grenspost in westelijk Numidië, die op de top van een hoge rots lag. De vesting was alleen langs een smal steil pad te bereiken. Marius belegerde de vesting, maar zij werd krachtig verdedigd en er scheen een behoorlijke voorraad wapenen, voedsel en water te zijn. Tijdens het beleg ontving Marius versterkingen in de vorm van een afdeling ruiters onder aanvoering van Sulla.

Desondanks slaagde Marius er niet in de vesting te veroveren en hij begon er al over te denken om weg te trekken, toen een van de soldaten hem een manier wees om er binnen te komen. Deze soldaat zag

namelijk op een keer enkele slakken op een richel van de rotswand, en omdat hij veel van slakken hield, klom hij tegen de steile bergwand op om te zien of er nog meer waren. Hij klauterde hoger en hoger en kwam zodoende vlak bij de top. Daar groeide een eikeboom in een rotsspleet. Hij klom erin en kon toen de vesting overzien. Het viel hem op, dat er aan die zijde geen schildwachten waren. Hij haastte zich naar het kamp terug en vertelde Marius, dat het mogelijk was de rots te beklimmen en dat die zijde van de vesting niet bewaakt werd.
Marius gaf direct enige soldaten bevel om die actie uit te voeren. En met behulp van hun gids slaagden zij erin tegen de bergwand op te klimmen. Marius wachtte totdat hij dacht dat de soldaten ongeveer boven zouden zijn en gaf toen het sein tot de aanval. Het garnizoen snelde naar de muren om de aanval af te slaan, maar werd plotseling in de rug aangevallen.
Er ontstond een paniek en de inwoners probeerden een goed heenkomen te zoeken. De Romeinen achtervolgden de vluchtenden, sloegen iedereen neer die nog tegenstand bood en hadden spoedig het fort in handen.
Marius was echter niet tevreden, want Jugurtha bevond zich nog op vrije voeten en hij had de Romeinen beloofd, dat hij de koning spoedig gevangen zou nemen of doden.

HOOFDSTUK 87

JUGURTHA WORDT UITGELEVERD

Sulla, die met zijn ruiters het leger van Marius was komen versterken, was negentien jaar jonger dan zijn bevelhebber. Hij was een patriciër, terwijl Marius een plebejer was, en had dus een veel betere opleiding gehad.

Toen Sulla het Romeinse kamp was binnengereden, hadden de soldaten vol belangstelling naar hem gekeken. Hij zag er helemaal niet uit als een krijgsman en had dan ook nog geen enkele veldslag meegemaakt. Maar zijn blik was scherp en zij bemerkten spoedig, dat hij schrander was. Marius ontdekte dat hij op Sulla kon rekenen en de soldaten leerden hem te eerbiedigen, al was hij heel anders dan hun ruwe eenvoudige bevelhebber.

Jugurtha had ondertussen Bocchus weer overgehaald om aan zijn zijde te vechten, al had hij hem daarvoor een groot gedeelte van zijn koninkrijk moeten beloven. En de twee verbonden legers deden herhaaldelijk aanvallen op de Romeinen, die op weg waren naar Cirta.

Na een lange en moeilijke tocht kwam Marius in Cirta aan en daar wilde hij de winter doorbrengen. Hij ondernam wederom een poging om koning Bocchus als bondgenoot te krijgen en stuurde Sulla met enkele officieren naar hem toe. Toen Bocchus de voorstellen gehoord had, vertrouwde hij de zaak nog niet en zond afgezanten naar Rome om te vernemen, of men daar acoord ging met wat Marius had voorgesteld.

De gezanten keerden terug met geruststellende berichten en Bocchus besloot toen om zijn geluk bij de Romeinen te beproeven en Jugurtha aan hen uit te leveren. Dat zou niet gemakkelijk zijn, want Jugurtha was natuurlijk op zijn hoede, omdat hij wist dat zijn schoonvader met Marius had onderhandeld.

Bocchus vroeg daarom aan de Romeinse bevelhebber, of hij Sulla nogmaals naar hem toe wilde sturen, zodat hij dan Jugurtha zou kunnen uitnodigen. Hij was van plan om zijn slachtoffer te vertellen, dat Sulla met hem wilde spreken over de voorwaarden die Rome aanbood.

Sulla ging naar het kamp van Bocchus, begeleid door een troep solda-

ten. Onderweg kwam hij de zoon van Bocchus vergezeld van een grote groep ruiters tegen. Die hadden hem gemakkelijk gevangen kunnen nemen, maar ze lieten hem ongehinderd passeren. Kort daarna bevond hij zich in de tent van Bocchus, waar hij in groter gevaar verkeerde dan hij dacht. Want de koning aarzelde wat hij doen zou, Jugurtha aan de Romeinen uitleveren, of Sulla aan Jugurtha. Hij bedacht echter, dat Rome een gevaarlijke vijand kon zijn en besloot daarom zich aan zijn oorspronkelijk plan te houden.
Hij nodigde Jugurtha dus uit om Sulla in zijn tent te ontmoeten, en gaf hem te verstaan dat hij Sulla aan hem zou uitleveren. Jugurtha koesterde geen achterdocht meer en kwam ongewapend, slechts door enkele bedienden vergezeld, de tent van zijn schoonvader binnen.
Onmiddellijk werd hij door soldaten omringd, gevangen genomen en naar het Romeinse kamp overgebracht. Eindelijk was Jugurtha dus in handen van Marius, maar deze was daar nu niet zo verheugd over, want zijn vreugde werd bedorven door het feit dat Sulla de eer voor zichzelf opeiste. De verhouding tussen Sulla en Marius werd er daardoor niet beter op.
Sulla had zelfs een zegel laten maken, met een voorstelling erop van het moment dat Jugurtha aan hem uitgeleverd werd. Daar zegelde hij al zijn brieven mee.
Ook werd er onder de officieren gefluisterd, dat de voornaamste veldslagen van deze oorlog door Metellus waren geleverd en dat Sulla de strijd tot een goed einde had gebracht. Zulke dingen krenkten de trots van Marius.

Hoofdstuk 88

MARIUS GAAT NAAR ROME

In 106 v.Chr., het jaar waarin Jugurtha gevangen werd genomen, kwamen er berichten in Rome binnen, dat een groot leger barbaren uit het noorden naar Italië onderweg was. Men zei, dat ze van de kusten van de Noordzee kwamen.
De senaat zond grote legers onder aanvoering van dappere generaals naar de noordgrens, maar de barbaren wisten een overwinning te be-

halen en sloegen de Romeinse legioenen uiteen. Dat maakte de Teutonen en Kimbren overmoedig en ze geloofden, dat ze nu gemakkelijk Italië zouden kunnen plunderen en Rome vernietigen.
De bevolking van Rome begon ongerust te worden en degenen die eerst kwaad van Marius hadden gesproken, begonnen hem nu weer te prijzen als een kundig bevelhebber. En toen er nieuwe consuls gekozen moesten worden, werd hij voor de tweede keer benoemd, ook al was het bij de wet verboden iemand te benoemen die niet in Rome was. Maar nood breekt wet, zeiden de Romeinen al.
Toen Marius het nieuws van zijn herbenoeming ontving, was hij zeer verheugd, want dit betekende weer een stap vooruit. Hij vertrok onmiddellijk naar Italië om zijn land te helpen en op 1 januari van het jaar 104 v.Chr. stond hij voor de poorten van Rome. Hij mocht een triomftocht houden en Jugurtha werd daar geketend in meegevoerd. Jugurtha was altijd een gevaarlijke vijand geweest en de burgers geloofden pas dat hij onschadelijk was, toen ze hem in boeien geklonken voorbij zagen gaan. Na de triomftocht trokken ze de kleren van zijn lichaam en de ringen uit zijn oren. Toen werd hij naar de gevangenis overgebracht. Door alle ellende was hij waanzinnig geworden en zijn dwaas gelach galmde door de gewelven. De bewakers gaven hem geen voedsel en na zes dagen stierf hij.
Na zijn triomftocht begaf Marius zich met zijn leger naar het noorden om tegen de barbaren te vechten. Maar de Teutonen en de Kimbren hadden zich teruggetrokken en het zou nog een hele tijd duren voor Marius slag kon leveren.
In die tussentijd hield hij zijn soldaten echter steeds bezig en hij zorgde ervoor, dat de discipline gehandhaafd bleef. Op mars moest iedere soldaat zijn eigen bagage dragen en zijn eigen maaltijden bereiden. Ze kregen dan ook de bijnaam 'de muilezels van Marius'.
Maar volgens een ander verhaal ontstond die bijnaam op geheel andere wijze. Toen Marius nog soldaat was in Scipio's leger, inspecteerde de bevelhebber op zekere dag niet alleen de wapens en de paarden, maar ook de wagens en de muilezels. De dieren van Marius waren beter verzorgd dan die van de anderen. Scipio prees dat en herinnerde zijn soldaten er dikwijls aan, zodat tenslotte iedereen die harder werkte dan zijn kameraden een 'muilezel van Marius' genoemd werd.

Er ging een jaar voorbij en nog waren de barbaren niet verschenen. Marius werd voor de derde maal tot consul gekozen, want de senaat was nog steeds bevreesd dat de vijand zou binnenvallen en wilde dat Marius dan klaar zou staan met zijn leger.
Weer een jaar ging voorbij en aan het einde van 103 v.Chr. ging Marius terug naar Rome. Het was weer de tijd van de verkiezingen en hij deed alsof hij niet langer consul wilde zijn. Maar Saturninus, een van de volkstribunen, zei dat hij een verrader zou zijn, als hij bleef weigeren nu het land in gevaar was. Marius vond het wel prettig die woorden te horen, want in werkelijkheid zou hij zeer teleurgesteld zijn geweest als hij niet herkozen was.
Daarom beloofde hij, dat hij het ambt weer zou aanvaarden als dat de wil van het volk was. Hij werd toen voor de vierde achtereenvolgende maal tot consul gekozen.

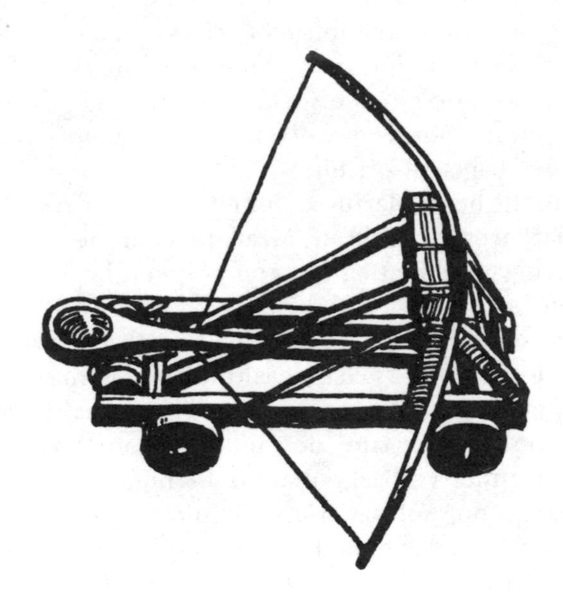

HOOFDSTUK 89

MARIUS VERSLAAT DE TEUTONEN

Korte tijd na de herbenoeming van Marius trokken de Teutonen en de Ambrones op naar Italië. De bevelhebber marcheerde toen naar de Rhône en sloeg bij de rivier zijn kamp op. Zijn eerste werk was de weg naar zee te beveiligen om de bevoorrading van het leger te verzekeren.

Daar de mond van de Rhône door zand- en modderbanken haast onbevaarbaar was, liet Marius zijn soldaten een vaargeul graven. Ze vonden dat een vervelend en kinderachtig werk en begonnen te mopperen.

Marius vernam wat er onder de soldaten gezegd werd en verheugde zich daarover. Hij wilde juist dat zijn soldaten er genoeg van kregen en liever vochten. Hij verzocht hun nog een beetje geduld te hebben. Het kamp van de Teutonen was dichtbij, en toen de soldaten daar bemerkten dat de Romeinen niet tot een aanval wilden overgaan, begonnen ze zich af te vragen of die legioenen wel zo dapper waren als men zei. Ze wilden dat wel eens weten en deden een aanval op het Romeinse kamp. Het resultaat was echter ontmoedigend. Vele Teutonen werden gedood of gewond en dat ondanks het feit, dat Marius zijn soldaten verboden had buiten het kamp met de vijand te vechten. De barbaren besloten nu om zich verder niets van de Romeinen aan te trekken. Ze braken hun kamp op en marcheerden langs hun vijanden in de richting van de Alpen om Italië binnen te vallen. Zes dagen lang trok het reusachtige leger voorbij en Marius had de grootste moeite om zijn soldaten in bedwang te houden, vooral toen enkele barbaren de spot met hen dreven en vroegen, of ze misschien een boodschap konden meenemen voor hun vrouw in Rome.

Nadat het leger voorbijgetrokken was, brak Marius ook zijn kamp op en volgde de barbaren, tot grote vreugde van de soldaten. Op enkele dagmarsen van de bergpas naar Italië, bij Aquae Sextiae, hadden de barbaren een nieuw kamp ingericht.

Marius sloeg zijn tenten op in de nabijheid daarvan, maar hij had niet genoeg water, terwijl de barbaren vlak bij de rivier lagen. Toen de

Romeinse soldaten erover klaagden dat ze dorst hadden, wees Marius naar de rivier die langs het vijandelijke kamp stroomde.
„Daar is water", zei hij, „maar ge zult het met uw bloed moeten kopen".
„Waarom leidt ge ons er dan niet heen vóór ons bloed is opgedroogd", antwoordden de soldaten.
„We moeten eerst het kamp versterken", zei Marius en de soldaten gehoorzaamden met tegenzin.
Maar de bedienden en slaven van de Romeinen besloten om meteen water voor zichzelf en de paarden te gaan halen. Met emmers in de ene hand en het zwaard in de andere begaven ze zich naar de rivier. Aan de oever daarvan bevond zich een troep barbaren. Die hadden gebaad en waren nu aan het eten. Toen zij de Romeinse bedienden en slaven zagen, sprongen ze op en vielen luid schreeuwend aan.
In de kampen hoorde men het geschreeuw en het wapengekletter. Romeinen en barbaren maakten zich gereed voor de strijd en haastten zich naar de rivier. Al spoedig werd er hevig gevochten tussen de Ambrones en de Romeinen. De getrainde soldaten van Marius bleken echter veel sterker te zijn en joegen de Ambrones naar hun kamp terug. Daar waren ze niet welkom, want de vrouwen, verontwaardigd dat hun mannen op de vlucht waren geslagen, waren in de wagens geklommen en verdedigden zich met hand en tand tegen iedereen die probeerde het kamp binnen te komen. Pas toen het donker werd, eindigde de strijd tegen de Ambrones. Maar de Teutonen waren nog niet verslagen. Gedurende de nacht hoorden de Romeinen het geweeklaag van de Ambrones en het dreigende geschreeuw van de Teutonen, en zij vreesden dat de barbaren in het duister een aaval zouden wagen. Dat gebeurde echter niet.
De volgende ochtend zag Marius, dat het gemakkelijk zou zijn om de Teutonen in een val te lokken. Hij gaf Marcellus bevel om zich met drieduizend man te verbergen in de dichte bossen achter het vijandelijke kamp. Hij mocht pas tevoorschijn komen als de Teutonen in gevecht waren met de hoofdmacht van het Romeinse leger.
Het Romeinse kamp lag op een heuvel en Marius gaf zijn ruiters bevel om naar de vlakte te rijden. Toen de Teutonen de ruiters zagen naderen, snelden zij de heuvel op om de strijd te beginnen. Marius, die

met de hoofdmacht de ruiters was gevolgd, zag dat hij zich op de helling in een voordelige positie bevond en liet de troepen daarom stilhouden.
De Teutonen moesten nu tegen de helling op vechten en al spoedig werden ze teruggedrongen naar de vlakte. Toen viel Marcellus met zijn drieduizend soldaten de Teutonen van achteren aan, waardoor een paniek ontstond en de barbaren een goed heenkomen zochten.
Men zegt, dat er in die veldslag meer dan honderdduizend barbaren sneuvelden. Vele jaren later gebruikten de mensen in de omgeving de beenderen om hun wijngaarden te omheinen.
Na deze grote overwinning zocht Marius de kostbaarste schatten uit de oorlogsbuit bijeen en legde die opzij voor zijn triomftocht. Al het andere werd opgestapeld om aan de goden geofferd te worden. De soldaten verzamelden zich er omheen en in hun midden stond Marius, gekleed in een mantel met purperen rand, gereed om het vuur met een toorts aan te steken.
Maar op dat moment verschenen in de verte ruiters, die hun paarden aanspoorden en in volle galop naar het kamp kwamen rijden. Zij riepen uit, dat Marius voor de vijfde maal tot consul was gekozen en brachten brieven mee van de senaat, waarin dat werd bevestigd. De soldaten juichten toen zij dat hoorden en de officieren kroonden Marius met een lauwerkrans.
Toen stak Marius met zijn fakkel de opgestapelde oorlogsbuit aan. De vlammen stegen op en het offer verbrandde.

Hoofdstuk 90

MARIUS EN DE KIMBREN

Terwijl het Marius voor de wind ging, bevond zijn collega Catulus zich in grote moeilijkheden. Deze had de Alpenpassen niet kunnen verdedigen tegen de Kimbren en had naar de laagvlakte van Noord-Italië moeten uitwijken. Hij was over de rivier de Adige getrokken en had aan de oevers daarvan zijn kamp opgeslagen. De Kimbren twijfelden er niet aan, dat zij in staat zouden zijn de Romeinen te over-

winnen. Maar zij hadden dan ook niets gehoord over de slag bij Aquae Sextiae.
In hun overmoed trokken zij al hun kleren uit en klommen naakt door de sneeuw naar boven. Toen namen zij hun schilden, gebruikten die als sleden en gleden de hellingen af naar het dal.
Toen ze de Adige bereikten, zagen ze aan de overkant het Romeinse kamp. Alvorens tot de aanval over te gaan besloten zij de rivier af te dammen. Romeinse soldaten zagen hen aan het werk en stonden verbaasd over hun kracht. Reusachtige bomen werden ontworteld en in de rivier geworpen. Grote rotsblokken, die veel te zwaar schenen om door één man te worden opgetild, werden met het grootste gemak in het water gegooid.
Vele soldaten kregen de schrik te pakken en begonnen het kamp te verlaten. Het was duidelijk, dat het gehele leger op de vlucht zou slaan nog voor er gevochten was. Om een massale desertie te voorkomen gaf de consul bevel tot de terugtocht.
Toen de Kimbren zagen dat de meeste Romeinen het kamp hadden verlaten, staken zij de rivier over en veroverden het, ondanks de dappere verdediging van degenen, die het beneden hun waardigheid hadden gevonden om terug te trekken.
De barbaren toonden dat zij moed wisten te waarderen, want zij spaarden het leven van deze dappere soldaten. Maar voor ze hen lieten gaan, moesten zij bij de bronzen stier zweren, dat ze zich aan bepaalde voorwaarden zouden houden. Die bronzen stier was voor de barbaren even heilig als een god.
Na de verovering van het Romeinse kamp zwierven de barbaren door de vlakte van Lombardije, waar zij roofden en plunderden.
Marius was na zijn overwinning naar Rome teruggeroepen en mocht een triomftocht houden. Toen hij echter hoorde dat Catulus ingevaar verkeerde, wilde hij niet blijven voor zijn glorieuze intocht. Hij haastte zich naar zijn collega, die zich bij de rivier de Po bevond. Zij staken die over en vonden de Kimbren bij Vercellae.
De Kimbren verwachtten dat de Teutonen zich zeer binnenkort bij hen zouden voegen en daar zij niet wilden vechten vóór hun bondgenoten er waren, deden ze alsof ze met Marius onderhandelen wilden en vroegen om land voor henzelf en hun vrienden.

„Wie zijn uw vrienden?” vroeg de consul aan de gezanten.
„De Teutonen”, was het antwoord.
„Maakt u geen zorg over uw vrienden”, antwoordde Marius spottend, „zij hebben reeds land gekregen en zullen dat voor eeuwig bezitten”.
De gezanten begrepen dat hun vrienden gesneuveld waren en ontstaken daarover in woede. Onbevreesd uitten zij dreigementen en zeiden, dat de Kimbren en de nog overgebleven Teutonen de dood van hun vrienden zouden wreken.
„Hun koningen zijn niet ver van hier”, zei Marius toen. „Het zou onvriendelijk van u zijn om heen te gaan zonder uw vrienden te begroeten”.
Toen werden de gevangen genomen koningen van de Teutonen geboeid voor de gezanten geleid, die nu zwegen.
Drie dagen later waren de Kimbren op de vlakte van Vercellae, verlangend om wraak te nemen. Ook Marius wilde graag tot de aanval overgaan. De Kimbren moesten vechten onder voor hen ongunstige omstandigheden. Koude en vorst konden ze verdragen, zoals ze bewezen hadden bij het oversteken van de Alpen, maar hitte maakte hen zwak.
Tevergeefs probeerden zij hun gelaat met hun schild tegen de zon te beschermen. Bovendien rezen er grote stofwolken op, die hen geheel omhulden. De Romeinen konden daardoor niet zien hoe groot hun aantal wel was en vochten des te dapperder.
Om hun gelederen gesloten te houden waren de voorste soldaten van de Kimbren met kettingen aan elkaar verbonden. Maar als zij dan een slag verloren, vormden diezelfde kettingen een groot gevaar, want zij konden niet vluchten.
Op deze dag verloren ook de Kimbren de strijd, en toen de Romeinen hen neer begonnen te slaan, probeerden de voorste gelederen tevergeefs om aan de slachting te ontkomen.
De achterste soldaten vluchtten naar het kamp. Maar daar waren de vrouwen, evenals bij de Ambrones, in de wagens geklommen en doodden mannen, broers en zoons, als zij probeerden een schuilplaats te zoeken.
Vele vrouwen en mannen hingen zich op na hun kinderen gedood te hebben, omdat ze niet in handen van de Romeinen wilden vallen.

Hoewel een groot aantal Kimbren sneuvelde, werden er nog zestigduizend gevangenen gemaakt.
Catulus eiste de eer van de overwinning voor zichzelf op en was niet erg te spreken over Marius, die, zoals hij zei, die eer niet wilde delen.
Hoe dat ook zij, toen de consuls in Rome terugkeerden, mocht Marius twee triomftochten houden, maar hij wilde er slechts één, en die deelde hij met Catulus.

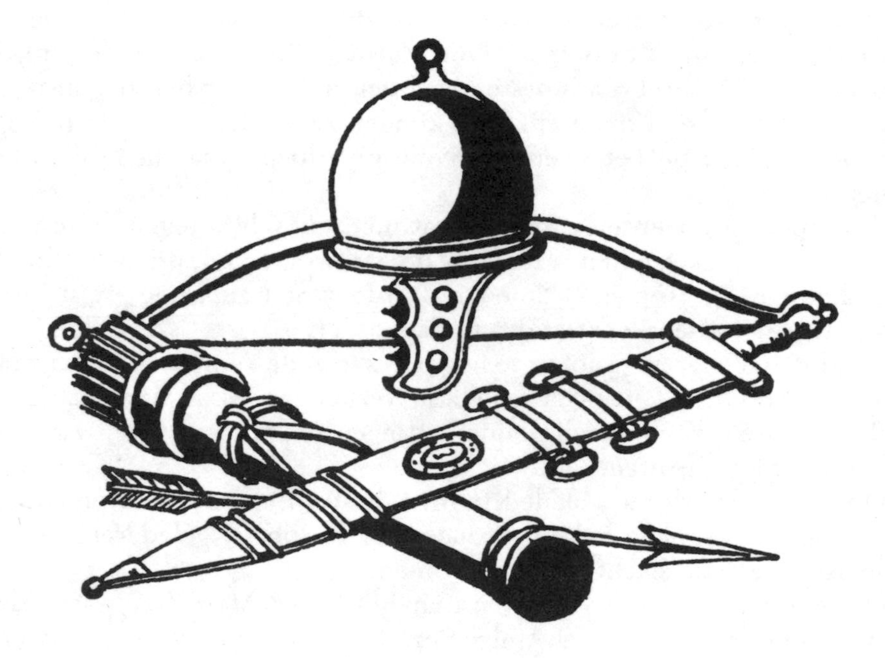

HOOFDSTUK 91

METELLUS UIT ROME VERDREVEN

Marius was reeds vijf jaar consul geweest en nog was hij niet tevreden. Hij wilde voor de zesde maal gekozen worden en was vastbesloten alles te doen wat in zijn vermogen lag om dat doel te bereiken.
Het was echter geen gemakkelijke taak voor hem, want nu Rome geen vijanden behoefde te vrezen, had men hem niet nodig. En bovendien, Marius was een dapper en bekwaam krijgsman, maar geen spreker, en in de senaat voelde hij zich niet op zijn gemak.
Toch deed hij zijn best en hij probeerde vriendelijk te zijn tegen mensen die hij helemaal niet mocht, wat toch al niet eenvoudig is. Hij vreesde het meest Metellus, de man aan wie hij het opperbevel had ontnomen. Als die slechts uit Rome verbannen kon worden, dacht hij, zou alles goed gaan. Marius begon plannen te maken, maar het duurde een hele tijd voor hij succes had.
Eerst sloot hij zich aan bij Glaucia en Saturninus, die populair waren bij het volk en door de Optimaten werden gehaat. Saturninus was Grieks tribuun geweest in 101 v. Chr. en wilde het volgend jaar herkozen worden. Toen hij bemerkte dat de burgers niet voor hem hadden gestemd, was hij zo woedend, dat hij zijn tegenstander liet vermoorden. Daarna kreeg hij zonder veel moeite de post die hij zo graag wilde bekleden. Glaucia werd praetor voor datzelfde jaar en Marius werd voor de zesde maal tot consul gekozen.
Saturninus diende nu een wetsvoorstel in over de verdeling van land. Zoals gewoonlijk zou dit voorstel aan de volksvergadering voorgelegd worden, maar de tribuun voegde er een belangrijke clausule aan toe, namelijk dat de senatoren moesten zweren, dat zij zouden instemmen met wat de volksvergadering besloot.
Marius deed alsof hij zeer verontwaardigd was over die clausule en zei, dat hij nooit een dergelijke eed zou afleggen. De senatoren, voegde hij eraan toe, hadden geen eed nodig om in te stemmen met wat goed was voor het volk.
De andere leden, waaronder Metellus, waren even verontwaardigd en zeiden, dat ook zij het nooit zouden doen. Marius was er nu van

overtuigd, dat hij Metellus in een val had gelokt. Want zelf had hij Saturninus in het geheim beloofd dat hij de eed wel zou afleggen, en zodra de burgers voor het wetsvoorstel hadden gestemd, deed hij dat ook.

Hij maakte geen enkele verontschuldiging voor het breken van zijn woord, maar raadde de andere senatoren aan om zijn voorbeeld te volgen. Toen Marius de eed aflegde, applaudisseerden de burgers luid, maar de patriciërs waren zeer ontstemd, omdat hij iets anders deed dan hij gezegd had. Toch legden zij allen de eed af, behalve Metellus.

Dat was juist wat Marius gehoopt had, want hij wist dat Metellus te rechtschapen was om zijn woord te breken. Saturninus eiste nu dat de consul Metullus zou straffen, omdat hij zich niet aan de wil van het volk onderwierp. Hij wilde dat men de senator zou verbieden in Rome onderdak te vinden en vuur of water te gebruiken. De volksmenigte zou hem zelfs gedood hebben, als zijn vrienden hem niet verdedigd hadden.

Metellus zei toen, dat hij de stad liever wilde verlaten. „Want", ging hij verder, „als de toestand hier verandert en men berouw krijgt, word ik teruggeroepen, en als de toestand niet verandert, is het maar beter dat ik wegblijf".

Zo slaagde Marius erin om Metellus met de hulp van Saturninus te verbannen. Hij moest er echter een zeer hoge prijs voor betalen. Want Glaucia en Saturninus wilden hun plannen doorzetten. Wanneer iemand het waagde zich tegen hun maatregelen te verzetten, stierf hij spoedig. Saturninus huurde sluipmoordenaars om zulke mensen uit de weg te ruimen. Tenslotte kreeg de bevolking daar genoeg van en eiste tegenmaatregelen.

De senaat veroordeelde hem en zijn volgelingen en verzocht de consuls hen te straffen.

Marius bevond zich daardoor in een moeilijke positie. Hij wilde niet de mannen straffen die hem geholpen hadden Metellus te verbannen, en toch kon hij als consul de misdaden die zij bedreven hadden, niet ongestraft laten. Hij gaf dus bevel om hen te arresteren, maar hoopte dat hij hun leven zou kunnen sparen.

Saturninus en Glaucia bleven zich echter verzetten en tenslotte moest Marius de watertoevoer van het Capitool laten afsnijden om hen zo tot overgave te dwingen. Toen liet hij hen naar het senaatsgebouw overbrengen. Maar daardoor richtte de woede van het volk zich tegen hemzelf en het deed zijn vrienden geen goed. Een volksmenigte drong het senaatsgebouw binnen en doodde Saturninus en zijn handlangers. En de senaat liet het toe.

Marius werd nu door de patriciërs gehaat, omdat hij de eed had afgelegd, en door het volk, omdat hij de vriend van Saturninus was geweest en geprobeerd had hem te redden. Toen hij merkte dat de burgers de terugkeer van Metellus verlangden, verliet hij de stad. Hij reisde naar Azië en probeerde Mithradates, de koning van Pontus, te bewegen tot oorlog tegen een van Rome's bondgenoten. Want, dacht hij, als er oorlog uitbrak, zou men hem weer nodig hebben.

Hoofdstuk 92

SULLA TREKT ROME BINNEN

Gedurende de afwezigheid van Marius nam de invloed van Sulla zienderogen toe. Dat was waarschijnlijk de voornaamste reden waarom Marius naar Rome terugkeerde. Hij hoopte dat hij de gunst van het volk terug zou winnen en nam zelfs een huis vlak bij het Forum om in het centrum te zijn.

Maar de mensen schonken weinig aandacht aan de bevelhebber die zij in oorlogstijd hadden bewonderd en vereerd. Ook Sulla had bewezen dat hij een bekwaam aanvoerder was, maar dat was een Optimaat en een gestudeerd man, die ook in vredestijd zijn land goede diensten kon bewijzen.

Marius werd zeer jaloers, toen hij opmerkte dat Sulla thans in Rome een meer vooraanstaand man was dan hijzelf. Ook zag hij op het Capitool een nieuw standbeeld, dat door Bocchus, de koning van Numidië, was opgericht. Naast de hoofdfiguur stonden kleinere gouden beelden: Bocchus, die Jugurtha aan Sulla uitleverde!

Aan Sulla! Marius was zeer verontwaardigd. Zonder hem zou Jugurtha nooit gevangen genomen zijn. Zijn beeld had daar moeten staan inplaats van dat van Sulla. De oude bevelhebber wilde het standbeeld laten neerhalen. Sulla hoorde wat Marius van plan was en nam maatregelen.

Maar toen brak een nieuwe oorlog uit, de zogenaamde Bondgenotenoorlog. De oorzaak was de ontevredenheid van het Italiaanse volk over het niet toekennen van alle burgerrechten. Marius en Sulla vochten beiden in deze oorlog. Evenals vroeger liet Marius zich ook nu niet verleiden tot vechten tegen zijn wil. Ja, een van de vijandelijke aanvoerders twijfelde zelfs aan zijn moed en zei: „Als gij inderdaad een groot bevelhebber zijt, Marius, verlaat dan uw kamp en vecht".

Marius antwoordde: „Als gij er een zijt, dwing mij er dan toe".

Marius was nu zesenzestig jaar oud, maar nog steeds een bekwaam legeraanvoerder, en hij behaalde een grote overwinning, waarbij zesduizend vijanden sneuvelden. Aan het einde van het jaar legde hij

echter het bevel neer, al was de oorlog niet afgelopen, omdat zijn gezondheid, naar hij zei, te wensen overliet.
Ook Sulla behaalde overwinningen in de Bondgenoten-oorlog, die in 88 v. Chr. eindigde, want toen gaf de senaat de burgerrechten aan alle Italianen. Rome bleef het centrum van de republiek, waar de verkiezingen plaats vonden en de wetten werden bekrachtigd.

Sulla keerde naar Rome terug om daar tijdig aanwezig te zijn voor de verkiezingen. Hij werd consul voor het jaar 88 v. Chr. en kreeg het bevel over het leger dat naar Azië werd gezonden. Want er was oorlof uitgebroken met Mithradates, de koning van Pontus.
Een van de tribunen, Sulpicius, was het er niet mee eens dat Sulla bevelhebber zou zijn en stelde voor om Marius tot pro-consul te benoemen en hem met het opperbevel te belasten. De tegenstanders dreven de spot met Marius en zeiden, dat hij beter thuis kon blijven met het oog op zijn zwakke gezondheid. Hij trok zich daar niets van aan en begon zelfs elke dag aan sport te doen. Hij was dik en zwaar geworden, maar toonde spoedig dat hij ondanks zijn gebreken nog gemakkelijk te paard kon springen en zich met zijn wapenrusting aan nog vlug kon bewegen.
Sulpicius kwam nu met een serie wetsvoorstellen en men zegt, dat Marius hem omgekocht had. In ieder geval behelsde een ervan het voorstel om Marius bevelhebber te maken. Daar deze wetten, als zij aangenomen werden, de volkspartij zeer machtig zouden maken, wilden de Optimaten er niets van weten. Sulpicius gaf de strijd niet op. Hij zond gewapende mannen naar de consuls, die aan de zijde van de optimaten stonden.
Rufus, de collega van Sulla, ontsnapte uit de stad, maar bij het oproer werd zijn zoon gedood. Sulla redde zijn leven door zich in het huis van Marius te verbergen, waar natuurlijk niemand hem zocht.
Toen het rustig geworden was, ontsnapte hij naar het kamp bij Nola. Nu de consuls afwezig waren en de Optimaten niets durfden doen, werden de wetten van Sulpicius aangenomen. Marius werd dus bevelhebber en hij stuurde onmiddellijk twee tribunen naar Nola om Sulla te verwittigen, dat hij spoedig het bevel over zou nemen.
Sulla wilde zich daar natuurlijk niet bij neerleggen, want hij was door

de senaat benoemd en Marius had zijn benoeming door geweld verkregen. Hij wist dat het leger achter hem stond en dat hij er volkomen op kon vertrouwen. Daarom verzamelde hij zijn troepen, vertelde hun wat er gebeurd was en dat Marius dus hun aanvoerder zou worden.

Er weerklonk een luid protest. De soldaten stelden voor om naar Rome te gaan en de vijanden te overmeesteren. De twee tribunen werden alvast ter dood gebracht. Zo gebeurde het dus, dat Sulla aan het hoofd van zijn troepen naar Rome trok; Rufus sloot zich onderweg bij hem aan.

Toen Marius en Sulpicius hoorden dat Sulla een beroep op het leger had gedaan, probeerden zij onmiddellijk een strijdmacht op de been te brengen en beloofden zij de slaven zelfs hun vrijheid als ze mee wilden vechten. Maar hun pogingen waren vergeefs en zij ontvluchtten de stad voor Sulla Rome binnen was getrokken.

Sulla werd niet hartelijk verwelkomd door de burgers, want ze namen het hem kwalijk dat hij zijn soldaten binnen de muren van de stad had gebracht, maar de senatoren ontvingen hem met open armen. Marius, Sulpicius en twaalf van hun aanhangers werden tot staatsvijanden verklaard. Dat betekende dat het niet alleen het recht, maar zelfs de plicht was van iedereen om hen te doden. Sulpicius werd in zijn schuilplaats door een slaaf gedood, Marius vluchtte.

Hoofdstuk 93

DE VLUCHT VAN MARIUS

Toen Marius uit Rome was gevlucht, begaf hij zich met de meeste spoed naar Ostia, de zeehaven aan de mond van de Tiber. Hij had zulk een haast om weg te komen, dat hij niet eens wachtte op zijn zoon, die hij op proviand had uitgestuurd.

De jonge Marius had ondertussen de boerderij bereikt waar zijn schoonvader woonde en daar de nacht ongestoord doorgebracht. Maar toen de ochtend aanbrak, holde een knecht het huis binnen en riep uit, dat er in de verte ruiters aankwamen.

De jonge Marius werd onder een lading bonen verborgen. De knecht spande op zijn gemak de ossen voor de wagen met bonen en reed er mee weg. Zo bereikte de zoon van Marius de kust, vanwaar hij naar Afrika voer.
De oude Marius had met allerlei moeilijkheden te kampen. Er brak een hevige storm los, die zijn schip op de kust dreef. Marius en zijn volgelingen waren gedwongen aan land te gaan en door de verlaten streek rond te zwerven op zoek naar voedsel en onderdak.
Tenslotte ontmoetten zij enige herders, die echter noch voedsel, noch onderdak voor hen hadden. De herders waarschuwden hen bovendien dat ruiters de streek afzochten en daarom gingen ze weer verder, tot zij uitgeput een woud bereikten, waar zij een schuilplaats zochten voor de nacht.
De volgende morgen begaf Marius zich, uitgehongerd, in de richting van de kust, want daar lag de enige mogelijkheid tot ontsnapping. Zijn geest was nog ongebroken en hij geloofde, dat hij alle moeilijkheden wel te boven zou komen. Hij verzocht zijn metgezellen hem niet in de steek te laten en zei dat hij hun trouw zou belonen. De waarzeggers hadden toch voorspeld, dat hij voor de zevende maal consul zou worden?
Door de belofte van Marius aangemoedigd strompelde het groepje verder. Ze waren nu nog slechts twee mijl van de zee en vlak bij de kust zagen ze schepen varen. Ze zouden wel spoedig veilig aan boord van een van die schepen zijn.
Maar toen hoorden ze het hoefgetrappel van naderende ruiters. Dodelijk benauwd begonnen Marius en zijn volgelingen, zwak als ze waren, te rennen. Ze wisten de kust te bereiken, sprongen het water in en zwommen naar de schepen.
Marius moest door twee vrienden geholpen worden, want hij was zo zwaar dat hij haast niet zwemmen kon. Hij was maar net veilig aan boord toen een troep ruiters verscheen. De soldaten schreeuwden naar de bemanning van het schip, dat ze de vluchteling weer aan land moesten zetten. Met tranen in zijn ogen smeekte Marius de zeelieden om hem niet aan zijn vijanden over te leveren. Na lang beraad besloot de bemanning om weg te zeilen. Maar daarmee waren de moeilijkheden voor Marius niet voorbij. De zeelieden veranderden van me-

ning. Ze durfden achteraf de man die door Rome verbannen was, niet aan boord te houden en besloten hem achter te laten.
Ze gingen voor anker bij de stad Minturnae en zeiden tegen Marius, dat hij aan land kon uitrusten tot de wind draaide. Marius vermoedde niet dat de zeelieden van plan waren om hem in de steek te laten.
Zodra de onwelkome gast aan land was gegaan, voeren de zeelieden weg. Marius bleef alleen achter, want het schijnt dat zijn volgelingen met een ander schip vertrokken waren.
Toen hij besefte wat er gebeurd was, stond hij moeizaam op en keek om zich heen. Hij bevond zich in een moerassige streek en moest een schuilplaats zoeken. Eindelijk kwam hij bij de hut van een oud man, die hem wilde helpen. Hij werd naar een verborgen plekje in het moeras gebracht en met varens overdekt.
Zelfs daar was hij niet veilig. De ruiters hadden zijn spoor gevolgd tot aan de hut en Marius hoorde nu hun luide stemmen. Ze dreigden de oude man te zullen straffen, omdat hij een vijand van Rome verborgen hield.
Hij moest weer vluchten. Haastig trok hij zijn kleren uit en stapte het moeras in. Misschien zou hij zich daar beter kunnen verbergen.
De ruiters waren afgestapt en zochten overal.
Een van hen kreeg Marius in het oog, holde op hem af en trok hem uit de modder.
En zo, naakt en vuil, werd hij voor de magistraat van Minturnae geleid.

Hoofdstuk 94

DE GALLIËR DURFT MARIUS NIET TE DODEN

Marius was tot vijand van de staat verklaard en het was dus de plicht van ieder die hem gevangen zou nemen, hem te doden. De bestuurders van Minturnae besloten hun plicht te doen. Er was echter geen enkele burger te vinden die het vonnis wilde uitvoeren, want ze waren bevreesd voor hem.
Eindelijk vond men een Galliër, die hem tegen de Kimbren had zien

vechten, bereid om Marius te doden. Toen de man de slecht verlichte ruimte binnenkwam waarin de gevangene was opgesloten, zag hij niet anders dan twee vurige ogen, die al zijn bewegingen volgden. Toen riep een luide stem: „Durft gij Gaius Marius doden?" En de Galliër besefte dat hij het inderdaad niet durfde. Hij smeet zijn zwaard neer, rende weg en riep verschrikt uit: „Ik kan Gaius Marius niet doden!" En daar zaten de bestuurders van Minturnae weer met hun gevangene. Iets van diezelfde vrees scheen hen te bekruipen en daarom besloten zij om Marius te laten ontsnappen. Hij werd naar de kust gevoerd en aan boord van een schip gebracht. Het schip had een voorspoedige reis en zette Marius in Afrika aan land. Daar vond hij zijn zoon, die op hem wachtte. Nadat de jonge Marius geluisterd had naar de wederwaardigheden van zijn vader, ging hij naar Hiempsal, de koning van Numidië, om bescherming te vragen voor hen beiden.
Ondertussen ging Marius naar Carthago. Nauwelijks was hij daar aangekomen of Sextilius, de Romeinse gouverneur, verzocht hem het gebied te verlaten. „Sextilius verbiedt u in deze streek te blijven", luidde de boodschap. „Wanneer gij toch hier aangetroffen wordt, zal hij het besluit van de Senaat ten uitvoer brengen en u als vijand van Rome behandelen".
Na het aanhoren van die woorden bleef Marius zwijgend zitten. Tenslotte vroeg de boodschapper hem welk antwoord hij aan Sextilius moest geven. „Vertel hem", antwoordde de banneling, „dat gij Gaius Marius tussen de ruïnen van Carthago hebt zien zitten".
De jonge Marius was nu in Numidië aangekomen en werd vriendelijk door de koning ontvangen. Maar telkens wanneer hij voorstelde om naar zijn vader terug te gaan, had Hiempsal een voorwendsel om hem nog enige tijd aan het hof te houden. De koning wist namelijk nog niet wat hij doen zou, de bannelingen gastvrijheid verlenen of hen uitleveren aan Sulla.
De jonge Marius begon echter ongeduldig te worden en op zekere dag wist hij te ontsnappen. Hij keerde naar zijn vader terug. Het was duidelijk dat de koning van Numidië niet te vertrouwen was en dat Afrika voor hen niet veilig was. Vader en zoon begaven zich naar de kust, huurden een boot en voeren naar het eiland Cercina, dat niet ver van de kust lag.

Het was maar goed dat ze niet in Carthago gebleven waren, want vrij spoedig nadat ze zich hadden ingescheept, verschenen er ruiters, die door de koning van Numidië waren uitgezonden om Marius en zijn zoon gevangen te nemen.

Hoofdstuk 95

MARIUS KEERT NAAR ROME TERUG

Toen Marius uit Rome was gevlucht, was Sulla met zijn soldaten de stad binnengetrokken. Hij herriep de wetten van Sulpicius en regeerde op zijn eigen manier. Hij verlangde er echter naar om tegen Mithradates ten strijde te trekken en in de zomer van 87 v. Chr. ging hij met zijn leger naar Griekenland.
Zodra hij weg was, stelde Cinna, een van de consuls, voor om Marius en zijn vrienden terug te roepen. Zijn collega, Octavius, was daar sterk tegen en besloot om Cinna's plannen te verijdelen. De consul gaf Octavius al spoedig gelegenheid om dat te doen. Want toen alle burgers bijeenkwamen om te stemmen over het al of niet terugkeren van Marius, kwam Cinna naar het Forum aan het hoofd van een groep gewapende mannen om zo de stemming te beïnvloeden. Hij verjoeg de volkstribunen, die probeerden een andere mening te verkondigen. Dit ging tegen alle wetten in en Octavius aarzelde dan ook niet en trok met een gewapende macht naar het Forum om Cinna te straffen. In de strijd die ontstond, werden vele rebellen gedood en Cinna zelf moest vluchten. De senaat onthief hem uit zijn functie en verklaarde hem tot staatsvijand.
Toen Cinna vernam wat de senaat besloten had, was hij zeer verontwaardigd. Hij begon onmiddellijk een leger op de been te brengen om tegen Octavius te vechten. Marius voegde zich al spoedig bij hem, want zodra hij vernam wat er in Rome gebeurde, haastte hij zich naar Italië.
Cinna ontving de banneling met grote eer en drong er bij hem op aan, dat hij het gewaad van pro-consul zou dragen. Marius deed echter alsof hij daar te bescheiden voor was en bleef zijn oude, versleten

kleren dragen. Zijn haar, dat sinds zijn verbanning niet geknipt was, liep hij tot op zijn schouders hangen en hij liep alsof hij gebukt ging onder zijn zeventig jaren. Zo te zien zou hij Cinna niet van veel nut zijn. In korte tijd had Cinna vier legers geformeerd om tegen Rome op te trekken. Marius, Cinna, Sertorius en Carbo waren de vier bevelhebbers.
De muren van de stad konden een aanval niet weerstaan, want op sommige plaatsen waren zij geheel vervallen. Octavius liet ze zoveel mogelijk herstellen en versterken. Bovendien zond hij boodschappers naar Sulla's onderbevelhebbers en riep hun hulp in. Twee daarvan, Metellus en Strabo, gaven onmiddellijk aan die oproep gehoor. Maar ze deden misschien de zaak meer kwaad dan goed, want velen van hun soldaten deserteerden en sloten zich aan bij Cinna's leger.
Metellus bleef niet lang in de stad en weigerde het bevel over alle troepen op zich te nemen, zoals Octavius wilde. Strabo deed zijn best, en hoewel zijn soldaten door koorts geplaagd werden, viel hij Sertorius aan. De strijd bleef onbeslist en spoedig daarna werd Strabo door de bliksem getroffen en gedood.
Marius had de last der jaren afgeworpen en was even actief als in vroegere veldslagen. Hij nam Ostia in, de haven van Rome en sneed zodoende de graantoevoer af. En steeds meer soldaten deserteerden uit het leger van Octavius.
De senaat begreep dat verdere tegenstand nutteloos was en verzocht Cinna en Marius om in de stad een onderhoud te hebben. Cinna beloofde dat hij rekening zou houden met de wensen van de senaat. Marius, die vlak bij de zetel van Octavius stond, zei niets, maar zijn gelaatsuitdrukking was duidelijk genoeg.
De eerste eis van Cinna was het herroepen van de uitspraak over Marius. Dat moest door de volksvergadering gebeuren en Marius wilde daar niet op wachten. Toen pas enkele districten hun stem hadden uitgebracht, snelde hij het Forum op, gevolgd door een troep slaven, die hij zijn lijfwacht noemde. Een blik van Marius was voldoende voor hen om te weten wie er gedood moest worden. Ja, al spoedig wachtten ze niet eens meer op het teken, maar vielen ieder aan wiens groet niet door Marius werd beantwoord.
Octavius werd op zijn consulszetel vermoord en zijn hoofd werd naar

Cinna gebracht. Ook Catulus, die samen met Marius tegen de Kimbren had gevochten, was ten dode opgeschreven. Hoewel zijn vrienden verzochten om zijn leven te sparen, antwoordde Marius kortaf: „Hij moet sterven".
Catulus wachtte niet tot dat vonnis werd uitgevoerd. Hij sloot zich op in een kamer, legde een groot vuur aan en stierf de verstikkingsdood. Dat waren dagen van terreur in Rome, want niemand wist of hij veilig was. Tenslotte schaamde zelfs Cinna zich over de wreedheden van de huurlingen van Marius en in samenwerking met Sertorius liet hij een aantal daarvan ter dood brengen. Daarna werd het iets rustiger in de stad.
De tijd was nu aangebroken voor de verkiezing van de consuls voor het jaar 86 v. Chr. De burgers kwamen zoals gewoonlijk bijeen, maar ze hadden geen andere keus dan voor Marius en Cinna te stemmen. Tegenstemmen zou de dood hebben betekend. En zo werd Marius consul voor de zevende keer, zoals hij altijd geloofd had, zelfs in de tijd van zijn verbanning. Hij genoot echter niet lang van zijn triomf, want hij stierf op 13 januari 86 v. Chr.
Cinna was nu de machtigste man in Rome. Het kostte hem geen moeite om voor de jaren 85 en 84 tot consul te worden benoemd, tezamen met Carbo. Hij vreesde slechts één naam, die van Sulla. Als hij die grote bevelhebber, die nu in het Oosten vocht, tot staatsvijand verklaarde, zou hij geen last meer van hem hebben, dacht hij. Daarom deed hij dat en liet zelfs Sulla's huis afbreken.
Nu was hij echter te ver gegaan. Vele Optimaten die tot de beste families van Rome behoorden, verlieten de stad en vluchtten naar Griekenland, naar het kamp van Sulla. En zoveel senatoren schaarden zich rond de bevelhebber, dat Sulla met meer recht uit naam van de senaat kon handelen dan Cinna in Rome. Hij verklaarde dan ook, dat hij na afloop van de oorlog met het leger naar Rome zou gaan om Cinna en zijn aanhangers te verdrijven.
Toen de consuls dat hoorden, begonnen ze troepen op de been te brengen om de stad te kunnen verdedigen als Sulla kwam. Maar Cinna beleefde dat niet meer. In 84 v. Chr. sloegen zijn soldaten aan het muiten en vermoordden hem. Sulla keerde pas in de lente van het jaar 83 v. Chr. naar Italië terug.

HOOFDSTUK 96

DE REDENAAR ARISTION

Mithradates, de koning tegen wie Sulla in 87 v. Chr. te velde trok, was een dapper en bekwaam bevelhebber. Zijn koninkrijk, Pontus, lag aan de zuidkust van de Zwarte Zee.
Zijn voorganger had geprobeerd zijn grondgebied te vergroten, maar was door Rome herhaaldelijk gedwarsboomd. Toen Mithradates in 113 v. Chr. aan het bewind kwam, wist hij dus dat alleen de Romeinen sterk genoeg waren om veroveringen te beletten. Hij bleek zulk een goed bevelhebber te zijn, dat de Griekse steden in Klein-Azië besloten het verbond met Rome op te zeggen en zich aan de zijde van de koning van Pontus te scharen. Om die opstand te onderdrukken was Sulla met zijn vijf legioenen naar Griekenland gegaan.
Ook de Atheners wilden hun stad roemrijker maken dan in het verleden en zij geloofden, dat Mithradates hen beter zou helpen om dat te bereiken dan Rome. Daarom werd de redenaar Aristion als gezant naar de koning van Pontus gestuurd om hem de vriendschap van Athene aan te bieden.
De koning ontving Aristion met grote eerbied en gaf hem kostbare geschenken. En toen hij afscheid van Mithradates nam, kreeg hij nog een ring, waar het portret van de koning in gegraveerd stond. Toen de gezant in Athene terugkeerde en zijn geschenken liet zien, kende het enthousiasme van de burgers geen grenzen meer. Een grote menigte vergezelde hem naar Piraeus, de haven van Athene. Hier, in de citadel, bracht hij verslag uit van zijn bevindingen aan het hof.
Nu was Aristion een groot redenaar en hij wist dat zijn woorden de burgers ertoe zouden kunnen brengen te doen wat hij wilde. Dus herinnerde hij de burgers eerst aan het onrecht dat de Romeinen hun hadden aangedaan, en al berustte niet alles wat hij zei op waarheid, zijn welsprekendheid verleende er toch een schijn van waarheid aan.
Toen sprak hij over Mithradates en over de koning had hij niets dan goeds te vertellen. De pracht van zijn hof, zei Aristion bescheiden, kan ik met geen woorden beschrijven. Nog voor Aristion zijn toespraak had beëindigd, hadden de Atheners besloten de republiek

weer uit te roepen en een bondgenootschap met Mithradates te sluiten. Aristion werd met de leiding van de oorlogvoering belast.
Sulla, die met zijn leger in Epirus was geland, marcheerde nu op naar Athene. De stad en de haven waren goed versterkt en de verdediging was in handen van Archelaüs, een bevelhebber van Mithradates.
De Romeinse bevelhebber besloot de citadel te belegeren en Athene geheel te omringen om te voorkomen, dat er burgers zouden ontsnappen en dat er voorraden werden aangevoerd. Daar hij echter geen geld en geen materiaal had voor een beleg, roofde hij de Griekse tempelschatten.
Van heinde en verre werd hout aangevoerd in karren en voor dat werk waren, naar men zegt, tienduizend muilezels nodig. Toen er nog niet genoeg was, liet Sulla de heilige wouden omhakken. Maar ondanks de versterkingen die hij aanlegde, kon hij Piraeus niet veroveren. Archelaüs en zijn troepen deden dikwijls uitvallen.
Tenslotte kwam Sulla tot de overtuiging, dat hij zonder vloot de vesting nooit zou veroveren, want de haven was in handen van Mithradates.

Hoofdstuk 97

SULLA BELEGERT ATHENE

Piraeus kon inderdaad niet worden uitgehongerd, maar in Athene begon al gebrek te heersen. De Atheners waren zorgeloze, opgewekte mensen, die geen ontberingen gewend waren, maar toch werd er niet gemopperd over gebrek aan voedsel. Sommigen zochten kruiden, anderen namen een stuk oud leer en probeerden daar met wat olie nog een maaltijd uit te bereiden.

Maar terwijl de Atheners honger leden, leefde Aristion, de redenaar, die met de oorlogvoering was belast, er goed van.

En hij deed dat niet in het geheim; iedereen wist dat hij zich tegoed deed, terwijl de anderen niets hadden. De voornaamste burgers en de priesters gingen tenslotte naar de tiran toe, want Aristion had zich als zodanig ontpopt, en verzochten hem een overeenkomst met Sulla te sluiten voor de burgers van honger stierven. Maar Aristion wenste zijn leven van plezier niet te laten verstoren door zulke ernstige zaken. Hij stuurde hen weg en liet hen door zijn dienaars een regen van pijlen achterna zenden.

Een poosje later scheen hij echter aan de wensen van de burgers tegemoet te willen komen, want hij zond enkele van zijn vrienden naar de Romeinse bevelhebber. Maar zij hadden geen serieuze voorstellen en mochten ook geen verdrag sluiten. Het enige wat zij konden doen, was uitweiden over hun oude steden, tot Sulla tenslotte ongeduldig werd en zei: „Beste vrienden. . . gaat heen! Ik ben niet door de Romeinen naar Athene gezonden om een lezing aan te horen, maar om een opstand te bedwingen."

Korte tijd daarna ontdekte Sulla bij toeval hoe hij de stad in handen zou kunnen krijgen. Twee oude mannen stonden met elkaar te praten over de dwaasheden van Aristion, en Sulla hoorde hoe zij hem er de schuld van gaven dat een bepaald gedeelte van de muur niet bewaakt werd.

De Romeinen gingen onmiddellijk op onderzoek uit en toen ze de plek gevonden hadden, vielen ze aan. Er stonden slechts enkele schildwachten en die sloegen op de vlucht toen de vijand naderde,

zodat er spoedig een bres gemaakt kon worden, waardoor Sulla met zijn troepen de stad binnenmarcheerden.
De Romeinse soldaten gingen tot plundering over en doodden alle burgers die ze zagen. Sulla keek toe, zonder zich te bekommeren over het lot van de inwoners. Pas toen twee mannen die Rome trouw waren gebleven, zich voor hem op de knieëen wierpen en hem smeekten de stad te sparen, greep hij in. Hij verbood verdere plundering en zei: „Ik vergeef de velen ter wille van enkelen, de levenden ter wille van de doden".
Spoedig hierna viel ook Piraeus en Sulla liet de vesting vernietigen en de pakhuizen in brand steken . In datzelfde jaar nog vocht hij tegen de troepen van Mithradates bij Chaeronea, waar een grote veldslag plaatsvond.
Archelaüs werd verslagen, hoewel zijn strijdmacht bijna vier maal zo groot was als die van Sulla. De Grieken begonnen nu berouw te krijgen van de opstand. Mithradates scheen niet zoveel hulp te kunnen bieden als ze gedacht hadden. En vele Griekse steden in Klein-Azië onderwierpen zich weer aan de Romeinen.
Mithradates deed nogmaals een poging om de macht in handen te krijgen. In de herfst van 86 v. Chr. vond er een veldslag plaats bij Orchomenus. In het begin weken de Romeinen achteruit door de felheid van de aanval. Sulla zag het gevaar, sprong van zijn paard, greep een standaard, rende naar de plaats waar het hevigst gevochten werd en riep: „Voor mij, Romeinen, is het roemrijk hier te vallen. Wat u betreft, wanneer men u vraagt waar gij uw bevelhebber in de steek hebt gelaten, zegt dan: bij Orchomenus".
Door die woorden opgezweept, hielden de soldaten stand en wonnen na een wanhopige strijd de slag.
In 84 v. Chr. moest de koning vrede sluiten met de Romeinen, en de steden die afvallig waren geweest, moesten grote sommen geld aan Sulla betalen. De Romeinse bevelhebber wilde nu zo spoedig mogelijk naar Rome gaan om diegenen te straffen die hem tot staatsvijand hadden verklaard.
En zo trok hij dan in de lente van 83 v. Chr. met zijn leger naar Italië.

Hoofdstuk 98

SULLA EN DE SAMNIETEN

Sulla keerde drie jaar na de dood van Marius naar Italië terug. Gedurende die tijd was de volkspartij aan de macht geweest, maar nu vreesde men dat het spoedig afgelopen zou zijn met dat bewind.
Carbo was de leider van Sulla's tegenstanders. Hij had wel een behoorlijk leger, maar dat was over heel Italië verspreid en Pompeius, die voor Sulla was, zorgde er met zijn drie legioenen voor dat de legerafdelingen van Carbo zich niet konden verenigen. Dat maakte de overwinning van Sulla natuurlijk gemakkelijker.
Maar terwijl Romeinen tegen Romeinen vochten, bedreigde een nieuw gevaar de stad. Een leger van Samnieten, onder aanvoering van Pontius, wist zowel het leger van Sulla als de troepen van Carbo te vermijden en marcheerde recht op Rome af.
De burgers waren wanhopig. Ze herinnerden zich hoe de Samnieten lang geleden een Romeins leger bij de Caudijnse Passen in de val hadden gelokt. Men vergat alle onderlinge ruzies en iedereen die wapenen kon dragen, maakte zich gereed om de stad te verdedigen. De burgers hadden weinig vertrouwen in de muren, want die waren hier en daar ineengestort en konden zeker geen beleg weerstaan.
Daarom trokken ze de stad uit om in het open veld slag te leveren tegen de vijand. Hun haastig uit de grond gestampte leger werd echter verslagen en in de stad begon men te wanhopen.
Men geloofde dat de Samnieten elk ogenblik zouden binnenrukken.
Toen de nood het hoogst was, zag men een afdeling ruiters de poort naderen. Dat was de voorhoede van Sulla's leger, en hijzelf volgde met de hoofdmacht. De burgers voelden zich opgelucht. Nu zouden de Samnieten in ieder geval niet zonder tegenstand de stad binnen kunnen komen.
Sulla's officieren verzochten hem om de troepen enige rust te gunnen voor hij de vijand aanviel. Maar hij weigerde en liet onmiddellijk de trompetten het sein voor de aanval blazen.
Crassus voerde het bevel over Sulla's rechtervleugel en versloeg zijn tegenstanders zonder dat Sulla het wist. De linkervleugel van de

Romeinen had het zwaar te verduren en Sulla reed erheen, op een prachtig wit paard.
Hij werd door de Samnieten herkend en twee van hen wilden hem met hun speren doden. Sulla's lijfwacht zag het gevaar en gaf het paard een tik, zodat het opzij sprong.
Tegen de avond, was er nog geen beslissing gevallen. Maar gedurende de nacht kwamen er boodschappers van Crassus in het kamp, die meedeelden dat de vijand teruggedreven was tot Antemnae, drie mijl verder, en dat Pontius, de aanvoerder van de Samnieten, was gesneuveld. Sulla besloot om onmiddellijk naar Crassus te gaan. En de volgende dag zagen de Samnieten dus een groot leger gereed staan om weer aan te vallen. Nu hun bevelhebber dood was, durfden ze niet goed meer te vechten en drieduizend van hen wilden zich overgeven. Sulla beloofde hun leven te sparen, op voorwaarde dat zij tegen hun stamgenoten zouden vechten. De Samnieten namen dat aanbod aan. In de strijd die nu volgde, werden vele Samnieten gedood. Zesduizend overlevenden werden naar Rome gebracht en daar gedood. De wreedheid van de Romeinse bevelhebber scheen toe te nemen nu hij dichter bij Rome kwam.

HOOFDSTUK 99

DE PROSCRIPTIES VAN SULLA

Na zijn overwinning op de Samnieten had Sulla een bijeenkomst met de senaat in de tempel van Bellona, buiten de stadsmuren. De rede van de bevelhebber werd plotseling onderbroken door verschrikkelijke angstkreten, en de senatoren keken verschrikt op en luisterden niet naar wat Sulla zei.
Deze ging onverstoorbaar verder, maar toen hij merkte dat de senatoren geen aandacht aan hem schonken, gebood hij hun „zich niet te bemoeien met wat buiten gebeurde". De kreten kwamen van de zesduizend Samnieten, die op bevel van Sulla gedood werden.
Ongeveer in deze tijd pleegde de jonge Marius zelfmoord, omdat hij niet in handen wilde vallen van de vijand van zijn vader. Zijn hoofd werd naar Sulla gebracht in Rome. „Men moet eerst een goed roeier zijn voor men het roer in handen wil nemen", zei de tiran, toen hij ernaar keek. Want hij was kwaad, omdat men de jonge Marius tot consul had gekozen, terwijl hij pas zevenentwintig jaar oud was.
De bange voorgevoelens van velen werden nu bewaarheid. Want Rome werd een stad des doods. Sulla was vastbesloten om allen die tegen hem waren geweest terwijl hij in Griekenland was, te doden. Dag in dag uit ging de wrede slachting door. Veertig senatoren en zestienhonderd burgers werden veroordeeld en er zouden nog meer slachtoffers vallen. Sulla zei, dat hij hun namen nog niet wist. De spanning in de stad was ondraaglijk.
Een senator, stoutmoediger dan de anderen, zei tegen Sulla: „Wij vragen u niet om degenen te sparen die gij wilt vernietigen, maar de twijfel weg te nemen bij degenen die gij wilt sparen."
„Ik weet nog niet, wie ik wil sparen", antwoordde de bevelhebber grimmig.
„Vertel ons dan", hield de ander vol, „wie gij wilt straffen".
Sulla beloofde dat te doen en voortaan werden er lijsten in het Forum opgehangen met de namen van de veroordeelden. Die lijsten werden de proscripties van Sulla genoemd.
Op de eerste lijst stonden tachtig namen, en eerst dachten de Ro-

meinen dat er nu verder geen onzekerheid meer zou zijn en dat er geen doodvonnissen meer geveld zouden worden. Er volgden echter nieuwe lijsten en niemand voelde zich meer veilig.
Bovendien werd er een bevel uitgevaardigd, waarbij iedereen die onderdak of voedsel gaf aan een ter dood veroordeelde, ook met de doodstraf bedreigd werd. Daarentegen kreeg iedereen die iemand doodde die op de lijst stond, een beloning. De eigendommen van de veroordeelden werden verbeurd verklaard en zodoende werden Sulla en zijn vrienden al spoedig zeer rijk.
Honderdtwintig jaar lang was er geen dictator geweest. Maar Sulla regeerde nu weer als zodanig. In andere tijden werd een dictator slechts voor zes maanden benoemd, maar Sulla was niet van plan na zo'n korte periode weer af te treden. Hij werd natuurlijk herkozen, want niemand durfde zich tegen hem verzetten. Hij noemde zich dictator van het einde van het jaar 82 v. Chr. af en bleef drie jaar aan het bewind.
Er was één man in Rome, wiens invloed zienderogen toenam en die Sulla niet vreesde. Dat was Pompeius. Deze was door Sulla naar Afrika gezonden en had in veertig dagen de vijand van Rome verslagen en de koning van Numidië weer op de troon geplaatst.
Toen deze zegevierende bevelhebber weer terugkeerde, ging Sulla hem aan het hoofd van een grote menigte tegemoet en verwelkomde hem als Pompeius de Grote. En voortaan werd hij zo genoemd. Maar toen Pompeius een triomftocht wilde houden, weigerde Sulla zijn toestemming.
Pompeius wist, dat de bevolking hem goed gezind was, terwijl Sulla alleen kon regeren door een schrikbewind. De dictator zou hem niet lang zijn triomftocht kunnen blijven weigeren. „Meer mensen aanbidden de opgaande zon, dan de ondergaande", mompelde hij, en degenen in zijn buurt die deze stoutmoedige woorden hoorden, schrokken. Sulla zag hun verwondering en vroeg wat Pompeius had gezegd. Toen men het hem vertelde, riep hij uit zijn humeur: „Laat hem zijn triomftocht maar houden"!
In 79 v. Chr. legde Sulla zijn dictatorschap neer, tot grote opluchting van de Romeinen, en trok hij zich terug naar een prachtige villa, die hij bij Cumae had laten bouwen. Hij bracht daar de dagen door met

het ontvangen van kunstenaars en het schrijven van zijn memoires. Hij stierf in 78 v. Chr., zonder zijn memoires te hebben voltooid.

HOOFDSTUK 100

DE OPSTAND DER GLADIATOREN

Vijf jaar na de dood van Sulla kwamen de gladiatoren in opstand, terwijl Pompeius in Spanje was. We horen voor het eerst van de gladiatoren in 264 v. Chr., en in die tijd traden ze alleen op bij begrafenissen. Gewoonlijk waren het misdadigers of krijgsgevangenen, die ter dood waren veroordeeld. Men gaf hun wapenen en liet hen vechten tot de een de ander gedood had. Dat gebeurde dikwijls in een arena, waar duizenden mensen dat wrede schouwspel gadesloegen.
Dit 'vermaak' werd zo populair, dat rijke burgers die de gunst van het volk wilden winnen, er eigen gladiatoren op na gingen houden en die een speciale opleiding gaven. Er ontstond een grote vraag naar sterke, gespierde barbaren, want hoe sterker de man was en hoe beter getraind, des te opwindender was het schouwspel.
In een van deze opleidingscentra in Capua bevond zich een groot aantal Galliërs en Thraciërs. Tweehonderd daarvan besloten te ontsnappen, maar hun plan werd ontdekt en slechts tachtig slaagden er in te ontvluchten. Ze renden een winkel binnen, waar ze zich meester maakten van alle messen, benoemden Spartacus tot hun aanvoerder en sloegen hun kamp op bij de Vesuvius. Andere gladiatoren en slaven sloten zich bij hen aan en de Romeinen zonden twee legers uit om de opstand te bedwingen.
Spartacus was een bekwaam aanvoerder en versloeg de Romeinse legers. Steeds meer gladiatoren en weggelopen slaven kwamen naar zijn kamp. De Romeinen zonden opnieuw troepen uit en ditmaal werd een van de aanvoerders van de opstandelingen gedood. Maar Spartacus nam onmiddellijk wraak, versloeg de Romeinen en dwong driehonderd krijgsgevangenen om als gladiatoren te vechten ter gelegenheid van de begrafenis van de gesneuvelde aanvoerder. Dat is de enige wreedheid waaraan Spartacus zich schuldig maakte.
Hierna trokken de rebellen ongehinderd door Italië. Spartacus wilde de Alpen overtrekken om naar zijn geboorteland terug te gaan, maar de meesten wilden liever in Italië blijven om te roven en te plunderen. Gedurende de winter van 72 v. Chr. bleef Spartacus met zijn

troepen in de buurt van Thurii. Ze smeedden daar de wapenen, die ze nodig dachten te hebben voor het komend voorjaar.
Maar voor die tijd wilde Crassus, de rijkste man van Rome, de opstandelingen verslaan. Hij trainde zelf de soldaten die door Spartacus waren verslagen en slaagde erin met dit leger Spartacus naar het uiterste zuiden van Italië te drijven. Deze verschanste zich in de stad Rhegium en stuurde boodschappers naar de zeerovers langs de kusten van Italië, om hen over te halen zijn soldaten in hun schepen naar Sicilië te brengen.
De zeerovers namen het aangeboden geld aan, maar verbraken toen hun belofte en zeilden weg zonder de gladiatoren aan boord te nemen. Crassus dacht dat de opstandelingen nu niet meer konden ontsnappen. Hij liet versterkingen aanleggen, dwars over de smalle landstrook die het schiereiland waarop Spartacus zich bevond, met Italië verbond. Ondanks dat alles slaagde Spartacus er nog in met een derde van zijn leger door de versterkingen heen te breken en uit de val te ontsnappen.
Crassus was bevreesd, dat de barbaren naar Rome zouden opmarcheren en hij vroeg de senaat om Pompeius uit Spanje terug te roepen. Korte tijd later behaalde Crassus een grote overwinning op de rebellen. Twaalfduizend barbaren sneuvelden en slechts twee daarvan waren in de rug gewond.
Spartacus gaf de moed niet op. Hij had zich in de bergen teruggetrokken, maar viel de Romeinse troepen onverwachts aan en versloeg hen op zijn beurt.
Zijn volgelingen waren zo trots op die overwinning, dat ze de strijd wilden hervatten. Hoewel Spartacus van mening was dat het verstandiger zou zijn om in de bergen en bossen te blijven, gaf hij toe. Maar toen hij aan het hoofd van zijn leger tegen Crassus optrok, bemerkte hij dat een ander leger, onder Lucullus, hem van de zee had afgesneden. Het was nu overwinnen of sterven. Spartacus doodde zijn paard, als teken dat hij niet wilde vluchten. Toen ging hij tot de aanval over en probeerde door de vijandelijke linies heen te breken. Zijn aanhangers bleken echter minder dapper te zijn dan gewoonlijk en lieten hem in de steek. Hij werd door een speer getroffen, maar nog vocht hij moedig door. Tenslotte zakte hij in elkaar.

Duizenden van zijn aanhangers vluchtten naar de bergen. Maar Pompeius, die nu uit Spanje was teruggekeerd, achtervolgde de vluchtelingen en doode er velen. Hij beweerde later, dat hij de opstand onderdrukt had, al had Crassus het vijandelijke leger verslagen. Zesduizend slaven werden gevangen genomen en langs de Via Appia gekruisigd. Spartacus, de barbaar, was veel genadiger geweest dan de Romeinen. Want in zijn kamp vond men duizenden gevangenen, die allen goed waren behandeld.

Hoofdstuk 101

DE ZEEROVERS

Pompeius de Grote keerde in 71 v. Chr. terug naar Rome om zijn tweede triomftocht te houden, en om voor het daarop volgend jaar tot consul te worden gekozen. De burgers verlangden ernaar deze grote bevelhebber te zien, maar toch vreesden zij hem. Want misschien zou hij, evenals Sulla, zijn leger meenemen. Misschien zou hij zich ook wel tot dictator laten uitroepen en zijn vijanden ter dood laten brengen.
Maar die vrees bleek ongegrond, want zodra Pompeius in Rome was, ontbond hij zijn leger en stuurde de soldaten naar huis. Hij vroeg alleen of ze voor zijn triomftocht terug wilden komen. Hij werd onmiddellijk tot consul gekozen en Crassus werd de andere consul.

Deze twee mannen konden niet goed met elkaar opschieten, want Pompeius behoorde toen tot de volkspartij, terwijl Crassus zich bij de Optimaten aansloot.
De zegevierende bevelhebber wist op vele manieren de gunst van het volk te winnen, maar vooral door zijn eerbied voor hun oude gebruiken. Het was de gewoonte dat een Romeins edelman, nadat hij het verplichte aantal jaren in het leger had gediend, zijn paard naar het Forum leidde en daar in tegenwoordigheid van twee censoren vertelde, onder welke aanvoerders hij had gediend en in welke veldslagen hij had gevochten. Hij werd dan, al naar zijn verdiensten, met of zonder lof ontslagen.
Als consul had Pompeius dit gebruik gemakkelijk kunnen negeren. Maar hij deed dat niet en, gekleed in zijn consulsgewaad, zag men ook hem zijn paard naar het Forum leiden. Toen hij de censoren naderde, verzocht hij zijn lictoren zich terug te trekken, terwijl hij zich naar voren begaf.
Het verheugde de censoren, dat de consul hun die eer aandeed, maar zij behandelden hem precies als de andere edelen.
„Pompeius Magnus", zei een van de censoren, „hebt gij de voorgeschreven tijd als soldaat gediend"?

„Ja," antwoordde Pompeius, „ja, dat heb ik gedaan, en wel onder mijzelf als aanvoerder".
Bij dit antwoord klapten de burgers in hun handen en de censoren stonden op om Pompeius naar huis te vergezellen.
Nadat hij consul was geweest, bracht hij twee jaar rustig thuis door en in die tijd zag men hem zelden op het Forum. Zijn bewonderaars gingen dikwijls naar hem toe en werden dan gastvrij ontvangen. Maar toen deed men weer een beroep op hem.
De zeerovers, die al jarenlang de Middellandse Zee onveilig maakten, werden hoe langer hoe stoutmoediger. Een schip waarvan de bemanning niet bewapend was, viel hun altijd in handen. De kusten van Azië, Griekenland, Epirus en Italië hadden zwaar te lijden onder de aanvallen van de zeerovers; zelfs de tempels waren niet langer veilig. Twee Romeinse praetoren waren kortgeleden door hen ontvoerd en ook hadden ze enkele edellieden gevangen genomen om ze pas tegen een hoog losgeld weer vrij te laten. In de laatste tijd waren ze aan de mond van de Tiber gezien en ze hadden in de haven van Ostia schepen in brand gestoken.
Koning Mithradates had meer dan eens van de zeerovers gebruik gemaakt en hen door geschenken aangemoedigd om vooral de schepen van zijn vijanden aan te vallen.
De zeeroversschepen waren prachtig versierd met de gestolen goederen. Hun zeilen waren van kostbare zijde van een zeldzaam mooie purperen kleur, die later alleen voor vorstelijke gewaden gebruikt werd. De riemen waren met zilver bekleed, de masten verguld. Bij feestmaaltijden hadden de zeerovers zilveren schalen en borden.
De Romeinen begonnen bevreesd te worden, dat de zeerovers ook de graanschepen uit Afrika en Sicilië zouden buitmaken.
Daarom stelde een tribuun aan de senaat voor om iemand naar de Middellandse Zee te sturen met volkomen vrijheid van handelen om een einde te maken aan het optreden van de zeerovers. Om alle tegenstand te breken moest het een benoeming zijn voor drie jaar. Zulk een grote macht wilden de Romeinen aan niemand anders dan aan Pompeius geven, want die had getoond dat hij er geen misbruik van zou maken. Pompeius werd dus benoemd en zeilde met een grote vloot uit om zijn taak te vervullen. Hij verdeelde de kust in districten

en zond zijn officieren uit om de zeerovers te verdrijven. Zelf trok hij naar Sicilië en Afrika.
Binnen de veertig dagen waren de zeerovers verjaagd en ten westen van Griekenland was de zee veilig. Maar in de Griekse Archipel waren talrijke schuilplaatsen en verborgen inhammen. Deze werden nu door Pompeius onderzocht.
De zeerovers verzamelden toen de schepen die ze nog hadden bij Cilicië om een laatste poging te doen de vijand te weerstaan. Ze werden echter verslagen. De overlevenden gaven zich over, met de eilandjes en de vestingen, die zo goed versterkt waren dat het Pompeius zeer veel moeite gekost zou hebben ze te veroveren.
Er werden veel gevangenen gemaakt, maar deze werden niet gedood. Pompeius bracht de winter in Cilicië door om zijn aandacht aan de krijgsgevangenen te kunnen besteden. Hij stichtte steden, waar de zeerovers zich konden vestigen als ze dat wilden, om met eerlijk werk de kost te verdienen.

HOOFDSTUK 102

POMPEIUS EN MITHRADATES

Toen de Romeinen vernamen dat de zeerovers verjaagd waren en zich aan Pompeius hadden moeten overgeven, waren zij daar zeer verheugd over. Zij behoefden nu niet bang te zijn, dat er plotseling schepen met purperen zeilen en zilveren riemen langs de Italiaanse kust zouden verschijnen, of dat de graantoevoer in gevaar zou komen. En dat hadden zij aan Pompeius te danken. In Rome was in die dagen niemand zo populair als hij.

Daar hij zoveel succes had gehad, besloot de senaat hem te belasten met het opperbevel van de strijd tegen koning Mithradates. Lucullus was al enige tijd met een leger in het oosten, maar de senaat weigerde hem geld te sturen om zijn soldaten te betalen en te voeden, en deze waren opstandig geworden en hadden gemopperd over de strenge discipline. Ze wilden dat Pompeius het bevel zou overnemen. En in 66 v. Chr. werd Pompeius benoemd tot opperbevelhebber van leger en vloot in het oosten. Hij was daar zelf niet zeer mee ingenomen.

„Helaas, de ene taak na de andere", riep hij uit, met gefronsd voorhoofd. „Als er nooit een einde komt aan dergelijke opdrachten, en als ik nooit thuis kan zijn bij mijn vrouw, zou het beter geweest zijn als ik slechts een onbekend man was geweest".

Dat waren geen mannelijke woorden, maar zijn vrienden schonken er geen aandacht aan, omdat ze dachten dat hij het niet meende.

Mithradates had er niet veel vertrouwen in dat hij de strijd tegen Pompeius zou kunnen winnen, want het was al moeilijk genoeg geweest om het tegen Lucullus vol te houden. Hij sloeg zijn kamp op de top van een heuvel op, daar dat een vijandelijke aanval veel moeilijker maakte.

Pompeius marcheerde Pontus binnen, nadat de koning uit zijn sterke positie verdreven was door gebrek aan water. De Romeinse bevelhebber had scherpere ogen dan de oude koning. Want hij merkte op waar de planten en bomen groen en fris waren, en hij sloeg op diezelfde plaats zijn tenten op. Toen zijn soldaten over dorst klaagden,

ried hij hun aan putten te graven. En, zoals hij verwacht had, was er voldoende water.
Maar Pompeius bleef daar niet lang, want hij wilde Mithradates achtervolgen en korte tijd later was het hele leger van de koning ingesloten, zodat er geen voorraden meer konden binnenkomen. Hij zou zich moeten overgeven of ontsnappen. Op zekere nacht liet hij de zieken en gewonden doden, want die zouden zijn vlucht belemmeren. De kampvuren werden op de gewone tijd ontstoken, om niet de achterdocht van de Romeinen te wekken. En toen alles rustig scheen, trok Mithradates in alle stilte met zijn leger weg en slaagde erin onopgemerkt door de Romeinse linies te komen.
Daar zij bang waren voor achtervolging, verborgen zij zich overdag in de bossen en marcheerden zij 's nachts in de richting van de rivier de Euphraat.
Toen Pompeius bemerkte dat Mithradates ontsnapt was, zette hij onmiddellijk de achtervolging in. Hij marcheerde dag en nacht en was de koning al spoedig voor. En zo gebeurde het, dat toen Mithradates de Euphraat bereikte, Pompeius hem daar opwachtte, vastbesloten hem niet weer te laten ontsnappen.
De eerste avond kreeg hij een gevoel van rusteloosheid. Hij had wel dubbele wachtposten uitgezet, maar Mithradates was er al meer in geslaagd om ondanks een strenge bewaking te ontsnappen. Hij liet zijn officieren komen en sprak af, dat ze te middernacht de aanval zouden uitvoeren.
Ondertussen sliep Mithradates in zijn tent, uitgeput door de vermoeienissen. Hij droomde dat hij de zee had bereikt en zich op een schip bevond. Een gunstige wind bracht hem naar een veilige haven, waar geen vijand hem kon bereiken. Hij begon zijn vrienden te vertellen hoe prettig het was, dat nu het einde van alle moeilijkheden in zicht was. Toen stak plotseling de wind op. De zee werd woest, de koning greep zich vast aan een balk, zijn krachten begaven hem.
Op dat moment renden enkele officieren zijn tent binnen en vertelden hem, dat de Romeinen zich gereed maakten voor de aanval. De koning gaf bevel het kamp tot het uiterste te verdedigen. Terwijl de Romeinen opmarcheerden, kwam de maan achter hen op en wierp grote schaduwen voor hen uit.

De soldaten van Mithradates zagen die grote schaduwen en raakten in de war. De Romeinen vielen aan en behaalden zonder moeite de overwinning. Mithradates zelf slaagde er weer in te ontsnappen. Aan het hoofd van achthonderd ruiters baande hij zich een weg door de vijandelijke linies en verdween in het duister van de nacht.
Pompeius achtervolgde hem niet verder. Maar hij bleef in het oosten en veroverde daar vele nieuwe gebieden. Hij marcheerde zelfs naar Palestina en dwong Jeruzalem tot overgave. Toen hoorde hij, dat koning Mithradates dood was. In de steek gelaten door zijn bondgenoten en door zijn enige overlevende zoon, had hij vergif ingenomen. Daarmee kwam er een einde aan de opstand in Azië en kon Pompeius naar Italië terugkeren.
Weer vroegen de Romeinse burgers zich af wat er zou gebeuren. Zou Pompeius door zijn vele overwinningen een tiran geworden zijn? Maar wederom bleek, dat hun vrees ongegrond was. Want zodra hij in Italië was geland, ontbond hij zijn leger en trok slechts door enkele vrienden vergezeld verder naar Rome.
Toen de burgers in de Italiaanse steden zagen, hoe eenvoudig Pompeius de Grote naar Rome reisde, besloten zij een waardig escorte voor hem te vormen. Zo velen volgden hem naar Rome, dat hun aantal weldra groter was dan dat van de soldaten van het ontbonden leger.
Hij hield een indrukwekkende triomftocht, al duurde het negen maanden eer hij er verlof toe kreeg. De lijst van zijn overwinningen werd in het Forum opgehangen. Koningen, prinsen en aanvoerders werden in ketenen meegevoerd en de tempels in Rome verrijkt met de schatten, die hij uit het oosten had meegebracht.
Plutarchus, die een levensbeschrijving van Pompeius geeft, zegt dat het leek, alsof hij de gehele wereld bedwongen had, want zijn eerste overwinning veroverde Afrika, de tweede gold Europa en de derde onderwierp Azië.

Hoofdstuk 103

DE SAMENZWERING VAN CATILINA

De opwinding veroorzaakt door de terugkeer van Pompeius bedaarde spoedig. En de grote bevelhebber bemerkte, dat er, ondanks alles wat hij voor zijn land gedaan had, nog velen in de stad waren, die niet verheugd waren over zijn terugkomst.

Zijn allereerste verzoek aan de senaat werd geweigerd en misschien dacht hij toen wel met spijt terug aan zijn ontbonden leger. Daar was zijn wil wet geweest. De Optimaten waren aan zijn afwezigheid gewend geraakt en hielden weinig rekening met hem.

Daarom besloot Pompeius om zich aan te sluiten bij de twee machtigste mannen van Rome. Een daarvan was de rijke Crassus, de andere was Julius Caesar. Pompeius hield niet van Crassus en hij werd jaloers op Julius Caesar. Deze drie mannen vormden een geheim verbond met het doel samen over Rome te regeren. Later noemde men dat het eerste Driemanschap. Bovendien trouwde Pompeius met de dochter van Julius Caesar.

Bij hen sloot zich tijdelijk een vierde man aan, en dat was Cicero, een groot redenaar, die in 63 v. Chr. tot consul werd gekozen. In de tijd van Sulla had Cicero zijn invloed aangewend ten bate van de plebejers. Maar zijn verering voor het oude Rome deed hem stelling nemen tegen ieder, die de oude wetten wilde negeren. En tenslotte sloot hij zich aan bij de Optimaten, omdat hij geloofde dat die het beste zouden kunnen regeren, als zij rechtvaardig wilden zijn en niet alleen aan hun eigen genoegen dachten.

In zijn redevoeringen probeerde hij de edelen op te wekken een beter leven te leiden. Maar zij schonken weinig aandacht aan zijn woorden, gedeeltelijk misschien omdat zij wisten, dat hij zelf ook niet altijd even rechtvaardig was en wel eens een vriend verdedigde, die beslist verkeerd had gehandeld.

Twee jaar voordat Cicero consul werd, had men een complot ontdekt om de consuls te doden, de macht te grijpen en zelfs de stad in brand te steken. Dat complot, waarvoor geen voldoende bewijzen gevonden werden, staat bekend als de Eerste samenzwering van Catilina, omdat men vermoedde dat het op touw was gezet door Catilina, die tot de groep van Sulla had behoord.

In 63 v. Chr. verklaarde Cicero, dat er een nieuwe samenzwering werd gesmeed. Catilina had nu een groep ruwe lieden uit de volkspartij om zich heen geschaard. Zij hoopten dat Catilina tot consul zou worden benoemd en dat hij hen dan zou belonen.

Maar Catilina werd niet gekozen, Cicero wel. In zijn woede en teleurstelling vatte Catilina toen het plan op om Cicero te vermoorden, de huizen van de senatoren aan te vallen en de stad in brand te steken. Bovendien zou dan een leger de stad binnenmarcheren.

Er scheen inderdaad reden tot ongerustheid te zijn, want men wist dat er bij Faesulae, een stadje op ongeveer drie mijl afstand van het tegenwoordige Florence, troepen geconcentreerd werden, en dat Manlius, een oud-officier van Sulla, hun aanvoerder was.

Na Sulla's proscripties lag het voor de hand, dat iedereen die met hem verbonden was geweest, gevreesd en gehaat werd.

Hoewel Cicero er zeker van was dat er een samenzwering bestond, kon hij niet genoeg bewijzen in handen krijgen om arrestaties te laten verrichten. In het begin van november hield hij een rede in de senaat, waarin hij Catilina, die aanwezig was, beschuldigde. Na deze rede verzocht Catilina de senaat om niet te haastig te oordelen en verliet hij de vergadering.

Diezelfde avond verliet Catilina de stad, ogenschijnlijk om zich naar Marseille te begeven, dat toen een vrijplaats voor de Romeinen was. Onderweg schreef hij een brief aan een vriend, waarin hij hem verzocht zijn vrouw te beschermen en hem tevens verzekerde dat hij onschuldig was, en alleen vertrapten en vernederden wilde helpen.

De volgende ochtend hield Cicero opnieuw een rede tegen Catilina, en toen de burgers wilden weten waarom men hem dan had laten ontsnappen, moest hij zeggen dat hem de bewijzen ontbraken.

Korte tijd later hoorde men, dat de vluchteling niet naar Marseille was gegaan, maar naar het kamp bij Faesulae waar hij nu het bevel over het leger had.

Hoofdstuk 104

DE DOOD VAN DE SAMENZWEERDERS

Zodra de senaat hoorde dat Catilina naar Faesulae was gegaan, werd hij met Manlius tot staatsvijand verklaard. Er werd een boodschapper naar hen toegestuurd met een algemeen pardon voor ieder, die het kamp binnen een bepaalde tijd zou verlaten. Maar niemand maakte van dat aanbod gebruik. Integendeel, er kwamen zich dagelijks nieuwe soldaten aanmelden.

Antonius, de collega van Cicero, werd met een leger naar Faesulae gezonden. Maar aangezien hij een vriend van Catilina was, deed hij alsof hij ziek was en daarom niet krachtig kon optreden. Cicero zelf bleef in Rome om de stad te bewaken, want men vermoedde dat zich ook daar verraders bevonden.

Onverwachts kreeg de consul de bewijzen in handen, waarnaar hij al die tijd gezocht had. Een Gallische stam, die een zware schatting moest betalen, had gezanten naar Rome gestuurd om vrijstelling te vragen. De samenzweerders zagen toevallig die gezanten en probeerden hen over te halen naar hun stam terug te gaan en een troep ruiters naar Faesulae te zenden. Ze beloofden dat Catilina er dan voor zou zorgen dat zij vrijgesteld zouden worden.

De gezanten beloofden de samenzweerders te helpen, maar nauwelijks buiten de stad gekomen, veranderden zij van inzicht. De samenzwering kon wel eens mislukken, zeiden zij, en wat zou er dan met hun stam gebeuren? Als zij Cicero alles vertelden wat zij wisten, zouden ze waarschijnlijk goed beloond worden. Ze gingen dus naar de stad terug en vertelden Cicero wat men hun had voorgesteld.

De consul wist dat hij nu het bewijs had, dat hij al zolang geprobeerd had in handen te krijgen. De burgers zouden verontwaardigd zijn als ze hoorden, dat de samenzweerders de stad hadden willen veroveren met behulp van Gallische troepen. Hij beloofde dat de gezanten een rijke beloning zouden krijgen als ze deden wat hij zei.

Ze moesten Rome weer verlaten en doen alsof ze nog op de hand van Catilina waren. Even buiten de stad zouden ze dan worden gearres-

teerd. Voor de schijn moesten ze dan enige tegenstand bieden, en pas daarna de brieven overhandigen die ze bij zich hadden.
De gezanten stemden daarin toe en al spoedig had de consul de bewuste brieven in zijn bezit. Vier van de samenzweerders werden toen gearresteerd en een daarvan, een praetor, werd uit zijn ambt ontzet. Cicero riep toen de volksvergadering bijeen en hield zijn derde rede tegen Catilina. Na afloop werd hij luid geprezen om zijn waakzaamheid.
De consul had het recht om het doodvonnis over de samenzweerders uit te spreken. Maar hij maakte daar geen gebruik van en vroeg de senaat hem raad te geven inzake het vonnis. Vele senatoren drongen aan op de doodstraf. Julius Caesar was genadiger; hij stelde voor om hen te veroordelen tot levenslange gevangenisstraf en verbeurdverklaring van hun goederen.
Maar Cato, de achterkleinzoon van de censor, sprak zich heftig uit tegen genade. En zijn invloed was zo groot, dat de meerderheid zich voor de doodstraf verklaarde.
Toen Cicero de bijeenkomst verliet en zich een weg baande door de menigte, zei hij: „Zij zijn dood". De burgers waren ervan overtuigd, dat hun stad nu veilig was.
In het begin van 62 v. Chr. probeerde Catilina om met de troepen die hem trouw waren gebleven naar Gallië te ontsnappen. Een Romeins leger wachtte hem daar echter op. Catilina verloor de slag en sneuvelde met het grootste deel van zijn soldaten.

Hoofdstuk 105

JULIUS CAESER EN DE ZEEROVERS

Julius Caersar werd in 100 of 101 v. Chr. geboren en behoorde tot een van de meest vooraanstaande families van Rome. Van jongsaf aan was hij geliefd bij het volk, mede omdat hij zeer vrijgevig was.
Maar de burgers vonden niet dat hij verschilde van de andere jonge edelen en wisten niets van de eerzuchtige plannen, waar hij toen al mee rondliep. Wel toonde hij spoedig dat hij onbevreesd was en niet gemakkelijk van zijn voornemens af te brengen. Later was hij zelfs niet bang voor Sulla.
Toen deze het bevel uitvaardigde, dat allen die door huwelijk met de partij van Marius verbonden waren, hun vrouwen weg moesten zenden, weigerde Caesar, die toen pas negentien jaar was, om te gehoorzamen. Cornelia bleef bij haar echtgenoot, ondanks de gevaren die dat opleverde.
Caesar zou inderdaad met de dood gestraft zijn, als invloedrijke vrienden Sulla niet gesmeekt hadden genadig te zijn en een jongeman van negentien jaar niet te doden. Maar Sulla had een goede kijk op mensen en hij was van mening, dat Caesar zo intelligent was, dat hij gevaar opleverde voor de staat. Hij zei: „Gij weet weinig, als gij niet meer dan één Marius in die jongen ziet".
Toen Caesar hoorde wat Sulla gezegd had, week hij toch uit naar de bergen tot Rome weer veilig voor hem was.
Enige tijd later was de jonge patriciër op weg naar Rhodus, waar hij rhetorica wilde studeren. Hij werd door zeerovers gevangen genomen. Dat was nog vóór de tijd dat Pompeius de zeerovers verdreef. Zij wisten niet wie ze gevangen hadden genomen en vroegen slechts een losgeld van twintig talenten.
Caesar lachte, want hij vond dat hij veel meer waard was, en bood hun vijftig talenten. Daarna zond hij zijn dienaars terug om het geld te halen, terwijl hij met één vriend en twee bedienden achterbleef, hoewel hij wist dat de zeerovers hun gevangenen dikwijls ter dood brachten.
Achtendertig dagen bracht hij bij hen door, terwijl hij zich soms

amuseerde door aan hun spelen mee te doen en hun soms de gedichten voorlas, die hij had geschreven, of de redevoeringen liet horen, die hij had voorbereid. Daar luisterden zij dan wel naar, maar zij applaudisseerden niet. Dan werd Caesar kwaad, schold hen uit en zei, dat hij hen zou kruisigen als hij eenmaal vrij was.

Wanneer hij wilde slapen en de zeerovers lawaai maakten, liet hij hen vragen om wat stiller te zijn. Zij lachten maar om de vreemde manieren en woorden van hun gevangene en trokken zich niets aan van zijn dreigementen. Maar Caesar meende het en zodra zijn losgeld betaald was, huurde hij schepen en ging op zoek naar die zeerovers. Hij vond hen, nam hen gevangen en liet hen kruisigen, zoals hij gezegd had. Daarna pas vertrok hij weer naar Rhodus. En hij had profijt van zijn studie, want toen hij in Rome was teruggekeerd, roemde men hem om zijn welsprekendheid.

De burgers waren hem nog steeds goed gezind, want hij was even vrijgevig als voor die tijd. Maar er bleek nog uit niets dat hij een groot krijgsman zou worden. Wel zag Cicero, zoals ook Sulla had gezien, dat Caesar eerzuchtig was.

Ongeveer in 67 v. Chr. werd Caesar aangesteld om toezicht te houden op het herstel van de Via Appia, een van de hoofdwegen die naar Rome voerden. Hij betaalde grote sommen uit zijn eigen zak en de brugers fluisterden onder elkaar, dat hij dat voor hun welzijn deed. Hij zorgde ook voor ontspanning en liet eens zeshonderdveertig gladiatoren optreden. De spelen die hij organiseerde, waren royaler dan men ze meestal gaf.

Zijn grootste populariteit bereikte hij, toen hij de standbeelden van Marius, die door Sulla verwijderd waren, weer op hun oude plaats liet neerzetten. In 63 v. Chr. besloot hij om zijn populariteit op de proef te stellen. De hogepriester was gestorven en Caesar wilde zijn opvolger worden. Catulus en nog een invloedrijke Romein verwachtten, dat een van hen benoemd zou worden. Maar desondanks drong Caesar er op aan, dat ook hij candidaat gesteld zou worden. Catulus, die de mededinging vreesde van iemand die zo geliefd was, bood Caesar een grote som geld aan als hij zich terug wilde trekken.

Maar hoewel Caesar al zijn geld had uitgegeven en zelf schulden had, wees hij het aanbod van Catulus hooghartig van de hand. „Ik zou eer-

der nog meer geld lenen om de strijd te kunnen voortzetten", antwoordde hij trots.
Op de dag van de stemming bracht zijn moeder hem naar de deur. Caesar zei tegen haar, terwijl hij haar omhelsde: „Vandaag zult u mij of als hogepriester of als banneling terugzien".
Er heerste een grote spanning gedurende de stemming. Caesar werd gekozen. Dat had hij wel verwacht, maar het verheugde hem toch. De edelen daarentegen waren er minder mee ingenomen, want zij vonden dat Julius Caesar te machtig werd.

JULIUS CAESAR

Hoofdstuk 106

CAESAR DOET AFSTAND VAN EEN TRIOMFTOCHT

De senaat en de patriciërs begonnen de eerzucht van Julius Caesar te vrezen. Daarom gaven ze hem het bevel over het leger in Spanje, want dan was hij een poosje uit Rome weg. Ze hoopten dat de burgers, die gewoonlijk nogal onstandvastig waren, hun gunsten in die tussentijd aan iemand anders zouden geven, iemand die zij konden beïnvloeden.

In 61 v. Chr. vertrok Caesar naar Spanje. Zijn nieuwe plichten riepen ook nieuwe krachten in hem wakker. Hij had geen tijd meer voor feestvieren en zelfs niet voor het schrijven van gedichten. Hij besteedde al zijn energie aan het leger, dat hij groter en sterker maakte. En toen trok hij naar gebieden, die tot nu toe nog niet door de Romeinen waren veroverd. Overal waar hij kwam, overwon hij en toen hij tenslotte naar Rome terugkeerde, vroeg hij of hij een triomftocht mocht houden.

Hij was juist op tijd gekomen om zich candidaat te kunnen stellen voor het consulaat. Maar daarvoor moest hij in de stad zijn, en als hij een triomftocht wilde houden, moest hij buiten de stad blijven tot de senaat hem dat had toegestaan.

Caesar bevond zich dus in een moeilijke positie en zijn tegenstanders maakten daar natuurlijk gebruik van. Want toen hij de senaat vroeg of hij zich candidaat mocht stellen zonder de stad binnen te komen, werd hem dat geweigerd. En ook kon men hem niet beloven, dat hij zijn triomftocht zo vroeg mocht houden, dat hij nog tijdig in de stad zou zijn.

Wat moest hij opgeven? Caesar aarzelde niet, maar de senaat hoopte, dat hij de triomftocht zou kiezen. Die glorie zou spoedig vergeten zijn, maar als hij consul werd, zou hij meer macht krijgen dan hun lief was. Caesar gaf echter zijn triomftocht op en stelde zich candidaat voor het consulaat. Met steun van Pompeius en Crassus, twee van de machtigste mannen in Rome, werd hij gekozen. Met deze twee sloot hij toen het geheim verbond, dat later het Eerste Driemanschap werd genoemd.

De wetten die door het Driemanschap werden gemaakt, waren bedoeld om de steun van het volk te krijgen. Zo was er bijvoorbeeld een wet, die de toewijzing van land aan de veteranen uit het leger van Pompeius regelde, en een andere betreffende de uitdeling van graan.
Toen enkele senatoren en de optimaten probeerden te verhinderen dat deze wetten tot stand kwamen, zond Pompeius een gewapende macht naar het Forum, zogenaamd om de orde te handhaven. Maar iedereen wist, dat het was om de tegenstanders vrees aan te jagen.
Er ging een jaar voorbij en Caesars consulaat liep ten einde. Hij vroeg de senaat om hem Gallië als provincie te geven. In de regel werd een provincie voor één jaar aan een ex-consul gegeven, maar Caesar drong aan op een periode van vijf jaar.
De senatoren, die het wel goed vonden dat Caesar van het toneel verdween, stonden zijn verzoek toe. En in 58 v. Chr. verliet Caesar Rome om zijn functie in Gallië te gaan vervullen. Maar voor hij de stad verliet, zorgde hij ervoor dat de voornaamste ambten in handen waren van zijn eigen vrienden, zodat zijn tegenstanders gedurende zijn afwezigheid niet te machtig konden worden.
Cicero had duidelijk laten merken, dat hij geen vriend van Caesar was en werd nu voor de keus gesteld de stad te verlaten, of gevonnist te worden voor het doden van de vier samenzweerders. Hij koos de verbanning, maar was zestien maanden later alweer in Rome terug, waar hij probeerde Pompeius over te halen om Caesar in de steek te laten.

Hoofdstuk 107

CAESAR PRIJST HET TIENDE LEGIOEN

De jaren die Caesar in Gallië doorbracht, waren zo vol met veldslagen en overwinningen, dat aan zijn verlangen naar roem en avontuur ruimschoots voldaan werd.
In die tijd was Gallië verdeeld in Gallia Cisalpina en Gallia Transalpina. Het eerste deel omvatte de Gallische nederzettingen in Noord-Italië en daar bleef Caesar niet lang. Zijn taak lag voornamelijk in Gallia Transalpina, waartoe ongeveer het tegenwoordige Frankrijk, België, Nederland en het gehele gebied ten westen van de Rijn behoorden.
Daar wachtte hem een zware strijd, omdat zowel de Germanen onder Ariovistus als de Helvetiërs (Zwitsers) Gallië wilden binnendringen, dat hen aanlokte door zijn uitgestrekte vruchtbare gebieden en het milde klimaat.
Allereerst versloeg hij de Helvetiërs en dwong hen naar hun bergland terug te keren.
De overwinning op de Helvetiërs had tot gevolg, dat de andere stammen Caesar vreesden. Enkele Gallische stammen riepen zijn hulp in om hen te beschermen tegen hun gevaarlijkste vijand, Ariovistus, een Germaans koning.
Verschillende Romeinse officieren waren zeer teleurgesteld, toen zij hoorden, dat Caesar van plan was om tegen Ariovistus ten strijde te trekken. Dat waren meest jonge edelen, die in weelde waren grootgebracht en nu droomden van rijke oorlogsbuit en gemakkelijke overwinningen, die hen beroemd zouden maken. Aan de lange uitputtende marsen en de ontberingen hadden zij helemaal niet gedacht en daarom mopperden zij nu. En wat erger was, ze probeerden ook de soldaten ontevreden te maken.
Het voorbeeld van hun dappere aanvoerder had een les voor hen moeten zijn. Want hoewel Caesar niet sterk was, kon men hem altijd vinden op de plaats waar het gevaar het grootst was. En nooit maakte hij aanspraak op meer luxe dan zijn soldaten. Hij marcheerde met zijn troepen mee, at hetzelfde voedsel en stelde zich dikwijls tevreden

met een even eenvoudige rustplaats als zij. Hij was veel meer dan de aanvoerder van de soldaten, hij was hun vriend. Hij leerde hun ook de gewonden en zieken beter te verzorgen.
Op een keer werd hij door een hevige storm gedwongen een schuilplaats te zoeken in de hut van een arme boer. Toen hij zag, dat er slechts één kamer was, liet hij daar een officier slapen die ziek was, terwijl hij zelf een onderdak in de schuur zocht.
Om zulke dingen verafgoodden de soldaten hun bevelhebber en zij waren bereid hem te volgen waarheen hij hen ook mocht leiden.
Maar de officieren mopperden. Caesar had geen behoefte aan zulke mensen in zijn leger en daarom besloot hij hun een lesje te geven.
Hij liet het leger aantreden, riep toen de jonge edelen bij zich en zei in het bijzijn van alle soldaten tegen hen, dat zij terug mochten gaan naar Rome, als ze tegen de lange marsen en de strijd tegen barbaren opzagen.
„Wat mij betreft", voegde hij eraan toe, „ik zal dan alleen het tiende legioen meenemen en daarmee de barbaren overwinnen. Want ik geloof niet, dat het moeilijker zal zijn tegen hen te vechten dan tegen de Kimbren, die door Marius werden verslagen, en als bevelhebber ben ik niet minder dan hij".
Het tiende legioen was trots bij het horen van die woorden. De soldaten vergaten nooit hoe Caesar hun moed en toewijding had geroemd. Enkele soldaten bedankten hem voor wat hij gezegd had. En van die dag af vochten zij zo moedig en waren hun aanvallen zo fel, dat de vijand hen slechts zelden kon weerstaan.
De jonge officieren schaamden zich en verzochten Caesar toch mee te mogen doen in de strijd tegen Ariovistus, zodat ze voor de ogen van hun soldaten hun eer konden redden.
Wat de andere legioenen betreft, die hadden niet gewacht op orders van hun officieren, maar waren al begonnen met de voorbereidingen voor de mars. Want de soldaten hadden Caesar nooit in de steek willen laten en toen hij het tiende legioen zo geprezen had, wilden zij zelf ook tonen wat zij waard waren.

HOOFDSTUK 108

CAESAR VERSLAAT DE NERVIËRS

Ariovistus was een groot krijgsman en in het geheel niet bevreesd voor het Romeinse leger. Maar wel stond hij verwonderd over de korte tijd waarin de Romeinen zijn kamp bereikten. Hij had gedacht dat de moerassen en de bossen waar de Romeinen doorheen moesten trekken, een ernstige hinderpaal zouden blijken te zijn.
Maar al was Ariovistus dan niet bevreesd, het was gemakkelijk genoeg te zien, dat zijn soldaten er anders over dachten. Als zij de vijand onmiddellijk hadden mogen aanvallen, was het misschien beter gegaan. Maar de waarzeggers in hun kamp gingen van tent tot tent en zeiden, dat ze moesten wachten met vechten tot het nieuwe maan was.
Misschien wist Caesar wat de waarzeggers hadden aangeraden, in ieder geval zag hij, dat de vijand zich nog niet voor de strijd gereed maakte, en dus besloot hij aan te vallen. Toen de Romeinen naderden, werden de Germanen razend. Ze vergaten dat ze moesten wachten, deden een woeste tegenaanval en probeerden door de Romeinse linies heen te breken.
Telkens weer wierpen zij zich met grote massa's op de Romeinse legioenen, maar die hielden stand en konden tenslotte met onweerstaanbare kracht oprukken. De Germanen konden de opmars niet tegenhouden en sloegen op de vlucht. Als zij de Rijn maar konden bereiken en oversteken, zouden zij veilig zijn. Maar de rivier was nog vijfentwintig mijl van hen vandaan.
Toch vluchtten zij die kant op, achtervolgd door de Romeinen, die nog vele slachtoffers maakten, en ook door de Galliërs, hun aartsvijanden. Ariovistus zelf was bijna in handen van de Romeinen gevallen, maar hij slaagde erin met een kleine troepenmacht de rivier over te steken en was spoedig buiten het bereik van de Romeinse soldaten. Dit was Caesar's tweede grote overwinning.
De Nerviërs, tegen wie hij hierna te velde trok, waren misschien de gevaarlijkste en meest oorlogszuchtige barbaren die hij tot nu toe ontmoet had. Zij hadden zich in grote aantallen verzameld aan de linkeroever van de Sambre, een zijrivier van de Maas.

Zij woonden in de dichte bossen, en daarin hadden zij ook hun vrouwen, kinderen en bezittingen verborgen, toen zij ten strijde trokken tegen de Romeinen.
Caesar liet zijn kamp inrichten aan de andere oever, bovenop een heuvel. Toen de Romeinen de tenten hadden opgezet en wilden beginnen om het kamp te versterken, werden zij plotseling aangevallen door een troep barbaren, die in hinderlaag had gelegen. Bijna onmiddellijk staken de andere Nerviërs de rivier over en kwamen de heuvel op.
In de verwarring die daardoor ontstond, bleef Caesar kalm. Hij liet de trompetten schallen om de soldaten die hout waren gaan zoeken, terug te roepen, stelde zijn soldaten op en gaf het sein voor de aanval. Het tiende legioen vocht die dag dapper. Toen de soldaten zagen dat hun bevelhebber in gevaar verkeerde, begaven ze zich onmiddellijk naar hem toe om hem te helpen.
Een ogenblik leek het alsof de Romeinen de slag zouden verliezen, maar Caesar greep een schild en ging zijn soldaten voor. Daardoor aangespoord, vochten zij met nieuwe moed. De barbaren werden nu teruggedreven, maar ze sloegen niet op de vlucht, omdat dat hun eer te na was. De Romeinen sloegen hen neer en doodden hen. Van de zestigduizend bleven er, naar men zegt, slechts vijfhonderd in leven. België en Noordwest-Frankrijk waren nu in handen van de Romeinen, want een afdeling van het leger had ondertussen Normandië en Bretagne veroverd.
In Rome heerste grote vreugde over Caesar's overwinningen. De senaat besloot om ter gelegenheid daarvan feesten te organiseren. Vijftien dagen lang werd er niet gewerkt in Rome en deed men niet anders dan feestvieren. Ook werden er offers gebracht aan de goden.
Het was nu winter geworden en Caesar besloot naar Luca (nu Lucca) te gaan, een stad in Noord-Italië, bij de rivier de Po. Hier was hij dicht genoeg bij Rome om te vernemen wat er tijdens zijn afwezigheid in de stad was voorgevallen.
Vele Romeinen gingen naar Lucca om de zegevierende bevelhebber een bezoek te brengen. In 56 v. Chr. kwamen Pompeius en Crassus naar hem toe om het Driemanschap te vernieuwen. Er werd overeengekomen dat Pompeius en Crassus consuls zouden zijn voor het vol-

gend jaar en dat Caesar nog vijf jaar, dus tot 48 v. Chr. in Gallië zou blijven.

Daarna zou hij zich candidaat stellen voor het consulaat, zondat dat hij, zoals de gewoonte was, ook inderdaad in de stad aanwezig moest zijn.

Hoofdstuk 109

CAESAR VALT BRITTANNIË BINNEN

In 55 v. Chr. besloot Caesar om Engeland te veroveren. Hij wist weinig van dat land af, behalve dat de inwoners op goede voet leefden met de Galliërs en er handel mee dreven. Toen hij de kooplieden ondervroeg, vertelden zij hem, dat er tin en lood in de bodem aanwezig was en dat de edelstenen er voor het oprapen lagen.
Nieuwsgierigheid, de hoop op buit en het verlangen om iedereen te straffen die de Galliërs hielp, dreven Caesar tot dit avontuur, waarvoor hij een vloot liet gereedmaken. In de herfst voer hij met tachtig schepen en een leger van tachtigduizend man naar Engeland. Hij had geen grotere vloot meegenomen, omdat hij in de mening verkeerde, dat het hem weinig moeite zou kosten om de barbaren van dat eiland te onderwerpen.
Geruchten over de ophanden zijnde invasie hadden Engeland bereikt en de inwoners waren naar de kust gekomen om de vreemdelingen te verhinderen aan land te gaan.
Toen Caesar zijn troepen bij het tegenwoordige plaatsje Deal aan land wilde zetten, bemerkte hij dat zijn schepen te groot waren om vlak bij de kust te kunnen komen, en daarom gaf hij zijn soldaten bevel in zee te springen en dan zo goed en zo kwaad als het ging naar de kust te waden.
De Romeinen keken naar de zee en voelden zich helemaal niet op hun gemak, want ze waren niet aan het water gewend en vertrouwden het niet. De Britten daarentegen waren al het water ingelopen en ingereden om de vijand op te vangen.
Nog aarzelden de Romeinen. Toen sprong de officier die de standaard van het tiende legioen droeg, het water in en riep: „Vooruit soldaten, laat deze standaard niet in handen van de barbaren vallen!"
De soldaten sprongen hun officier achterna. En ontstond een hevige strijd en vele Romeinen werden door de strijdbijlen van de Britten gedood. Andere gleden uit en verdronken.
Maar tenslotte bereikten de Romeinen de kust en werden de barbaren overwonnen. Caesar was teleurgesteld, want hij vond weinig buit in

dit land en helemaal geen edelstenen, zoals men hem verteld had. Al spoedig voer hij naar Gallië terug.
De volgende lente ging hij echter voor de tweede keer naar Engeland. Ditmaal bestond zijn vloot uit achthonderd in plaats van uit tachtig schepen en zijn leger was ook veel groter.
De Britten waren weer in massa's opgekomen om de indringers te weren, maar toen zij zoveel schepen zagen, werden zij bevreesd en vluchtten naar de wouden. Caesar had dus geen enkele moeite met de landing.
Na enige tijd echter wilde Cassivellaunus, een dapper aanvoerder, proberen de Romeinen te verjagen. Hij slaagde daar niet in, maar wel viel hij hen voortdurend lastig. Tenslotte werd zijn hoofdstad veroverd en toen zond hij gezanten om met Caesar te onderhandelen. Caesar ontving hem en eiste gijzelaars en de belofte, dat er een jaarlijkse schatting aan Rome betaald zou worden.
In 54 v. Chr., toen zijn vloot, die door storm een zware schade had opgelopen, hersteld was, ging hij naar Gallië terug. Daar hoorde hij het treurige nieuws, dat zijn dochter Julia gestorven was. Julia had dikwijls de jaloezie van haar man en het slechte humeur van haar vader weten te verdrijven, en Caesar en Pompeius treurden beiden over haar verlies.
Hun vrienden maakten zich ongerust. Want nu Julia er niet meer was, zou er wel spoedig onenigheid ontstaan tussen de twee bevelhebbers. En de vrede van Rome hing af van de vriendschap tussen Pompeius en Caesar.
Caesars taak in Gallië was nog niet beëindigd. In 52 v. Chr. kwamen de stammen in het zuiden in opstand tegen de Romeinse overheersing, die hun steeds ondraaglijker scheen.
De opstand werd geleid door Vircingetorix, een jonge aanvoerder die de stad Gergovia, de hoofdstad in dat gebied, had veroverd. Toen Caesar hoorde dat Gergovia in handen van de barbaren was, haastte hij zich erheen en sloeg het beleg voor de stad. Tot zijn verwondering hield de stad stand, ondanks alle aanvallen. Dit was de eerste maal dat Caesar er niet in slaagde een Gallische stad te veroveren en bovendien het beleg moest opheffen.
Toen Vercingetorix de Romeinen terug zag trekken, geloofde hij dat

dit het juiste moment was om aan te vallen. Maar op het slagveld konden de Galliërs zich niet met de Romeinen meten en Vercingetorix moest vluchten. Met een klein gedeelte van zijn leger bereikte hij de stad Alesia, die hij onmiddellijk begon te versterken. Caesar volgde hem en besloot de stad te omsingelen. Hij liet rondom versterkingen aanleggen, zodat niemand zou kunnen ontsnappen.
Maar in een donkere nacht slaagden vijandelijke boodschappers erin door de linies te sluipen en de hulp van andere stammen in te roepen. En korte tijd later marcheerde een leger van driehonderdduizend man op om Vercingetorix te helpen.
Zo gebeurde het dat de Romeinen, terwijl ze nog bezig waren met het aanleggen van versterkingen, onverwachts door dit nieuwe leger werden aangevallen. Vercingetorix deed tegelijkertijd een uitval en een hevige strijd was het gevolg. Vier dagen lang duurden de gevechten en pas toen konden de Romeinen een overwinning behalen.
Om zijn leger te redden gaf Vercingetorix zich over en wierp zich voor de voeten van Caesar. Deze had echter geen medelijden en nam hem gevangen om hem later in zijn triomftocht mee te kunnen voeren. Caesar bleef nog twee jaar in Gallië en hoewel hij nog enkele veldslagen leverde en hier en daar een opstand bedwong, lag zijn voornaamste taak nu op wetgevend gebied. Hij toonde daarbij, dat hij niet alleen een groot bevelhebber was, maar ook een uitstekend regeerder.
Van toen af aan drongen ook Romeinse levensgewoonten en beschaving in Gallië door, juist zoals in de andere gebieden die Rome veroverd had. Wegen werden aangelegd, huizen, waterleidingen, badhuizen, bruggen, theaters en tempels gebouwd. Op den duur kwamen er ook Romeinse scholen en universiteiten. Dat noemen we de romanisering van Gallië.

Hoofdstuk 110

CAESAR STEEKT DE RUBICON OVER

Terwijl Caesar roem en eer voor zichzelf en zijn land behaalde, vocht Crassus in het Oosten tegen de Parthen. Maar in 53 v. Chr. werd hij in een hinderlaag gelokt en gedood. Nu was Pompeius het enige lid van het Driemanschap in Rome en hij begon te wensen, dat Caesar niet meer terug zou komen, want hij wilde de macht niet met een ander delen.

Pompeius had zich van de volkspartij afgewend en stond nu geheel aan de kant van de Optimaten, die evenals hij de terugkeer van Caesar vreesden. Rome had in die dagen een krachtig heerser nodig, want er heerste wanorde en bandeloosheid in de stad en de senaat scheen de orde niet te kunnen herstellen. Er waren relletjes in de straten, die dikwijls op bloedvergieten uitliepen, en onder de edelen was veel omkoperij.

De senaat besloot om in 52 v. Chr. slechts één consul te benoemen. Men dacht dat de orde spoediger hersteld zou zijn, als één persoon verantwoordelijk was. De keuze van de senaat viel op Pompeius, die natuurlijk gekozen werd. Het volk was het daar niet mee eens en mopperde dat ook Caesar benoemd had moeten worden. Daarom zorgde Pompeius ervoor, nadat hij zes maanden alleen geregeerd had, dat Metellus Scipio als tweede consul werd benoemd. Hij deed alles wat hij kon om de invloed van de afwezige Caesar te ondermijnen.

Caesar had echter voortdurend contact met Rome en wist dus wat er voorviel. Zijn vrienden waarschuwden hem dat Pompeius spoedig te machtig zou zijn en dat hij vlug terug moest komen. De senaat had reeds enkele malen voorgesteld, dat hij zijn leger moest ontbinden voor hij tot consul kon worden benoemd. Dat zou dan voor het jaar 48 v. Chr. zijn.

Pompeius hoorde die voorstellen en zei eerst niets, hoewel hij zich de afspraken met Crassus en Caesar natuurlijk goed herinnerde.

Toen de senaat zijn wens nog duidelijker kenbaar maake, zei hij slechts dat Caesar zonder twijfel zou doen wat de senaat hem opdroeg.

Pompeius werd ziek en men geloofde dat zijn leven in gevaar ver-

keerde. In geheel Italië werden gebeden opgezonden voor zijn herstel. Na enige tijd werd hij beter, maar de ongerustheid die het volk had getoond tijdens zijn ziekte, had hem er nog meer van overtuigd, dat de gehele bevolking achter hem stond.
In de herfst van 50 v. Chr. zond de senaat een boodschap naar Caesar, waarin hem werd meegedeeld, dat hij het bevel moest neerleggen en het leger moest ontbinden. Caesar antwoordde onmiddellijk: „Als Pompeius het bevel neerlegt en zijn leger ontbindt, zal ik het eveneens doen". Pompeius was dat echter helemaal niet van plan. De burgers begonnen te vrezen dat er oorlog zou komen, want als geen van de twee bevelhebbers wilde toegeven, was dat onvermijdelijk.
„De vrede is niet langer verzekerd dan tot het einde van het jaar", schreef een vriend aan Cicero. „Pompeius is vastbesloten, dat Caesar geen consul zal worden zolang hij Gallië en zijn leger niet opgeeft. En Caesar is ervan overtuigd, dat hij dat beslist niet moet doen".

In Rome werd de strijd tussen de aanhangers van Pompeius en die van Caesar steeds heviger. De senaat stelde tenslotte voor, dat Caesar vóór een bepaalde datum moest gehoorzamen en anders als vijand van de staat beschouwd zou worden.
Marcus Antonius en een andere volkstribuun, beiden vrienden van Caesar, stonden op om daartegen te protesteren. De senatoren wilden niet luisteren en lieten de tribunen uit de vergadering verwijderen. Deze bemerkten spoedig, dat hun leven in de stad niet meer veilig was. Ze vermomden zich als slaven, verborgen zich in wagens onder zakken en slaagden er zo in de stad te verlaten en Caesar's kamp in Ravenna te bereiken.
Toen Caesar het besluit van de senaat vernam, trok hij op naar de Rubicon. De Rubicon was de rivier die zijn gebied van Italië scheidde. Als hij die overstak, was dat een teken dat hij zijn vijanden de oorlog had verklaard.
Zo belangrijk was de beslissing, dat hij aarzelde toen hij de rivier genaderd was. Hij stond een tijd lang in gedachten, terwijl zijn soldaten op een afstand stonden te wachten. Hij wendde zich toen tot zijn officieren en zei: „Wij kunnen nu nog terug".
Op dat ogenblik, zegt men, begon een herder aan de overkant op zijn

fluit te spelen. Enkele Romeinse soldaten, die het vrolijke wijsje hoorden, staken de rivier over.
Dat was een goed voorteken! Caesar nam zijn beslissing. „Laat ons gaan, waarheen de voortekenen van de goden ons roepen", zei hij. „De teerling is geworpen" (alea iacta est).
Op 10 januari van het jaar 49 v. Chr. stak Caesar aan het hoofd van zijn leger de Rubicon over.
Zo belangrijk was die beslissing, dat de woorden 'de Rubicon oversteken' een gezegde werden, dat ook nu nog gebruikt wordt als iemand de eerste stap doet voor een belangrijke onderneming.

Hoofdstuk III

CAESAR EN DE LOODS

Tijdens Caesars opmars door Italië wierp de ene stad na de andere de poorten wijd open om de bevelhebber te verwelkomen, die eindelijk uit Gallië was teruggekeerd en die zoveel overwinningen had behaald. Pompeius moest nu wel opmerken hoezeer hij zich vergist had, toen hij dacht dat het volk een grote genegenheid voor hèm koesterde.
Caesar behoefde geen enkele maal slag te leveren en toen hij voor Rome stond, kon hij ook die stad ongehinderd binnentrekken, want Pompeius was gevlucht, al was zijn leger minstens even groot als dat van Caesar. De verdediging van de stad was in handen gegeven van de consuls, maar zij durfden het niet tegen Caesar op te nemen en gingen op de vlucht. In hun angst vergaten ze zelfs het geld uit de schatkist mee te nemen, dat Pompeius toch zeker nodig zou hebben om oorlog te kunnen voeren.
Pompeius was ondertussen de Adriatische Zee overgestoken en in Dyrrachium aangekomen. Hij wist dat zijn naam in het oosten nog ontzag inboezemde en dat er vele goede soldaten naar zijn kamp zouden komen. En dat bleek ook het geval te zijn, want binnen korte tijd was zijn leger bijna verdubbeld. De soldaten uit het oosten waren wel dapper, maar zij misten de discipline en de ervaring van Caesars legioenen. Caesar bleef niet lang in Rome en nadat hij een groot aantal soldaten uit Gallië en Germanië in zijn leger had opgenomen, ging hij naar Spanje. Pompeius had daar officieren achtergelaten om de provincies te besturen, maar Caesar dwong hen af te treden. Verder had hij in Spanje een moeilijke tijd. Dikwijls was er geen voedsel genoeg voor het leger en zijn leven verkeerde herhaaldelijk in gevaar door de vele aanslagen, die er op hem gedaan werden.
Na de verovering van Spanje keerde hij naar Rome terug, waar hij onmiddellijk tot dictator werd benoemd. Hij oefende die functie slechts elf dagen uit en gebruikte zijn macht om de bannelingen, de slachtoffers van Sulla's bewind, terug te roepen en in alle rechten te herstellen. Ook maakte hij een wet, waardoor schuldenaars minder streng zouden worden behandeld.

Hij legde toen zijn dictatorschap neer, werd tot consul benoemd en haastte zich naar Brindisi, waar zijn troepen zich verzameld hadden. Er waren niet genoeg schepen om het gehele leger naar Epirus over te brengen. Maar niets kon hem van zijn voornemen afbrengen om Pompeius te verslaan en daarom besloot hij met zeven legioenen te vertrekken en de rest van het leger onder Marcus Antonius te laten volgen zodra er gelegenheid was.
Caesar had de grootste moeite om in Epirus te landen, want de gehele kust werd door de vloot van Pompeius bewaakt. Hij wist echter aan de waakzaamheid van de vijand te ontsnappen en in het zuiden, bij de stad Oricum te landen. Daar wachtte hij dag in dag uit op Marcus Antonius en de achtergebleven legioenen. De maanden gingen voorbij en er kwam niemand. Want na de landing van Caesar werd de kust nog strenger bewaakt en Antonius durfde niet uit te zeilen.
Tenslotte besloot Caesar niet langer te wachten. Hij zou zelf teruggaan om het leger naar Oricum te brengen. Hij vermomde zich als slaaf, huurde een kleine boot en liet zich wegroeien. Er stak een storm op, zo hevig, dat de roeiers er niet tegenop konden. En de loods, die zag dat het onomgelijk was om verder te komen, gaf bevel om te keren.
Toen ging Caesar naar de loods, nam zijn hand en zei: „Ga verder, mijn vriend en vrees niets. Ge hebt Caesar en zijn geluk aan boord!"
Caesar! Die naam werkte als een toverformule. De zeelieden vergaten hun angst en trokken uit alle macht aan de riemen. Maar al hun pogingen waren vergeefs en het gevaar werd steeds groter.
Toen de boot teveel water begon te maken, moest zelfs Caesar toegeven en hij verzocht de zeelieden naar de kust te roeien.
Zijn soldaten, die hem gemist hadden, hielpen hem uit de boot en zeiden dat hij zijn leven niet zo in de waagschaal had mogen stellen. Bovendien voelden ze zich een beetje gekrenkt, want zo zeiden ze, Caesar had die legioenen uit Brindisi toch niet nodig? Ze konden het best af zonder de anderen.
In de lente kwam Marcus Antoius eindelijk met de rest van het leger en Caesar wilde nu zonder uitstel tegen Pompeius optrekken.

HOOFDSTUK 112

DE VLUCHT VAN POMPEIUS

Zowel in het leger van Pompeius als in dat van Caesar had men met grote moeilijkheden te kampen. De voornaamste kracht van Pompeius lag in zijn ruiters, waarvan hij er zevenduizend had, maar de paarden stierven door gebrek aan voedsel. In zijn leger bevonden zich vele officieren uit vooraanstaande families en zij drongen erop aan de strijd zo spoedig mogelijk te beginnen, omdat ze anders geen paarden meer zouden hebben.

Maar Pompeius wist dat zijn grote leger ongedisciplineerd was, en dat vele soldaten opstandig waren, en daarom wilde hij een veldslag vermijden. Hij hoopte dat de schaarste aan voedsel Caesars leger tot de aftocht zou dwingen.

Het was inderdaad waar, dat Caesars legioenen honger leden, maar ze zouden liever sterven dan dat aan de vijand te laten merken. Om hun honger te stillen zochten ze een soort wortel, die ze met melk eetbaar probeerden te maken.

Soms maakten ze er een soort broden van een en paar daarvan wierpen ze in het vijandelijke kamp, alsof ze wilden zeggen: Wat jullie ook denken, wij hebben voedsel genoeg!

In het kamp van Caesar werd niet gemopperd. Iedereen bleef trouw aan de aanvoerder en zelfs opgewekt, ondanks de honger. Het was lente toen Marcus Antonius overstak, en nu was de zomer bijna ten einde zonder dat er gevochten was.

Toen ontdekte Pompeius een zwak punt in Caesars verdediging en hij geloofde, dat hij met succes zou kunnen aanvallen. Zijn leger, verheugd dat er een einde was gekomen aan het wachten, ging geestdriftig tot de aanval over. Zoals Pompeius gehoopt had, werden de troepen van Caesar al spoedig in verwarring naar hun kamp teruggedreven. Tevergeef probeerde Caesar de orde te herstellen, zonder op gevaren te letten. Toen een soldaat langs hem heen holde, greep Caesar hem beet om hem te laten omkeren. De man, die gek van angst was en nauwelijks wist wat hij deed, hief het zwaard omhoog. Vliegensvlug sloeg Caesars wapendrager de man een arm af, zodat het zwaard

op de grond viel. Caesar was ternauwernood aan de dood ontsnapt. Als Pompeius doorgezet had, was misschien ook het kamp in zijn handen gevallen en zou hij wellicht een grote overwinning hebben behaald. Maar hij liet de aftocht blazen en er viel dus nog geen beslissing.
Caesar treurde niet over de verliezen van die dag, hoewel hij wist dat zijn kansen niet zeer gunstig waren. Hij wilde nu naar Thessalië gaan en Pompeius weglokken van de zee, zodat diens bevoorrading veel moeilijker zou worden en hij zou moeten vechten.
Toen de officieren van Pompeius zagen dat Caesar wegtrok, konden zij hun ogen nauwelijks geloven. Ze verzochten Pompeius om de achtervolging in te zetten. Deze gaf aarzelend toe, maar omdat hij wist hoe sterk de veteranen van Caesar waren, wilde hij een echte veldslag vermijden.
De jonge edelen ergerden zich aan de besluiteloosheid van hun aanvoerder. Ze drongen er herhaaldelijk bij hem op aan, dat hij slag zou leveren en tenslotte gaf Pompeius toe. De beide legers bevonden zich nu in Thessalië en hadden hun kamp opgeslagen op de vlakte van Pharsalus, waar in augustus van het jaar 48 v. Chr. de beslissende slag plaatsvond.
Pompeius vertrouwde hoofdzakelijk op zijn ruiters en hij dacht dat zijn zevenduizend de duizend van Caesar wel spoedig op de vlucht zouden jagen. Maar Caesar had zijn ruiters goed opgesteld en versterkt met boogschutters en ander voetvolk. Zij werden weliswaar achteruit gedreven ,maar de boogschutters deden zulk een verwoede aanval op de ruiters van Pompeius, dat die gedwongen werden van het slagveld te vluchten.
Daarna trok Caesar met de hoofdmacht van zijn leger tegen Pompeius op en na nog enkele reserve-troepen in de strijd te hebben geworpen, wist hij de vijand op de vlucht te jagen. De jonge officieren van Pompeius bleken niet voldoende ervaring te hebben en konden hun troepen niet onder controle houden.
Toen Pompeius zag, dat zijn ruiterij al dadelijk verjaagd was, gaf hij de hoop op en ging naar zijn tent, waar hij moedeloos bleef zitten. Pas toen ook het kamp werd aangevallen, scheen hij te beseffen, dat hij voort moest maken als hij niet in handen van de vijand wilde val-

len. Hij trok zijn wapenrusting uit, kleedde zich in een eenvoudig gewaad en steeg met enkele volgelingen te paard om naar de kust te vluchten. Vandaar ging hij naar Egypte. Toen het schip de kust naderde, zond hij een boodschapper naar Alexandrië om asyl te vragen. De koning, Ptolemaeus XII, was pas dertien jaar oud, maar de kroonraad nam de beslissing. Ze verwelkomden Pompeius niet en zonden hem ook niet weg, maar ze besloten dat hij moest sterven. Ze zonden een boot om hem aan land te brengen. In de boot bevond zich Septimus, een krijgstribuun uit Rome, die eens in het leger van Pompeius had gediend.
Pompeius maakte zich gereed om in te stappen, maar zijn vrouw klemde zich aan hem vast, vervuld van bange voorgevoelens. Hij nam afscheid van haar en van zijn volgelingen en nam plaats in de boot. Hij zag Septimus en sprak hem vriendelijk aan. Deze antwoordde echter ternauwernood. Hij was, zoals hij geloofde, vroeger onrechtvaardig door Pompeius behandeld en koesterde nu een wrok tegen hem.
Zodra Pompeius aan land was gegaan, trok Septimus zijn zwaard en doodde hem. Toen Caesar tien dagen later in Egypte aankwam, liet men hem het hoofd en de zegelring van zijn vijand zien. Men vertelt dat hij toen in de rouw ging, want al was Pompeius zijn mededinger en vijand geworden, hij had toch eerbied voor hem. Er is een bortsbeeld van Caesar uit die dagen met een stoppelbaard: een teken van rouw bij de Romeinen.

Hoofdstuk 113

CATO EN CAESAR

In Egypte woedde een burgeroorlog tussen de aanhangers van de jonge koning en die van zijn zuster Cleopatra. Caesar liet hen beiden bij zich komen en zei, dat hij het geschil zou regelen. Cleopatra was mooi en bekoorlijk en dat heeft misschien het besluit van Caesar om hen samen te laten regeren, beïnvloed. De minister van de koning was het daar echter niet mee eens, wist het leger op zijn hand te krijgen en sloeg het beleg voor Alexandrië.
Caesar had niet voldoende soldaten om de stad te verdedigen en liet

versterkingen komen uit Azië. In afwachting daarvan trok hij zich terug naar Pharos, dat vlak bij Alexandrië lag. Koning Ptolemaeus, die bij Caesar was, vroeg op een dag verlof om naar Alexandrië te gaan, waar de zuster van Cleopatra nu als koningin regeerde.
Caesar willigde dat verzoek in en de jongen ging op weg. Hij ging echter niet naar de stad, maar sloot zich aan bij het leger dat tegen Caesar vocht en deed zijn best om te verhinderen, dat er overzee voorraden voor de Romeinen zouden worden aangevoerd.
In maart 47 v. Chr. kwamen de versterkingen voor het leger van Caesar in Egypte aan. Ptolemaeus aarzelde niet en viel het nieuwe leger aan, nog vóór het Pharos had bereikt. Caesar achtervolgde toen Ptolemaeus en veroverde zijn kamp. In een poging om te ontvluchten verdronk Ptolemaeus. Korte tijd later deed Cleopatra's zuster afstand van de regering en werd Cleopatra koningin.
Er waren geen verdere moeilijkheden in Egypte en Caesar kon naar Rome terugkeren, waar hij reeds tot dictator en consul voor vijf jaar benoemd was. Maar eerst trok hij door Voor-Azië, om de vorsten te straffen die Pompeius hadden gesteund. Voor Caesar gingen ze al heel vlug uit de weg, zodat deze aan de senaat rapporteerde: „Ik kwam, ik zag, ik overwon". (Veni, vidi, vici)
Hoewel zijn aanwezigheid in Rome dringend noodzakelijk was, kon hij toch slechts drie maanden blijven, want hij was nog meer nodig in Afrika. De leiders van de partij van Pompeius hadden namelijk een groot leger op de been gebracht en stonden gereed om tegen Caesar oorlog te voeren.
Na de dood van Julia was Pompeius voor de tweede maal getrouwd en zijn schoonvader, Scipio, voerde het bevel over dat leger. En de zoons van Pompeius, Gnaeus en Sextus, wilden wraak nemen voor de dood van hun vader. Bovendien had Cato al de stad Utica in handen. Het vijandelijke leger was veel groter dan dat van Caesar en bovendien werden zijn bevoorradingsschepen dikwijls buitgemaakt. Tot er versterkingen waren aangekomen, beperkte hij zich er daarom toe alleen steden te veroveren die geen hevige tegenstand boden. In januari 46 v. Chr. kwamen de verwachte troepen en nu wilde hij Scipio aanvallen. In het begin van februari ging hij op weg naar Thapsus. Scipio volgde hem en werd spoedig gedwongen te vechten.

Er vond een hevige strijd plaats, maar tenslotte werd Scipio verslagen. Caesar zond een onderbevelhebber met troepen naar Thapsus en marscheerde nu zelf naar Utica, de stad die in handen van Cato was. Zodra Cato hoorde dat Caesar onderweg was, begreep hij dat het nutteloos zou zijn de stad te verdedigen. Hij stierf echter liever dan zich aan de vijand over te geven. Daarom trok hij zich terug in zijn kamer en liet zich op zijn zwaard vallen. Zijn vrienden, die de val hoorden, snelden toe. De wond bleek niet dodelijk te zijn en zij verbonden hem. Zodra Cato weer alleen was, rukte hij het verband af en liet zich doodbloeden.
Gnaeus en Sextus waren naar Spanje vertrokken en Scipio was hen per schip achterna gegaan. Caesar zond een schip uit om Scipio te achtervolgen, maar toen deze bijna achterhaald was, sprong hij overboord en verdronk.
Numidië werd een Romeinse provincie en Caesars taak in Afrika was geëindigd. Hij keerde in juli van het jaar 46 v. Chr. naar Rome terug.

HOOFDSTUK 114

CAESAR MET EERBEWIJZEN OVERLADEN

Toen Caesar in Rome aankwam, vernam hij dat men hem al voor tien jaar tot dictator had benoemd. Alle senatoren willigden zijn verlangens nu gaarne in. Toch zouden velen hem enkele jaren geleden nog als een verrader hebben bestempeld. Maar Caesar was nu de Rubicon overgestoken en in feite koning van het Romeinse rijk.
Hij wilde degenen die zijn vijanden waren geweest, echter niet straffen. Bovenal wilde hij, dat zijn terugkeer overal vreugde zou brengen. Hij schonk de vrienden van Pompeius niet alleen pardon, maar bood hun ook belangrijke posten aan in de regering. De dictator liet zelfs de beelden van Pompeius, die na diens val verwijderd waren, weer oprichten. Zijn trouwe soldaten beloonde hij met goud, voor de burgers gaf hij feesten en liet hij spelen houden. Van deze tijd af was zijn verjaardag een vrije dag en de maand waarin die viel, werd naar hem Julius genoemd, of zoals wij zeggen 'juli'.
Over zijn triomftochten werd nog lang gesproken. Hij vierde zijn overwinningen in Gallië, Egypte, Pontus en Numidië. En in die optochten voerde hij de wonderlijkste schatten mee. Er werd niets gezegd over de oorlog tegen Pompeius, omdat die een burgeroorlog was geweest, en er werd ook geen triomftocht voor gehouden.
Caesar bleef ongeveer zes maanden in Rome en maakte vele goede wetten. Evenals vroeger werd hij door het volk vereerd, want hij ontnam de macht aan de Optimaten en gaf haar aan de gewone burgers.

Zijn vrienden zeiden dikwijls tegen hem dat hij een lijfwacht moest hebben, omdat hij natuurlijk ook vijanden had, maar Caesar wilde geen voorzorgsmaatregelen nemen en zei: „Het is beter één keer te sterven dan altijd de dood te vrezen".
Omstreeks deze tijd nam de dictator maatregelen om Carthago en Corinthe, die verwoest waren, te laten herbouwen. Toen de steden klaar waren, zond hij er Romeinse soldaten en burgers heen. Velen die in armoede hadden geleefd, kregen nu een kans op een beter bestaan en de overbevolkte steden werden enigszins ontlast.

Hij liet ook geleerden naar Rome komen en zij verbeterden onder andere de Romeinse kalender volgens Egyptisch voorbeeld.
In december 45 v. Chr. moest Caesar naar Spanje om een opstand te onderdrukken, die geleid werd door de twee zoons van Pompeius, Gnaeus en Sextus. Caesar was in de meeste landen geliefd, maar Zuid-Spanje maakte daar een uitzondering op. De oorzaak was dat de bestuurders daar de bevolking slecht behandelden. Het was voor Gnaeus en Sextus daarom niet moeilijk geweest een opstand te ontketenen en zij hadden dan ook spoedig een groot leger, waarbij zich ook vele aanhangers van Pompeius aansloten.
Gnaeus had zijn kamp opgeslagen bij de stad Munda en daar vond ook de veldslag plaats. Romeinen vochten tegen Romeinen en een ogenblik leek het er op, dat Caesars troepen het onderspit zouden delven. Toen ging hij zelf zijn soldaten langs en vroeg hun, of zij zich er niet voor schaamden zich door zulke tegenstanders te laten verslaan.
Door die woorden tot nieuwe inspanning geprikkeld, vochten zij dapper door tot zij de overwinning hadden behaald. Gnaeus vluchtte, maar werd enkele weken later gevangen genomen en ter dood gebracht. Sextus wist te ontsnappen en veroorzaakte nog jaren lang met zijn vloot moeilijkheden langs de Italiaanse kust. Na de slag zei Caesar tegen zijn vrienden: „Ik heb dikwijls gevochten om een overwinning te behalen, maar dit is de eerste maal dat ik voor mijn leven heb gevochten".
In Rome werd het nieuws van de overwinning met grote geestdrift ontvangen. Geen eer was te groot voor Caesar en hij werd nu voor zijn leven tot dictator benoemd. Ook werd hij voor tien jaar tot consul benoemd en bovendien kreeg hij het beheer over de schatkist. Men gaf hem de titel van Imperator, en daarmee volledige zeggenschap over de legers.
Het enige wat er nog overbleef, was hem koning te maken, en er gingen reeds stemmen op om hem die titel in ieder geval al voor het gebied buiten Italië te geven.

Hoofdstuk 115

DE EDELEN TEGEN CAESAR

Sinds de dagen van Tarquinius de Trotse hadden de burgers van Rome het koningschap gehaat. En men begon nu te vermoeden, dat Caesar koning wilde worden. Langzaam verbreidde zich die gedachte en tegelijkertijd kwam weer de herinnering boven aan de wreedheid van Tarquinius.

Caesars tegenstanders maakten natuurlijk gebruik van die stemming en deden alles wat in hun vermogen lag om de achterdocht aan te wakkeren. Onwetend hielpen enkelen van zijn vrienden daaraan mee, toen zij hem op zekere dag met de titel Rex of Koning aanspraken. Caesar zag onmiddellijk dat verscheidene mensen daar aanstoot aan namen en antwoordde, als om zijn vrienden terecht te wijzen, dat zijn naam geen Rex was, maar Caesar (Rex was ook de naam van een bekende Romeinse familie).

Ondanks deze terechtwijzing namen de geruchten over Caesars streven naar het koningschap toe. Al zijn woorden en daden werden nu door zijn vijanden en door het volk nauwkeurig afgewogen.

Toen de consuls en de senatoren na Caesars terugkeer uit Spanje kwamen vertellen welke eerbewijzen hij zou ontvangen, stond hij niet zoals gewoonlijk op, maar bleef zitten. Niet alleen de senaat, maar ook de burgers waren verontwaardigd over die hooghartige houding, en Caesar zelf zag onmiddellijk in dat hij een fout gemaakt had.

Hij probeerde zich te verontschuldigen door te zeggen dat zijn gezondheid niet zo goed was, maar slechts weinigen geloofden dat. Men zegt, dat hij wel van plan was geweest op te staan, maar dat een vleier hem weer op zijn zetel trok en zei: „Gij moet eraan denken, dat gij Caesar zijt en slechts ontvangt wat U toekomt".

Een tijd later, in februari 44 v. Chr., werd er een oud feest, de Lupercalia, op de Palatijnse heuvel gevierd. Caesar zat op een gouden zetel en keek naar de spelen. Marcus Antonius deed er aan mee en toen hij op een gegeven moment voor Caesar stond, bood hij hem een kroon aan, met lauriertakken omwonden.

In de buurt van Caesar had men enkele mannen geplaatst die opdracht hadden te applaudisseren en te juichen als Antonius de kroon aanbood, en dus klonk er een zwak applaus. Maar de grote menigte keek zwijgend toe.
Toen weigerde Caesar de kroon en er barstte een luid gejuich los. Weer bood Antonius de kroon aan, terwijl enkelen in de handen klapten en weer weigerde Caesar. Voor de derde maal probeerde Antonius hem de kroon te overhandigen, maar de stemming van het volk was zo duidelijk gebleken, dat de dictator de kroon aan Jupiter wijdde en naar het Capitool liet brengen.
Een paar dagen later waren de standbeelden van Caesar met kronen versierd. Twee tribunen waren daar verontwaardigd over, arresteerden degenen die Caesar voor het eerst Rex genoemd hadden en wierpen hen in de gevangenis.
Of Ceasar werkelijk koning wilde worden of niet, in ieder geval keurde hij dit haastig ingrijpen van de tribunen niet goed en onthief hen van hun functie.
Caesar had geen zoons die hem zouden kunnen opvolgen, en hij begon nu zijn achttienjarige achterneef Octavius, die hij als zoon had aangenomen, op de voorgrond te schuiven en hem als prins en erfgenaam te behandelen. Het scheen de edelen toe, dat Caesar hiermee handelde als een koning, die voor zijn erfgenaam koninklijke voorrechten opeist. Op deze en andere manieren joeg Caesar de patriciërs tegen zich in het harnas. Hun haat groeide langzamerhand en sommigen begonnen al te denken, dat het beter zou zijn als hij dood was. Want zolang hij leefde, zouden zij niet de grote macht terugkrijgen die zij hadden, toen hij nog niet aan het bewind was.
Anderen, zoals Decimus Brutus, een groot vriend van Caesar, wilden hem niet weg hebben om hun eigen eerzucht te kunnen bevredigen, maar omdat zij oprecht geloofden dat het beter zou zijn, als het grote Romeinse rijk niet door één man werd geregeerd, maar door de senaat en het volk, zoals het vroeger geweest was.
Er waren dus verschillende groepen edelen, die verschillende redenen hadden om tegen Caesar samen te zweren, maar tenslotte waren zij het er allen over eens, dat Caesar ter dood gebracht moest worden. De voornaamste samenzweerder was de sluwe en eerzuchtige Cassius,

die evenals Brutus voor Pompeius had gevochten, maar door Caesar was begenadigd en zelfs begunstigd werd. Ook Brutus nam deel aan het complot. Ze besloten om spoedig te handelen, want ze waren bevreesd dat alles ontdekt zou worden, omdat reeds meer dan zestig mensen van het complot afwisten.

Hoofdstuk 116

CAESAR WORDT VERMOORD

Op 15 maart 44 v. Chr. zou er een belangrijke vergadering van de senaat worden gehouden. Op die dag wilden de samenzweerders hun plan ten uitvoer brengen en de dictator vermoorden. Ze wisten dat Caesar, zoals gewoonlijk, ongewapend en zonder lijfwacht naar de senaat zou komen.

Op de avond van de veertiende werd er tijdens de maaltijd in Caesars huis gesproken over de wijze van sterven, waaraan men de voorkeur gaf. De dictator keek even op van de brieven die hij aan het lezen was, zei: „een plotselinge dood", en ging weer door met lezen.

Misschien was er iets van het complot uitgelekt, in ieder geval had men Caesar verteld over slechte voortekenen en hem gewaarschuwd, dat er gevaar dreigde. Een waarzegger had voorspeld, dat hem op de 15de maart iets ernstigs overkomen zou.

In de nacht voor de vijftiende woelde Calpurnia, Caesars vrouw, in haar slaap, en tenslotte barstte ze in snikken uit. Ze had gedroomd dat ze het dode lichaam van haar man in haar armen hield.

De volgende ochtend smeekte zij hem met tranen in de ogen om die dag niet naar de senaat te gaan. Hij weifelde eerst, maar toen hij aan de waarschuwingen dacht, gaf hij aan haar smeekbede gehoor.

De senatoren waren ondertussen bijeen gekomen en onder hen bevonden zich de samenzweerders, die dolken bij zich hadden. Toen Caesar niet kwam, werden zij ongeduldig. Wat was er gebeurd? Had hij misschien iets ontdekt? Ze voelden zich niet op hun gemak en konden hun ongerustheid haast niet verbergen. Decimus Brutus bood toen aan om te gaan zien, waarom Caesar niet gekomen was en om hem zo nodig over te halen toch te komen.

Hij vond Caesar thuis, terneergeslagen door de slechte voortekenen en de angst van Calpurnia. Brutus deed, alsof hij het kinderachtig vond dat de grote Caesar zich door zulke dingen liet beïnvloeden en spotte met wat de waarzegger had verteld.
De woorden van Brutus krenkten Caesars trots en ondanks alle wanhopige pogingen van Calpurnia om haar man thuis te houden, besloot hij met Brutus mee te gaan. Het was toen elf uur. Toen Caesar door de hal liep, viel zijn borstbeeld naar beneden en brak in stukken voor zijn voeten. Later zei men, dat dit misschien het werk was van een vriend of van een dienaar, die een laatste waarschuwing wilde geven. Want dit scheen een nieuw teken van naderend onheil.

Caesar verliet zijn huis en ging de straat op. Onderweg ontmoette hij de waarzegger, die hij in een poging tot scherts toeriep: „De 15de maart is aangebroken". „Ja", antwoordde de wijze, „maar nog niet voorbij".
Zoals altijd verdrongen de burgers zich om hem heen met allerlei verzoeken en smeekschriften. Een van hen deed alle mogelijke moeite om de dictator een brief te overhandigen en toen hem dat tenslotte gelukt was, zei hij haastig: „Lees dit dadelijk, Caesar, want het gaat om uw veiligheid".
Caesar gaf de brief echter met enkele andere stukken aan een dienaar en liep door, zodat ook deze laatste waarschuwing vergeefs was.
Zodra hij de vergadering was binnengekomen en zijn plaats had ingenomen, verdrongen de samenzweerders zich om hem heen en een van hen, Cimber, overhandigde hem een verzoekschrift, dat hij al meermalen had ingediend en dat telkens geweigerd was. Caesar ergerde zich daarover. De andere samenzweerders begonnen nu voor Cimber te pleiten.
Maar Caesar was kwaad en zei, dat hij van het gehele geval niets meer wilde horen. Toen trok Cimber Caesars toga af en dat was het afgesproken teken. Casca, die de eerste stoot zou toebrengen, trok zijn dolk en trof Caesar in de schouder.
De dictator sprong op, en greep de dolk. Maar nu hadden de anderen ook hun wapens ontbloot en vielen zij hem van alle kanten aan. Ongewapend streed Caesar een hopeloze strijd. Toen hij Brutus in het oog

kreeg, die juist zijn dolk had opgeheven, riep hij hem toe: „Et tu, Brute?" (Gij ook, Brutus?).
Caesar trok zijn toga over zijn gelaat en viel neer.
De dictator was dood. En men zegt, dat de gehele natuur rouwde, want een jaar lang scheen de zon haast niet en was de hemel overdekt met grauwe wolken.

Hoofdstuk 117

BRUTUS SPREEKT TOT DE BURGERS

Nadat de samenzweerders hun gruwelijke daad verricht hadden, wilde Brutus aan de senatoren die niets van het complot afwisten, vertellen waarom het nodig was geweest de dictator te doden. Vol afschuw over de moord en onthutst omdat ze hem niet hadden kunnen verhinderen, wilden zij niet naar hem luisteren en verlieten haastig de bijeenkomst, bevreesd voor wat er verder zou gebeuren.
Buiten ontmoetten zij Marcus Antonius, Caesars trouwste vriend, die met opzet niet was uitgenodigd, en vertelden hem wat er voorgevallen was. De senatoren gingen daarna naar huis en hielden zich schuil. Ze behoefden echter niet bevreesd te zijn, want het was niet de bedoeling van de samenzweerders om de vrienden van Caesar te vervolgen.
Daar de senatoren niet wilden luisteren, besloot men om de burgers te vertellen, dat Caesar dood was. De samenzweerders liepen door de straten, verkondigden dat de dictator uit de weg was geruimd en dat allen die de republiek hoog wilden houden, zich bij hen moesten aansluiten.
De burgers toonden slechts afschuw en sloten zich in hun huizen op. Die ochtend hadden zij Caesar nog gezien. Het kon niet waar zijn dat hij dood was, zoals Brutus zei. Fluisterend spraken zij erover, vergaten hun achterdocht en herinnerden zich slechts hoe goed hij voor hen was geweest.
De volgende dag kwamen de burgers op het Forum bijeen en Brutus hield een toespraak. Hij sprak niet over de fouten van Caesar, maar

over het welzijn van de republiek en de burgers luisterden zwijgend. Na Brutus nam een van de andere samenzweerders het woord en hij beschuldigde Caesar in zijn rede van allerlei misdaden. Dat was meer dan het volk kon verdragen. Er werden dreigende uitroepen gehoord, de menigte werd opstandig en tenslotte vonden de samenzweerders het maar beter een wijkplaats te zoeken in het Capitool.
De volgende ochtend kwam de senaat weer bijeen en men zag Antonius, die zich niet langer wilde schuilhouden, naar de bijeenkomst gaan. Men vreesde voor zijn veiligheid en verzocht hem voorzichtig te zijn. Hij lichtte toen zijn toga op en liet zien dat hij daaronder zijn wapenrusting aan had.
De samenzweerders waagden zich nog niet uit het Capitool en zonden Cicero als hun vertegenwoordiger naar de vergadering. Zijn welsprekendheid is misschien niet zonder uitwerking gebleven. In ieder geval stemde Marcus Antonius erin toe, dat men de samenzweerders in vrede zou ontvangen. Verder besloot men dat Caesar met alle eer begraven zou worden.
Antonius was nu tevreden. Als consul zou hij het woord voeren bij de begrafenis en hij twijfelde er niet aan, dat hij erin zou slagen de burgers op te zetten tegen de moordenaars van Caesar.
Cassius voorzag wat er zou gebeuren en ried Brutus aan te verhinderen, dat Antonius het woord zou voeren. Maar Brutus wilde het niet verbieden.
Nu de senaat beloofd had de samenzwerders in vrede te zullen ontvangen, en ook de bevolking wat rustiger geworden was, waagden zij zich weer buiten het Capitool en vertoonden zich zelfs op het Forum.
Op de dag van de begrafenis, vóór Antonius het lijk van Caesar naar het Forum bracht, sprak Brutus nogmaals tot de verzamelde burgers en probeerde hij te vertellen waarom hij, die Caesars vriend was geweest, had deelgenomen aan de samenzwering. Hier volgen enkele regels, die Shakespeare hem laat zeggen in zijn toneelstuk Julius Caesar:

> „Romeinen, burgers, vrienden, hoort mij aan bij het bepleiten van mijn zaak, en weest stil, opdat gij moogt horen. Indien er iemand in deze vergadering is, die een innig vriend van

Caesar was, tot hem zeg ik, dat Brutus' liefde tot Caesar niet minder was dan de zijne. En als die vriend dan vraagt, waarom Brutus tegen Caesar opstond, dan is mijn antwoord: Niet, omdat ik Caesar minder lief had, maar omdat ik Rome meer liefhad.

Omdat Caesar mij liefhad, ween ik om hem; omdat hij gelukkig was, verheug ik mij daarin; omdat hij dapper was, vereer ik hem; maar omdat hij heerszuchtig was, doodde ik hem. Zo heb ik tranen voor zijn liefde; vreugde voor zijn geluk; verering voor zijn dapperheid; en de dood voor zijn heerszucht".

De rede maakte grote indruk op het volk en het scheen, dat de burgers nauwelijks zouden luisteren naar wat Antonius te zeggen had. Brutus werd luide toegejuicht. „Leve Brutus, leve Brutus", klonk het overal.

HOOFDSTUK 118

MARCUS ANTONIUS SPREEKT

Het gejuich was nog niet ten einde, toen Marcus Antonius het Forum opkwam met het lijk van Caesar. Brutus maakte zich gereed om te vertrekken en verzocht de burgers te luisteren naar wat Antonius te zeggen had. Overdekt met een purperen kleed had men ondertussen de baar zo opgesteld, dat iedereen die zien kon. Er vlak bij lag de toga, die Caesar had gedragen toen hij op de vijftiende maart naar de senaat ging. Hij was gescheurd en gevlekt. Een wassen beeld van Caesar, waarop duidelijk alle wonden waren aangegeven, was naast de baar geplaatst.

Toen begon Antonius, die in rouwkleren was gehuld, Caesars testament voor te lezen. De burgers luisterden met gespannen aandacht. Was het waar, dat Caesar zoveel van hen gehouden had? Wat zei Antonius nu? Had hij aan ieder Romeins burger een bedrag van drie pond nagelaten? En zijn tuinen zouden voor iedereen worden opengesteld! Zelfs had hij aan enkelen van de samenzweerders grote sommen geld vermaakt.

De burgers begonnen al te mopperen. Ze waren vergeten, dat ze enkele ogenblikken tevoren Brutus luide hadden toegejuicht. Men schreeuwde dat de samenzweerders niet een tiran hadden vermoord, maar een vriend van het volk. Die daad moest gewroken worden en daar zouden zij wel voor zorgen.

Toen begon Antonius zijn rede. Hier volgt weer een gedeelte uit Shakespeare's Julius Ceasar:

„Vrienden, Romeinen, burgers, leent mij 't oor:
Ik kom Caesar begraven, niet hem prijzen:
't Kwaad, dat de mensen doen, leeft na hen voort,
't Goede wordt vaak met hun gebeent' begraven,
Laat het zo zijn met Caesar. De eed'le Brutus
Vertelde u dat Caesar heerszuchtig was:
Als dat zo was, was dat een zware schuld,
En zwaar heeft Caesar er dan voor geboet.

Hier, met verlof van Brutus en de rest,
Want Brutus is een achtenswaardig man,
(Dat zijn zij allen, allen achtenswaardig),
Voer ik bij Caesar's uitvaart thans het woord.
Hij was mijn vriend, trouw en oprecht voor mij;
Maar Brutus zegt, dat hij heerszuchtig was,
En Brutus is een achtenswaardig man.
Hij bracht tal van gevangenen naar Rome,
Wier losgeld de openbare schatkist vulde:
Scheen Caesar u daarin heerszuchtig toe?
Wanneer de armen schreiden, weende Caesar:
Heerszucht snijdt men, dunkt mij, uit harder hout;
Toch, Brutus zegt, dat hij heerszuchtig was,
En Brutus is een achtenswaardig man.
Gij allen zaagt, op het Lupercusfeest,
Dat 'k hem driemaal een koningskroon aanbood,
Die hij drie malen afsloeg. Was dat heerszucht?
Toch, Brutus zegt, dat hij heerszuchtig was,
En hij is stellig een achtenswaardig man.
Ik wil hier niet wat Brutus sprak weerleggen,
Ik kom u slechts vertellen wat ik weet;
Gij hadt hem allen lief, niet zonder grond,
Om welke grond treurt gij dan niet om hem?
O oordeelskracht, gij vloodt naar 't stomme vee,
En reed'loos werd de mens. Neem mij niet kwalijk,
Mijn hart is in de lijkkist daar bij Caesar,
En ik moet wachten tot het wederkeert."

Nadat hij zijn toespraak beëindigd had, keerde hij zich om en trok het kleed weg dat Caesar's lijk bedekte, zodat alle burgers de wonden goed konden zien. Reeds gedurende de rede was de opwinding hoe langer hoe groter geworden. Maar nu zij de echte wonden zagen, kwam het tot een uitbarsting. Er werd om wraak geschreeuwd. Alle samenzweerders moesten gedood worden. Men wilde de huizen van Brutus en Cassius in brand steken. Maar eerst wilden zij zelf de brandstapel voor Caesar gereedmaken. Uit de huizen en de winkels rondom

het Forum werden stoelen, tafels, banken en alles wat branden kon, aangesleept. Alles werd opgestapeld en daar bovenop werd het lichaam van Caesar gelegd.
Een ogenblik later laaiden de vlammen hoog op. Met brandende takkebossen renden sommigen schreeuwend naar de huizen van Cassius en Brutus. Die waren echter bewaakt en de samenzweerders waren gevlucht.

Hoofdstuk 119

HET TWEEDE DRIEMANSCHAP

Gedurende korte tijd was Brutus in de ogen van de burgers van Rome een held geweest, maar de rede van Antonius had hen totaal van gedachten doen veranderen. Zij wensten nu, dat Marcus Antonius zou regeren en deze maakte zich met hun hulp meester van Rome.
Hij zou zijn macht echter niet lang onbetwist uitoefenen, want Caesars erfgenaam, Octavius, kwam in de maand mei naar Rome. Hij noemde zich als Caesars aangenomen zoon Julius Caesar Octavianus en eiste zijn rechten op. Octavianus was pas achttien jaar oud, maar had een zeer grote wilskracht. Hij was vastbesloten om de moordenaars van Caesar te straffen en zijn positie zoveel mogelijk te verstevigen.
Eerst schaarde hij zich aan de zijde van de Optimaten, die hun uiterste best deden om de macht van Antonius te beperken.
Antonius, die zijn pasverworven macht niet prijs wilde geven, vormde een leger. Hij wilde daar onder andere Brutus mee bestrijden, die gedreigd had Gallië Cisalpina te bezetten, de provincie die Antonius zelf wilde hebben. De senaat verklaarde Antonius nu tot vijand van de staat, omdat hij de wapenen had opgenomen.
Om Antonius te kunnen bestrijden bracht Octavianus nu ook een leger op de been, viel zijn kamp aan en dwong hem te vluchten, tot vreugde van de senatoren. Die vreugde werd echter spoedig getemperd, want Octavianus wilde de aanspraken die Brutus op Gallië Cisalpina maakte, niet ondersteunen. Hij wilde zelfs Antonius niet verder vervolgen en eiste, dat de senaat er nu voor zou zorgen dat hij, Caesars erfgenaam, tot consul zou worden benoemd.
Toen de senaat aarzelde, marcheerde Octavianus met zijn leger naar Rome, maar zond eerst nog een boodschap naar Antonius, waarin hij hem voorstelde bijeen te komen om de geschillen bij te leggen.

Met steun van het leger kostte het Octavianus geen moeite om tot consul benoemd te worden en van de senaat andere voorrechten te verkrijgen. Ook dwong hij de senatoren het besluit te herroepen,

waarbij Antonius tot staatsvijand was verklaard. En toen ging hij op weg voor een ontmoeting met Antonius en Lepidus, die ook een leger aanvoerde.
De drie bevelhebbers kwamen bijeen op een eilandje in de rivier de Po, vormden een verbond, dat het Tweede Driemanschap genoemd wordt, en kwamen overeen gedurende vijf jaren het Romeinse Rijk gezamenlijk te besturen. Er werd onder meer overeengekomen, dat elk van de drie volkomen vrij zou zijn om de Optimaten die hen hadden tegengewerkt, ter dood te laten brengen. De moordenaars van Caesar zouden natuurlijk met de dood gestraft worden, maar bovendien werd er nog een lijst opgemaakt, die zeventien namen bevatte, waaronder die van de grote redenaar Cicero.
Cicero had weliswaar vriendschap gesloten met Octavianus, maar dit kon hem toch niet redden, want hij had zich door zijn felle redevoeringen het ongenoegen van Antonius op de hals gehaald. En dus werd Cicero in december van het jaar 43 v. Chr. op bevel van Antonius door een troep soldaten gevangen genomen en ter dood gebracht.
Toen het Driemanschap in Rome terugkeerde, begon een waar schrikbewind. Evenals in de tijd van Sulla werden er in het Forum lijsten opgehangen van personen die veroordeeld waren. Twee- of drieduizend Romeinen werden gedood of gedwongen tot de vlucht.
De meeste vluchtelingen sloten zich aan bij Brutus en Cassius, die naar het oosten waren gegaan en elk een groot leger hadden gevormd. Anderen vluchtten naar Sicilië, waar Sextus Pompeius nog steeds met zijn vloot de kusten onveilig maakte en de graantoevoer bedreigde.

Hoofdstuk 120

DE SLAG BIJ PHILIPPI

Het Tweede Driemanschap begon zijn bewind op 1 januari 42 v. Chr. Maar noch Antonius, noch Octavianus kon lang in Rome blijven, want Brutus en Cassius moesten nog verslagen worden.
Met een groot leger ging Antonius naar Griekenland om tegen de samenzweerders te vechten, terwijl Octavianus naar Sicilië trok, om

een einde te maken aan de zeeroverij van Sextus. Lepidus bleef in Rome achter.
Octavianus behaalde geen overwinning op Sextus, maar verliet in augustus Sicilië om het leger van Antonius te versterken. Zij vonden Brutus en Cassius, elk met zijn eigen leger, in een sterke positie in het noorden van het land, bij Philippi.
De rebellen, want zo noemde men nu in Rome de samenzweerders, maakten nog geen aanstalten om te vechten, want zij hadden een behoorlijke voorraad proviand, die telkens door hun vloot werd aangevuld. Antonius en Octavianus hadden geen vloot en hun bevoorrading was dus veel onzekerder, omdat zij afhing van wat de plaatselijke bevolking hun bracht.
Brutus zat op een avond in zijn tent, nadat zijn soldaten zich naar hun kwartieren hadden begeven. Het was al laat en de tent was slechts zwak verlicht, omdat hij niet aan het werk was. Plotseling voelde hij, dat hij niet langer alleen was en toen hij opkeek, zag hij vlak bij zich een vreemde gestalte staan. Zwijgend keken Brutus en zijn onbekende gast elkaar aan, totdat Brutus tenslotte zei: „Spreek, zeg mij wie gij zijt". Een sombere stem antwoordde: „Brutus, uw boze geest. Gij zult mij in Philippi zien". Dat klonk bijna als een dreigement, maar Brutus antwoordde vastberaden: „Tot weerziens in Philippi dan".
De verschijning verdween, Brutus riep zijn dienaars en vroeg of zij de geheimzinnige gestalte hadden gezien of gehoord, maar niemand wist er iets van.
Korte tijd later besloten Brutus en Cassius hun geluk te beproeven. Zij hingen een scharlaken mantel buiten de tent, als teken dat zij wilden vechten. De soldaten van Antonius waren bezig versterkingen aan te leggen. En Octavianus, die nu ook Caesar genoemd werd, lag ziek in zijn kamp, op enige afstand van dat van Antonius. Zijn soldaten schenen de scharlaken mantel in het kamp van de vijand niet te hebben opgemerkt, want zij maakten geen voorbereidingen voor de strijd. Zelfs toen zij geschreeuw hoorden en wapengekletter, schonken zij er geen aandacht aan. Als zij dat wel gedaan hadden, zou de afloop van de strijd misschien anders geweest zijn.
Cassius had de soldaten van Antonius aangevallen terwijl zij aan de versterkingen werkten, maar toen de vijand zijn ruiterij aanviel, week

die plotseling achteruit en vluchtte in de richting van de zee. Toen zijn andere soldaten ook achteruitgedreven werden, greep Cassius een standaard, stak die in de grond en probeerde zijn mannen daar omheen te verzamelen. Het gelukte hem echter niet en met enkele volgelingen bleef hij achter, zodat ook hij gedwongen was te vluchten. Op een heuvel, vanwaar hij het slagveld kon overzien, hield hij halt.

Brutus had ondertussen het leger van de nieuwe Caesar aangevallen en deze bijna gevangen genomen. Want men had hem slechts enkele minuten tevoren het kamp uitgedragen. Het eerste dat de soldaten van Brutus zagen toen zij het kamp binnendrongen, was het rustbed van Caesar. In de veronderstelling dat de bevelhebber er nog op lag, wierpen zij er hun spiesen heen en daarna deed het gerucht de ronde dat hij gedood was. Maar men ontdekte weldra dat het rustbed leeg was.

En nu vond er een betreurenswaardige vergissing plaats. Brutus, die Cassius wilde laten weten dat hij een overwinning had behaald, zond een troep ruiters uit om hem te zoeken en het nieuws te vertellen. Cassius zag de ruiters naderen, dacht dat het misschien vijanden waren en zond iemand op verkenning uit. De verkenner werd hartelijk begroet door de ruiters. Enkelen stapten af om hem op hun gemak te vertellen wat er gebeurd was. Anderen verdrongen zich om het groepje heen.

Cassius keek uit de verte aandachtig toe en dacht dat zijn verkenner door de ruiters gevangen genomen was. Hij trok daaruit de conclusie, dat Brutus verslagen was, misschien wel gesneuveld en besloot een einde aan zijn leven te maken. Zonder te wachten op bevestiging van zijn vermoedens, ging Cassius een lege tent binnen en stak zich het zwaard in de borst.

Toen Brutus het treurige nieuws hoorde, was hij diep bedroefd. „De laatste der Romeinen is gevallen”, riep hij uit, „want het is onmogelijk dat Rome ooit nog zulk een groot man voortbrengt”.

Hoofdstuk 121

DE DOOD VAN BRUTUS

De slag bij Philippi had geen beslissing gebracht, daar aan beide zijden een van de bevelhebbers een overwinning had behaald. Octavianus en Antonius zouden graag de strijd onmiddellijk voortgezet hebben, want het werd steeds moeilijker om proviand te vinden.
Maar Brutus scheen niet te willen vechten en veertien dagen lang smeekten zijn soldaten hem vergeefs om de strijd te mogen hervatten. Zij drongen zo aan, dat hij tenslotte toegaf en zijn troepen naar de vijand leidde. Er volgde een wanhopige strijd, waarin de afdeling die door Brutus aangevoerd werd, weliswaar een kleine overwinning behaalde, maar de rest van zijn leger uiteengejaagd en op de vlucht gedreven werd.
Toen Brutus met enkele vrienden vluchtte, werd hij door een troep ruiters achtervolgd, die hem gevangen wilde nemen om hem naar Antonius te kunnen brengen. Bij Brutus bevond zich Lucilius, die het gevaar zag en besloot zijn bevelhebber te redden, ook al zou het hem zijn leven kosten. Hij bleef daarom onopvallend wat bij de anderen achter, en toen de ruiters naderbij kwamen, bracht hij hen in de waan dat hij Brutus was en liet zich gevangen nemen. Verheugd brachten zij Lucilius naar Antonius. Zodra de gevangene voor Antonius stond, zei hij: „Gij kunt ervan verzekerd zijn, Antonius, dat geen vijand Brutus ooit levend in handen heeft gehad of zal krijgen. Wat mij betreft, ik heb uw soldaten in de waan gebracht dat zij Brutus gevangen hadden genomen, en ik ben nu bereid uw straf te ondergaan”.

Antonius wendde zich tot de terneergeslagen ruiters en zei: „Ge hebt mij een betere buit gebracht dan ik verwacht had. Want ik zou niet geweten hebben, wat ik met Brutus had moeten doen als ge hem meegebracht had. Wel weet ik, dat het beter is om mannen als Lucilius tot vriend te hebben dan tot vijand”. Van die dag af waren Antonius en Lucilius vrienden.
Brutus was ondertussen doorgereden tot aan een riviertje en daar, door enkele rotsblokken beschut, rustte hij een poosje uit. Hij was

bedroefd, omdat zo velen van zijn vrienden gesneuveld waren en zuchtte diep.
Het ene uur na het andere verstreek en zijn volgelingen werden bevreesd dat de vijand hen zou vinden en drongen er bij Brutus op aan, dat hij verder zou vluchten.
„Ja, wij moeten vluchten", zei de geslagen bevelhebber, „echter niet met onze voeten, maar met onze handen". Toen verwijderde hij zich met zijn vriend Strato, liet zich op zijn zwaard vallen en stierf.
Toen Antonius het lichaam van Brutus vond, liet hij het bedekken met zijn eigen purperen mantel. Een soldaat, die zo hebzuchtig was dat hij geen eerbied voor de doden toonde, stal de mantel. Antonius rustte niet voor de dief gevonden en terechtgesteld was.

Hoofdstuk 122

ANTONIUS EN CLEOPATRA

Nu Brutus en Cassius beiden dood waren, kon niemand de heerschappij aan Octavianus en Antonius betwisten, en zij verdeelden onder elkaar het Romeinse Rijk. Hoewel ook Lepidus deel uitmaakte van het Driemanschap, werd hij niet geraadpleegd, want men verdacht hem en Sextus van een samenzwering tegen Caesar. Als bleek dat hij trouw geweest was, wilde Antonius hem Afrika afstaan; als het tegengestelde bleek, zou hij natuurlijk niets krijgen.
Zes weken later werd Lepidus er weer van beschuldigd een complot tegen Caesar te hebben gesmeed en van die tijd af behoorde hij niet meer tot het Driemanschap.
Na de tweede slag bij Philippi, in 42 v. Chr., nam Octavianus Spanje en Numidië als zijn deel van het rijk, terwijl Antonius Gallië en Afrika nam. Italië zouden zij samen regeren. Toen dat geregeld was, ging Antonius naar Azië om opstanden in verschillende provincies te onderdrukken en Octavianus keerde naar Rome terug.
Nu had Cleopatra, de koningin van Egypte, troepen en officieren naar Cassius gestuurd om hem te helpen in de oorlog tegen Octavianus en Antonius. Antonius wilde een verklaring van die handelwijze hebben en toen hij in de zomer van 41 v. Chr. in Tarsus was, ontbood hij de koningin bij zich.
Eerst schonk Cleopatra geen aandacht aan de boodschap. Er kwamen andere boodschappen en schijnbaar trok zij zich er niets van aan. Maar ondertussen maakte zij op grote schaal voorbereidingen voor de reis en tenslotte kwam zij de rivier de Cydnus opzeilen in een schip met vergulde voorsteven en purperen zeilen. De zilveren riemen werden gehanteerd op de maat van muziek, die door fluiten en harpen werd gespeeld. Zij zelf lag onder een hemel van geweven gouddraad, gekleed als Venus, en kleine Cupido's wuifden haar met waaiers koelte toe. Haar dienstmaagden waren als zeenimfen en gratiën verkleed.
Langs beide oevers van de rivier liepen duizenden mensen mee om al deze pracht te zien. Toen het schip de stad naderde, lieten de mensen

hun werk in de steek en holden naar de haven om de wonderbare schoonheid van de koningin van Egypte te kunnen aanschouwen. Antonius ging niet naar de rivier. Hij bleef waar hij was, op het verlaten marktplein, maar toen de koningin was aangekomen, zond hij haar een boodschap, waarin hij vroeg of zij met hem het avondmaal wilde gebruiken. Cleopatra weigerde, maar nodigde hem uit om bij haar te komen.
Antonius wilde hoffelijk zijn en ging naar het schip. Cleopatra bracht hem zo onder haar bekoring, dat hij Rome, zijn vrouw, zijn taak in het oosten, ja, alles vergat, en met haar terugkeerde naar Alexandrië. In Egypte werd hij haar meest geliefde hoveling en om haar te behagen legde hij zelfs zijn Romeinse kleding af en kleedde zich als een Egyptenaar. Een jaar lang leefde hij aan het hof.
Ondertussen wist Octavianus zijn invloed in Rome steeds meer te versterken. Fulvia, de vrouw van Antonius, zag dat Octavianus de harten van het volk won en besloot maatregelen te nemen. Zij bracht een leger op de been en Octavianus moest een van zijn bevelhebbers, Agrippa, uitzenden om daartegen te vechten. Fulvia had gehoopt, dat Antonius haar te hulp zou komen, omdat hij natuurlijk wel begrijpen zou, dat zij het voor hem deed. Maar haar echtgenoot bleef in Egypte. Pas in de herfst van 40 v. Chr. kwam hij naar Griekenland. En zelfs toen was hij haar niet dankbaar voor wat zij gedaan had en maakte haar verwijten. Toch besloot zij vol te houden en het scheen, dat een nieuwe burgeroorlog zou ontbranden.
Maar Fulvia stierf en haar soldaten wilden niet tegen hun landgenoten vechten. Bovendien was Antonius bereid een regeling te treffen met Octavianus. In Brindisi werd vrede gesloten en wederom werd het rijk verdeeld. Antonius wilde tonen, dat hij zich aan de nieuwe afspraken zou houden en trouwde met Octavia, de zuster van Octavianus. Zij was een schone vrouw en bovendien verstandig. Haar liefde voor haar man en haar broer zou haar nog heel veel verdriet bezorgen. In de eerste tijd echter wist zij de banden tussen de twee mannen te verstevigen.
Korte tijd na de vrede van Brindisi werd ook vrede gesloten met Sextus. Octavianus en Antonius gingen naar hem toe en hadden een onderhoud met hem op een van zijn schepen. Nadat Sextus enkele

voorrechten had verkregen, beloofde hij dat hij de graantoevoer geen verdere moeilijkheden in de weg zou leggen en zo werd Rome van een plaag verlost.
Antonius en Octavia gingen naar Griekenland, waar zij twee jaar bleven. Hij behaalde weinig eer in zijn oorlogen met de Parthen, die Syrië binnengevallen waren, en hij gedroeg zich zo verraderlijk in die veldtocht tegen de Armeniërs, dat men in Rome zei, dat hij de Romeinen had onteerd. Men kreeg nog meer een hekel aan hem door de wijze waarop hij Octavia behandelde. Want na twee jaar zond hij haar terug naar haar broer, onder voorwendsel dat het voor haar veiligheid was.
Maar zodra zij vertrokken was, ging hij naar Alexandrië, waar hij evenals vroeger aan het hof van Cleopatra leefde. De Romeinen namen het hem kwalijk, dat hij Alexandrië tot zijn hoofdkwartier had gemaakt en begonnen te vrezen, dat hij wilde trachten in het oosten een nieuw rijk te stichten, machtiger dan het Romeinse.
In Rome deed Octavianus veel voor het welzijn van het volk. Maar Sextus verbrak zijn belofte en maakte vele graanschepen buit, zodat het graan in Rome ontzettend duur werd, waardoor er grote ellende heerste.
Tenslotte besloot Octavianus om maatregelen te nemen en hij zond een leger naar Sextus. Pas drie jaar later slaagde Agrippa erin om Sextus te verslaan. Deze week uit naar Azië, waar hij later gevangen genomen en terechtgesteld werd.
Voor alles wat hij voor het rijk deed, werd Octavianus door de senaat met eerbewijzen overladen. Hij mocht bijvoorbeeld het gewaad dat voor triomftochten was bestemd, dragen wanneer hij wilde. Hij kreeg een paleis op de Palatijnse heuvel en zijn persoon werd heilig verklaard. Toen Antonius dat alles vernam, begreep hij dat het tijd werd om iets van zich te laten horen, omdat men hem anders zou vergeten. Hij zond de senaat een verslag van wat hij in Egypte had gedaan. Er was weinig te vertellen, behalve dat hij koninkrijken had geschonken aan de kinderen van Cleopatra en hemzelf. Hij voegde er nog aan toe, dat hij het Driemanschap niet wilde verlengen als dat in 33 v. Chr. ten einde liep.
Van die tijd af werd de kloof tussen Antonius en Octavianus steeds

wijder en tenslotte werd het duidelijk, dat alleen een oorlog zou kunnen beslissen, wie over het Romeinse Rijk regeren zou.
Antonius begon een leger te formeren en maakte voorbereidingen om de kust van Italië aan te vallen. Dat kon de senaat niet toestaan en in 32 v. Chr. werd de oorlog verklaard aan Cleopatra, die Antonius hulp verleende bij zijn voorbereidingen, en Antonius zelf werd tot vijand van de staat verklaard.

HOOFDSTUK 123

DE SLAG BIJ ACTIUM

De grote slag die de beslissing moest brengen, werd geleverd bij Actium, aan de kust van Griekenland, in het jaar 31 v. Chr. Octavianus en Antonius kwamen daar beiden met een grote vloot en een groot leger. Antonius had geen ervaring van zeeslagen. Maar om Cleopatra een genoegen te doen wenste hij toch eerst een ontmoeting tussen de beide vloten. De koningin was zelf in Actium en had de vloot van Antonius versterkt met zestig van haar eigen schepen.
Er vonden verscheidene schermutselingen plaats, waarin Octavianus zich de meerdere toonde, en Cleopatra werd ongeduldig. Ze probeerde Antonius over te halen om zich terug te trekken en geen slag te riskeren. In Alexandrië, zei zij, zouden zij veilig zijn, want de stad was goed versterkt en er waren soldaten genoeg voor de verdediging. Terugtrekken zou voor een echt soldaat onmogelijk zijn geweest, maar zo groot was de invloed van Cleopatra, dat Antonius tenslotte toegaf. Vier dagen lang stormde het echter zo hard, dat de schepen Actium niet konden verlaten. In de vroege ochtend van de tweede september zag Cleopatra tot haar vreugde dat het weer opgeklaard was. Zij rustte niet voor het sein tot vertrek gegeven was en de vloot langzaam de baai uitvoer. Octavianus zag dat en gaf zijn schepen opdracht de vloot te achtervolgen en zo mogelijk te omsingelen. Door aan Cleopatra's wens tegemoet te komen had Antonius de strijd uitgelokt en hij was nu wel gedwongen het sein tot de aanval te geven. Daar hij wist dat zijn soldaten niet gewend waren aan zeegevechten, ging hij in een kleine boot van het ene schip naar het andere en zei, dat ze de dekken van de schepen als vaste grond moesten beschouwen.

De schepen van Antonius waren groter dan die van Octavianus en bleken op de woelige zee moeilijker te besturen. De kleinere schepen van Octavianus konden vlugger manoeuvreren en de andere daardoor meer schade toebrengen. De gehele ochtend duurde de zeeslag, en nog had geen der beide partijen een overwinning behaald.
Cleopatra was niet gewend aan de spanning en de actie van een ge-

vecht en zij werd er humeurig van. Zij wilde de onzekerheid niet langer verdragen en gaf haar schepen het sein voor de aftocht.
Antonius zag de schepen wegvaren en wist, dat Cleopatra hem in de steek had gelaten. Misschien dacht hij dat de slag nu voor hem verloren was, omdat de wegvarende schepen een paniek zouden veroorzaken op de gehele vloot, misschien was het zijn enige wens om de koningin te volgen. In ieder geval sprong Antonius in een galei en volgde Cleopatra.
Toen hij het schip bereikte waarin de koningin zat, nu op haar gemak en tevreden, en aan boord was geklommen, besefte hij plotseling wat hij gedaan had. Zonder een woord tegen Cleopatra te zeggen liep hij naar de voorsteven, bedekte zijn gelaat met zijn handen en schaamde zich over zijn laffe daad. Hij wist, dat hij in de ogen van zijn soldaten onteerd was.
Maar de soldaten geloofden niet, dat de bevelhebber die hen zo dikwijls in de strijd had aangevoerd, gevlucht was en zij vochten dapper door, in de veronderstelling dat hij weldra terug zou komen.
En zo groot was hun vertrouwen in Antonius, dat zij na de slag verloren te hebben weigerden zich aan Octavianus over te geven, omdat zij wilden wachten op hun aanvoerder.
De officieren waren minder trouw, of ze kenden Antonius beter. Ze verlieten hun manschappen en gaven zich over aan Octavianus. Pas toen gingen de soldaten beseffen, dat Antonius hen inderdaad in de steek gelaten had en ook zij gaven zich over.
Met de slag bij Actium had Octavianus een beslissende overwinning behaald. Hij ging echter pas na de winter naar Egypte.
Antonius, die de schande van zijn vlucht wilde uitwissen, begon weer een leger op de been te brengen, om Octavianus tegenstand te kunnen bieden. Tevens echter probeerden Cleopatra en hij om Octavianus gunstig te stemmen. De koningin zond hem als geschenk een gouden kroon en bood aan afstand te doen van de troon, als haar zoons haar plaats mochten innemen. Antonius stuurde geld en deed het verzoek om als gewoon burger in Athene te mogen leven. Als Octavianus onvermurwbaar bleek, zouden zij samen vluchten, tot zij buiten zijn bereik waren.
Octavianus legde het verzoek van Antonius naast zich neer. Hij liet

echter Cleopatra de hoop, dat hij voor haar en haar kinderen alles zou doen wat zij wenste, als zij Antonius ter dood liet brengen of hem uit Egypte zou verbannen.

Maar Octavianus was toch van plan haar zelfs als zij Antonius ontrouw werd, naar Rome te brengen en in zijn triomftocht mee te voeren.

Hoofdstuk 124

DE DOOD VAN ANTONIUS EN CLEOPATRA

Toen Octavianus tenslotte Egypte bereikte, landde hij in Pelusium. Nog voor de soldaten waren uitgerust van de vermoeiende reis, werden zij aangevallen door Antonius, die een kleine overwinning behaalde en daardoor aangemoedigd werd de strijd voort te zetten. De avond voor de veldslag vierde hij feest met zijn vrienden en hij was opgewekter dan hij zich sinds zijn vlucht uit Actium had gevoeld, want hij hoopte nu te overwinnen of een eervolle dood op het slagveld te vinden.

Vroeg in de ochtend leidde hij zijn troepen naar een positie vanwaar hij zijn vloot kon zien, want hij geloofde dat er die dag zowel te land als ter zee gevochten zou worden. Toen zijn vloot die van Octavianus naderde, werd er niet gevochten. De schepen van Antonius sloten zich aan bij de vloot van Octavianus. Even later liep ook zijn ruiterij over naar de vijand en de rest van het leger werd toen geheel verslagen.

Vernederd en diep teleurgesteld probeerde Antonius aan boord van een schip te komen, maar toen hij zag dat de vijand hem gadesloeg, stak hij zich dood.

Plutarchus vertelt in zijn levensbeschrijving van Antonius een heel ander verhaal. Na de nederlaag, zegt hij, ging Antonius terug naar Alexandrië en beschuldigde Cleopatra ervan, dat zij hem verraden had. Hij was zo woedend op de koningin, dat zij bang werd en zich in het mausoleum — de graftombe die zij voor zichzelf had laten bouwen — opsloot en een van haar dienaressen de boodschap aan Antonius liet brengen dat zij dood was. Dan zou zijn kwaadheid wel in verdriet veranderen, dacht zij.

Maar zij had er niet over nagedacht tot welke wanhoopsdaad Antonius zou kunnen komen. Toen hij meende dat zij dood was, wilde hij ook sterven. Hij riep zijn bediende Eros, die gezworen had hem te zullen doden als hij hem dat vroeg, en verzocht hem nu zijn belofte waar te maken. Zwijgend trok de trouwe dienaar het zwaard en doodde niet zijn meester, maar zichzelf. Antonius liet zich toen op

zijn zwaard vallen, maar de wond veroorzaakte niet onmiddellijk de dood.
Toen kwam er bericht, dat Cleopatra nog leefde. De stervende wilde naar haar toegebracht worden en zijn bedienden droegen hem naar de deur van het mausoleum. De koningin, die uit het raam keek, zag hem daar beneden gewond en stervend liggen. Zij had slechts haar dienaressen Iras en Charmian bij zich en daarom probeerde zij niet de zware deur met de vele grendels te openen. Zij liet koorden uit het raam neer en met hun drieën trokken ze Antonius daaraan door het raam naar binnen. Voorzichtig legde de koningin hem op haar bed en toen barstte zij in tranen uit, terwijl zij hem haar heer en meester noemde.
Toen Antonius wat wijn had gedronken, zei hij tegen haar, dat zij niet treuren moest, want hij zou niet oneervol sterven. En dit waren zijn laatste woorden.
Toen Octavianus vernam dat Antonius gestorven was, weende hij, want hij dacht aan de vele gevaren die ze samen getrotseerd hadden en de vriendschap die Octavia had trachten te herstellen.
Hij zond haastig een van zijn officieren, Proculeius, naar Cleopatra om te zien of zij nog in leven was, want hij wilde haar naar Rome overbrengen voor zijn triomftocht.
Proculeius vond de deur van het mausoleum versperd. Hij nam een ladder, zette die tegen de muur en kwam het vertrek binnen vóór de koningin het bemerkte. Een van haar dienaressen riep uit: „O, Cleopatra, nu zijt gij een gevangene". Onmiddellijk haalde de koningin uit de plooien van haar gewaad een dolk tevoorschijn, en zij wilde zich daarmee doorsteken.
Proculeius greep haar handen, nam haar de dolk af en verweet haar toen, dat zij zo weinig vertrouwen had in de edelmoedigheid van Octavianus. Nadat hij nog gekeken had of zij misschien ergens vergif had verborgen, ging hij heen.
Enkele dagen later bracht Octavianus zelf een bezoek aan de koningin. Zij was nu op haar hoede en bracht Octavianus in de waan, dat ze zo aan het leven gehecht was, dat zij geen zelfmoord kon plegen. Ja, zij vertelde hem zelfs, dat zij enkele kostbare geschenken had voor zijn vrouw Livia en zijn zuster Octavia, die ze hun in Rome wilde geven.

Octavianus liet haar achter, er vast van overtuigd dat zij zich niet van het leven zou beroven.
Toen vroeg Cleopatra om vijgen. De wachters hielden de man die ze bracht, aan om de inhoud van de mand te controleren. De man schoof de bladeren die bovenop lagen opzij, liet de vijgen zien en mocht passeren. Maar onder de vijgen lag een adder verborgen.
Toen Cleopatra de vijgen veilig binnen had, schreef zij Octavianus, dat zij naast Antonius begraven wilde worden. Daarna verzocht ze haar dienaressen om haar in het koninklijk gewaad te kleden en haar het diadeem op te zetten. Ze haalde toen de adder uit de mand en liet het dier in haar arm bijten.
Zodra Octavianus de brief van Cleopatra ontvangen had, zond hij met de meeste spoed enkele soldaten naar het mausoleum, want hij vreesde dat zij toch een middel had gevonden om zich van het leven te beroven.
De soldaten vroegen aan de schildwachten of alles in orde was en kregen een bevestigend antwoord. Maar toen zij de deur hadden geopend, vonden zij Cleopatra dood op haar gouden rustbed en een van haar dienaressen, Iras, dood aan haar voeten. De andere, Charmian, probeerde nog stervend het diadeem van Cleopatra recht te zetten.
Het laatste verzoek van de koningin werd ingewilligd. Zij werd met koninklijke pracht en naast Antonius begraven.

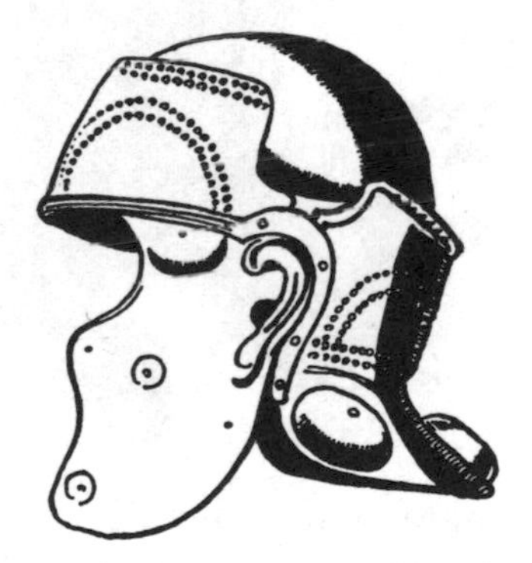

HOOFDSTUK 125

KEIZER AUGUSTUS

De slag bij Actium betekende het einde van de Romeinse republiek. Van die tijd af regeerde Octavianus alleen over het grote rijk en de Senaat schonk hem de eretitel „Augustus" wat „de Verhevene" betekent, zoiets als ons „Majesteit". Verder liet hij zich Caesar noemen naar zijn aangenomen vader Julius Caesar en die naam werd nu een titel. Daarvan is ons woord keizer en ook tsaar afgeleid en alle opvolgers van Augustus droegen die titel.
De regering van Keizer Augustus begon in 30 v. Chr. en eindigde in 14 n. Chr.

Het Romeinse Rijk strekte zich onder zijn regering uit van de Rijn en de Donau in het noorden tot de Sahara in het zuiden en van de Atlantische Oceaan in het westen tot de Euphraat in het oosten.

Hij breidde dit gebied niet noemenswaard uit, maar wel zorgde hij ervoor dat de bewoners gedurende de vierenveertig jaar van zijn bewind in vrede met elkaar en met de naburige volkeren konden leven. Voor de derde maal sinds Rome gebouwd werd, konden de poorten van de tempel van Janus gesloten worden.
De keizer was zeer geliefd bij de burgers van Rome, omdat hij goed en rechtvaardig regeerde. Het was aan zijn ambtenaren uitdrukkelijk verboden de armen te onderdrukken. De koopvaardijschepen konden nu overal heenvaren zonder door zeerovers lastig gevallen te worden. Eens was hij voor drie jaar buiten Italië op reis. Iedereen verlangde naar zijn terugkeer. De dichter Horatius drukte dat verlangen onder andere in de volgende woorden uit:
„O, gij waker over het volk van Romulus, keer terug, uw land roept om u. Want wanneer gij aanwezig zijt, kan de os veilig het land ploegen, kan de zeeman de zeeën bevaren zonder vrees; de misdaad wordt in toom gehouden en de dagen gaan vredig voorbij. Niemand vreest, dat Parthen of Germanen het land zullen binnenvallen."

TIBERIUS

De keizer stierf in 14 n. Chr. Zijn vrouw Livia was bij hem tot het einde. Toen hij haar voor de laatste maal kuste, zei hij: „Vaarwel, en

vergeet nooit de jaren die wij samen doorgebracht hebben". Octavianus had altijd veel van haar gehouden en haar met eerbied behandeld. Zijn stiefzoon Tiberius volgde hem op.
Zo groeide uit de ene stad, die door Romulus in 753 v. Chr. op de Palatijnse heuvel werd gesticht, door strijd en verovering een machtig rijk, waarover Augustus als eerste keizer regeerde.
„Aan u, Romeinen, zij de taak om over de volkeren te regeren. En dit zal uw werk zijn: vrede te brengen, met orde en recht, te sparen wie zich onderwerpen, te verpletteren wie u weerstreven."
Zo profeteerde de dichter Vergilius.

INHOUDSOPGAVE

HOOFDSTUK

HOOFDSTUK

Hoofdstuk

HOOFDSTUK